高职高专园林类立体化创新系列教材

园林工程计价

第2版

主　编　姚飞飞　王丽娟
副主编　李艳萍　杨　阳
兰海燕
参　编　周道姗　武金翠
马书燕　张智勇
郝悦冬　牛　蕾
刘春岩　陈　静
主　审　张义勇

机械工业出版社

本书在结构体系上，根据现行的园林工程计价模式，采用学习任务的形式，按照教学中能实现的步骤：任务描述—相关知识—任务实施—学习评价—复习思考—总结几个环节进行编排，目标明确，针对性强。针对同一个学习任务，用定额计价与清单计价两种计价方式完成。

全书5个项目下设27个任务，项目一是园林工程计价解读，包含2个任务；项目二和项目三分别是园林工程定额计价和工程量清单计价，各包含10个任务，内容从简单到复杂，讲述了绿化、园路、园桥、假山、景墙、钢筋混凝土亭、钢结构廊架、园林给水排水、园林电气工程的定额计价和清单计价；项目四是园林工程结算与竣工决算，包含3个任务；项目五是园林工程计价软件应用，包含2个任务：广联达GBQ4.0计价软件安装与应用、新奔腾计价软件安装与应用；书后附有2个附录及2套综合测试题。本书包括了园林工程各大要素不同结构形式的计价编制方法，内容上力求继承与创新、全面与系统、实用与适用。

本书可作为高职高专院校、应用型本科院校、成人高校及二级职业技术院校、继续教育学院和民办高校的园林及相关专业的教材，也可作为相关从业人员的培训教材。

图书在版编目（CIP）数据

园林工程计价/姚飞飞，王丽娟主编．—2版．—北京：机械工业出版社，2022.3（2025.1重印）
高职高专园林类立体化创新系列教材
ISBN 978-7-111-70722-6

Ⅰ.①园… Ⅱ.①姚…②王… Ⅲ.①园林—工程造价—高等职业教育—教材 Ⅳ.①TU986.3

中国版本图书馆CIP数据核字（2022）第078019号

机械工业出版社（北京市百万庄大街22号 邮政编码100037）
策划编辑：时 颂 责任编辑：时 颂
责任校对：樊钟英 刘雅娜 封面设计：张 静
责任印制：张 博
北京雁林吉兆印刷有限公司印刷
2025年1月第2版第3次印刷
184mm×260mm · 17.5印张 · 431千字
标准书号：ISBN 978-7-111-70722-6
定价：49.00元

电话服务 网络服务
客服电话：010-88361066 机 工 官 网：www.cmpbook.com
010-88379833 机 工 官 博：weibo.com/cmp1952
010-68326294 金 书 网：www.golden-book.com
封底无防伪标均为盗版 机工教育服务网：www.cmpedu.com

前　　言

“园林工程计价”是高职高专园林类专业的核心课，它具有实践性、地域性、综合性强的特点，对培养学生专业技能具有举足轻重的作用。本教材编写结合园林工程计价岗位实际需求，在第1版的基础上，对园林给水排水和园林电气部分内容进行了重新编写，对教材部分内容进行了修正；融合信息化手段，采用线上线下相结合的方式对教材内容进行了立体化设计，针对教材中每个任务制作了教学课件，并录制了相关教学视频，便于教师备课和学生自主学习（教材配套课件资源可登录机工教育服务网 www. cmpedu. com 注册下载，配套教学视频可直接在书中相应位置扫描二维码观看）。本教材由一线教师与施工企业一线工程技术人员合作编写，按照园林工程实境实战的工作任务设计教材内容，并将岗位所需专业知识和课程思政内容融入教材，使学生在学习专业知识的同时，潜移默化地提升思想道德素养。

在每一项目前，首先提出项目引言和学习目标，然后结合具体任务实例，先提出任务要求再讲解完成任务所需要的相关知识，使学生对知识由感性认识上升到理性认识。在任务实施环节，先解决重点环节手工计算工程量，再采用地方常用计价软件进行套价，使学生在短时间内能顺利地完成任务，同时锻炼学生运用软件计价的能力，增强学生的成就感。在教材的表现形式上，采用以图代文、以表代文，增强直观性。每一任务后设有复习与思考题、学习评价，书末还设有两套综合试题，目的是让学生明确学习的重点、难点及提高学生的综合计价能力，并与造价员岗位接轨，使学生在校即具备初级造价员的工作能力。

为了兼顾南北教学需要，全书以《建设工程工程量清单计价规范》、定额计价部分以河北省现行的园林工程定额、清单计价以江苏省现行的园林工程定额等文件为主要编写依据编写。

本教材是高职高专院校园林工程技术专业的系列教材之一，也可作为工程造价等专业的参考书及工程造价管理人员、企业管理人员学习编制园林工程预算的参考资料。

参与本书编写的有河北旅游职业学院的姚飞飞、王丽娟、李艳萍、杨阳、兰海燕，北京农业职业学院的周道姗，江苏农业职业技术学院的武金翠，唐山职业技术学院的马书燕，宣城职业技术学院的张智勇，承德正元工程造价咨询有限公司的郝悦冬，河北高速公路集团有限公司承德分公司的牛蕾、刘春岩、陈静。编写分工如下：项目一中“园林给水排水施工图识读”及“园林电气施工图识读”由王丽娟编写，其余由周道姗编写；项目二中任务一至任务八及综合实训二由姚飞飞编写，任务九由杨阳编写，任务十由王丽娟编写；项目三中任务一、任务三、任务五、任务八由武金翠编写，任务二由姚飞飞编写，任务四、任务六、任务七、任务十由王丽娟编写，任务九由杨阳编写；综合实训三和项目四由张智勇编写；项目五由兰海燕编写；附录A和综合测试题由马书燕编写，附录B由王丽娟编写；牛蕾、刘春岩协助绘图；郝悦冬、陈静审核算量及套价；王丽娟、杨阳负责全书的课件和视频录制。河北旅游职业学院农林学院张义勇教授担任主审。在此，特别感谢张义勇教授在百忙之中对本书进行了细致的审阅，并提出中肯的意见。感谢河北旅游职业学院刘树杰副教授、梅涛老师提供部分施工图，并在本教材编写过程中提出宝贵意见。

由于时间仓促，加之编者水平有限，不妥之处在所难免，恳请各位同仁和读者批评指正。

编　者

目　录

项目一 园林工程计价解读

项目引言

园林工程建设作为城市建设的一部分，在改善城市生态环境、促进城市经济发展方面发挥了不可替代的作用。工程计价是按照规定的程序、方法和依据，对工程造价及其构成内容进行估计或确定的行为，是园林工程建设中一个非常重要的环节，它贯穿于工程建设的全过程，直接影响到园林工程建设的经济效益和发展。

园林工程图是根据投影原理和有关园林专业知识，并按照国家颁布的有关标准和规范绘制的一种工程图样。园林工程图直观地表达了设计人员的设计主题、设计思想、设计创意及各类技术指标与参数的应用，它是园林施工与管理必不可少的技术文件。读懂园林工程图，弄清图样的内容，理解图中设计者的意图是园林工程计价学习的第一步。

学习目标

了解：园林工程计价的含义。

熟悉：园林工程造价的分类和构成。

掌握：园林工程费用的组成部分和园林工程图的基本知识。

能够：识别各种园林工程图，读懂园林工程图的内容。

思政目标

1. 培养学生投身国家建设的荣誉感与使命感。
2. 培养学生对园林工程计价工作的认同感。
3. 培养学生的职业自豪感。

任务一　工程计价解读

一、任务描述

工程计价解读

（一）任务说明

（1）教师提供园林工程实例，包括完整的施工图、预算书。

（2）认真阅读施工图，分组讨论。

（二）任务要求

（1）分析工程实例的造价组成。

（2）按照现行当地建设工程定额的有关内容，列出本工程实例的分项工程名称。

二、相关知识

（一）工程计价概述

计算和确定工程项目造价的过程，就是工程计价。具体地说，工程计价是指工程造价人员在建设项目实施的各个阶段，根据各阶段的不同要求，遵循一定的原则和程序，采用科学的方法，对建设项目最可能实现的合理价格做出科学的计算，从而确定建设项目工程造价数额、编制工程造价的工作过程。要明确工程计价的含义及过程，就要先弄清楚工程造价。

1. 工程造价

园林工程造价是指园林工程在建造过程中所消耗的全部资金总和，即从工程项目确定建设意向直至建成、竣工验收为止的整个建设期间所支出的费用总和。具体有下述两种不同的含义：

（1）第一种含义：园林工程造价是指建设一项园林工程项目预期开支或实际开支的全部固定资产投资费用总和。投资者为了获得园林绿化工程项目的预期效益，需要对园林绿化项目进行策划、决策、设计、招标、施工、竣工验收等一系列生产经营活动，在这一系列经营活动中所耗费的全部费用总和，就构成了园林工程造价。

（2）第二种含义：园林工程造价是指为建设一个公园、庭院、花园、风景名胜区、自然保护区、林带、游览胜地等，预计或实际上在土地市场、设备市场、技术劳务市场以及承包市场等交易形成的交易、承包价格。园林工程造价的第二种含义是以市场经济为前提，通过招标投标或发承包等交易方式，在进行多次估价的基础上，最终由竞争形成的市场价格。

通常把园林工程造价的第二种含义称为承发包价格，这是工程造价中一种重要的、典型的价格形式。它是在建筑市场通过招标投标，由需求主体（投资者）和供给主体（承包商）共同认定的价格。

园林工程造价的第二种含义，其交易的对象，可以是一个建设项目、一个单项工程，也可以是一个建设项目的某一个阶段，如可行性研究报告编制阶段、工程设计工作招标阶段等。同时，还可以是某个建设阶段的一个或几个组成部分，如建筑安装工程、装饰工程、树木种植工程、喷泉工程、假山工程及其配套设施工程等。

园林工程造价的两种含义，是从不同角度把握同一种事物的本质。对园林绿化工程投资者来说，工程造价就是项目投资，是“购买”园林工程项目所要付出的价格；同时园林工程造价也是工程投资者作为市场供给主体“出售”工程项目时定价的基础。对于提供技术、劳务的勘察设计、施工、造价咨询等机构来说，园林工程造价是他们作为市场供给主体出售商品和劳务价格的总和或者是指特定范围的工程造价，如：喷泉工程造价、假山工程造价等。

2. 园林工程造价的职能

园林工程造价除了具有一般商品的价格职能外，还有自己的特殊职能。

（1）预测职能。无论投资者或是建筑商都要对拟建园林绿化工程进行预先测算。投资者预先测算工程造价不仅可以作为项目决策依据，同时也是筹集资金、控制造价的依据。承包商对工程造价的预算，既为投标决策提供依据，也为投标报价和成本管理提供依据。

（2）控制职能。园林工程造价的控制职能表现在两个方面：一方面是它对投资的控制，即在投资的各个阶段，根据对造价的多次性预算和评估，对造价进行全过程多层次的控制；另一方面，是对以承包商为代表的商品和劳务供应企业的成本控制。在价格一定的条件下，企业实际成本开支决定企业的盈利水平。成本越高，盈利越低。成本高于价格，就会危及企业的生存。所以，企业要以园林绿化工程造价来控制成本，利用园林绿化工程造价提供的信息资料作为控制成本的依据。

（3）评价职能。园林工程造价是评价总投资和分项投资合理性和投资效益的主要依据之一。在评价土地价格、建筑安装产品和设备价格的合理性时，就必须利用工程造价资料。在评价建设项目偿贷能力、获利能力和宏观效益时，也可依据工程造价。园林绿化工程造价也是评价建筑安装企业管理水平和经营成果的重要依据。

（4）调节职能。园林工程建设直接关系到生产力水平和经济增长，也直接关系到国家重要资源分配和资金流向，对国计民生都有重大影响。国家对建设规模和结构进行宏观调控是在任何条件下都不可或缺的，对政府投资项目进行直接调控和管理也是必需的。这些都要以工程造价为经济杠杆，对工程建设中的物资消耗水平、建设规模、投资方向等进行调控和管理。

工程造价职能的实现条件：建立和完善市场机制，创造平等竞争的环境，建立完善灵敏的价格信息系统。

3. 园林工程造价的特点

（1）大额性。园林工程建设本身就是一个建筑与艺术相结合的行业。能够发挥一定生态和社会投资效益的工程，不仅占地面积和实物形体较大，而且造价高昂，动辄数百、数千万元人民币，特大型综合风景园林工程项目的造价可达几十亿元人民币。所以，园林工程造价具有大额性的特点，对宏观经济具有一定大影响。

（2）个别性、差异性。任何一项园林工程都有特定的用途、功能和规模。所以，对每一项园林工程的结构、造型、空间分割、设备配置和内外装饰都有具体的要求，因而使园林工程内容和实物形态都具有个别性、差异性。产品的差异性及每项园林绿化工程所处地区、地段都不相同决定了园林工程造价的个别性、差异性。

（3）动态性。任何一项园林工程从决策到竣工交付使用，都有一个较长的建设期间，而且由于不可控因素的影响，在预计工期内，许多影响园林工程造价的动态因素，例如园林工程变更，设备材料价格、工资标准以及费率、利率、汇率等会发生变化，这种变化必然会影响到造价的变动。所以，园林工程造价在整个建设期间处于不确定状态，直至竣工决算后工程的实际造价才能被最终确定。

（4）层次性。工程造价的层次性取决于园林工程的层次性。一个园林建设项目通常含有多个能够独立发挥生产效能的单项工程（例如绿化工程、园路工程、园桥工程和假山工程等）。一个单项工程又是由能够各自发挥专业效能的多个单位工程（例如土建工程、安装工程等）组成。与此相适应，工程造价有三个层次：建设项目总造价、单项工程造价和单位工程造价。如果专业分工更细，以土建工程为例，单位工程的组成部分——分部分项工程（如土方工程、基础工程、装饰工程）也可以成为交换对象，这样工程造价的层次就增加了分部工程和分项工程而成为五个层次。即使从造价的计算和工程管理的角度看，工程造价的层次性也是非常突出的。

（5）兼容性。园林工程造价的兼容性主要表现在它具有两种含义以及园林工程造价构成因素的广泛性和复杂性。工程造价具有两种含义，此外，在园林工程造价中，成本因素非常复杂，其中为获得园林建设工程用地支出的费用、项目可行性研究和规划设计费用、与政府一定时期政策（特别是产业政策和税收政策）相关的费用占有相当的份额，盈利的构成也较为复杂，资金成本较大。

（二）工程造价分类

1. 按用途分类

园林工程造价按照用途可分为标底价格、投标价格、中标价格、直接发包价格、合同价格和竣工结算价格。

（1）标底价格。标底价格是招标人的期望价格，并不是交易价格。招标人以此作为衡量投标人投标价格的尺度，也是招标人控制投资的一种手段。

编制标底价可由招标人自行操作，也可委托招标代理机构操作，由招标人做出决策。

（2）投标价格。投标人为了中标，按照招标人在招标文件中的要求进行估价，然后依据投标策略确定投标价格，以争取中标并且通过工程实施取得经济效益。所以投标报价是卖方的要价，若中标，这个价格就是合同谈判和签订合同确定园林工程价格的基础。

若设有标底，投标报价时要研究招标文件中评标时标底的使用。

（3）中标价格。中标价格是在工程招标活动中，投标人的报价通过了招标人各项综合评价标准后，被评为最佳者的价格。中标包含两层意思：一是能够最大限度地满足招标文件中规定的各项综合评价标准，这里所谓的综合评价标准，就是对投标文件进行总体评估和比较，既按照价格标准又将非价格标准尽量量化成货币计算，评价最佳者中标；二是能够满足招标文件的实质性要求，并且经评审的投标价格最低，但是投标价格低于工程成本的除外，这项标准是与市场经济的原则相适应的，体现了优胜劣汰的原则，经评审的投标价格最低，仍然是以投标报价最低的中标作为基础，但又不是简单地去比较价格，而是对投标报价做出评审，在评审的基础上进行比较，这样较为可靠、合理。

（4）直接发包价格。直接发包价格是由发包人与指定的承包人直接接触，通过谈判达成协议签订施工合同。直接发包方式计价只适用于不宜直接招标的工程，如军事工程、保密

技术工程、专利技术工程及发包人认为不宜招标而又不违反我国《招标投标法》第三条（招标范围）规定的其他工程。

直接发包方式计价首先提出协商价格意见的可能是发包人或其委托的中介机构，也可能是承包人提出价格意见交发包人或其委托的中介组织进行审核。无论由哪方提出协商价格意见，都要通过谈判协商，签订承包合同，确定为合同价。

直接发包价格是以审定的施工图预算为基础，由发包人和承包人商定增减价的方式来定价。

（5）合同价格。合同价格是指在园林工程招标投标阶段，承发包双方根据合同条款及有关规定，并通过签订工程承包合同所计算和确定的拟建工程造价总额。

合同价格按计价方法的不同，可分为固定合同价、可调合同价和成本加酬金合同价。

1）固定合同价分为固定合同总价和固定合同单价两种。

① 固定合同总价。合同的价格计算是以图样及规定、规范为基础，工程任务和内容明确，业主的要求和条件清楚，合同总价一次包死，固定不变，即不再因为物价波动、气候条件恶劣、地质条件及其他意外困难等的变化而变化的一类合同。在这类合同中，承包商承担了全部的工作量和价格的风险，因此合同价款一般会高些。

② 固定合同单价。它是指合同中确定的各项单价在工程实施期间不因价格变化而调整，而在每月（或每阶段）工程结算时，根据实际完成的工程量结算，在工程全部完成时以竣工图的工程量最终结算工程总价款。

2）可调合同价分为可调总价和可调单价两种。

① 可调总价。可调总价合同，又称为变动总价合同。合同价格是以图样及规定、规范为基础，按照时价进行计算，得到包括全部工程任务和内容的暂定合同价格。它是一种相对固定的价格，在合同执行过程中，由于通货膨胀等原因而导致所使用的工、料成本增加时，可以按照合同约定对合同总价进行相应的调整。当然，一般由于设计变更、工程量变化和其他工程条件变化所引起的费用变化也可以进行调整。因此，通货膨胀等不可预见因素的风险由业主承担，对承包商而言，其风险相对较小，但对业主而言，不利于其进行投资控制，突破投资的风险就增大了。

② 可调单价。合同单价可调，一般是在工程招标文件中规定。在合同中签订的单价，根据合同约定的条款，如在工程实施过程中物价发生变化，可作调整。有的园林单位在招标或签约时，因某些不确定因素而在合同中暂定某些分部分项工程的单价，在工程结算时，再根据实际情况和合同约定单价进行调整，确定实际结算单价。

3）成本加酬金合同价，是由业主向承包人支付工程项目的实际成本，并按事先约定的某一种方式支付酬金的合同类型。即工程最终合同价格按承包商的实际成本加一定比例的酬金计算，而在合同签订时不能确定一个具体的合同价格，只能确定酬金的比例。其中酬金由管理费、利润及奖金组成。

（6）竣工结算价格。是指一个建设项目或单项工程、单位工程全部竣工，发承包双方根据现场施工记录，设计变更通知单、现场变更签证、定额预算单价等资料，进行合同价款的增减或调整计算。竣工结算应按照合同通用条款中有关条款的内容和价款结算办法的有关规定进行，当两者有出入的时候，以价款结算办法的规定为准。

2. 按计价方法分类

工程计价在工程项目的不同建设阶段具有不同的表现形式。

园林工程造价按照计价方法分为估算造价、概算造价、预算造价、投标价、结算价和竣工决算价。

（1）估算造价。对拟建工程所需费用数额在前期工作阶段（编制项目建议书和可行性研究报告书）按照投资估算指标进行一系列计算所形成的价格，称为估算造价。园林工程投资估算是拟建项目前期工作的重要一环。

园林工程投资估算仅是一个建设项目所需费用的一部分，以一个大中型新建项目来说，它的建设投资应该包括从前期工作期，到设备购置和建筑、安装工程完成及试车、考核投产所需的全部建设费用，即固定资产费用、无形资产费用、递延资产费用和预备费用四部分内容。

（2）概算造价。在建设项目的初步设计阶段或扩大初步设计阶段，由设计单位根据初步设计或扩大初步设计图、设备材料清单、概算定额、设备材料价格和费用定额及有关规定文件等资料，编制出反映拟建项目所需建设费用的经济文件，称为初步设计概算。初步设计概算所确定的建设项目所需费用总额，称为概算造价。这是初步设计文件的重要组成部分，是确定工程设计阶段的投资依据，经过批准的设计概算是控制工程建设投资的最高限额。

初步设计概算造价不得超过原批准可行性研究报告中估算投资额的10%，否则，应寻找超过的原因或修改设计。

（3）预算造价。设计单位在施工图设计阶段依据施工图设计的内容和要求结合预算定额的规定，计算出每一单位工程的全部工程量，选套有关定额并按照部门或地区主管部门发布的有关编制工程预算的文件规定，详细地编制出相应建设工程的预算造价，称为施工图预算或施工图设计预算造价。经批准的预算，是编制年度工程建设计划、签订建设项目施工合同、实行建筑安装工程造价包干和支付工程款项的依据。实行招标的工程，设计预算是制定招标控制价（标底）的重要依据。

（4）投标价。投标价是招标工作投标报价的简称。投标价由投标人自主确定，但不得低于成本。投标价应由投标人或受其委托具有相应资质的工程造价咨询人编制。

（5）结算价。竣工结算经建设单位（业主）认可签证后，成为建设单位拨付工程价款，施工单位获得人力、物力和财力耗费补偿以及甲乙双方终止合同关系的依据。同时，单项工程结算书又是编制建设项目竣工决算的依据。

（6）竣工决算价。竣工决算也称工程决算。工程决算是指一个建设项目在全部工程或某一期工程完工后，由建设单位以各单项工程结算造价及有关费用支出等资料为依据，编制的反映该建设项目从立项到交付使用全过程中各项资金使用情况的总结性文件。文件中所确定的造价，称为决算造价。它是办理竣工工程交付使用验收的依据，是竣工报告的组成部分。按照国家相关部门关于工程竣工决算编制的有关规定，竣工决算的内容包括竣工决算说明书、竣工决算财务表、交付使用财产总表、交付使用财产明细表等四个部分。

竣工决算造价综合反映建设项目的实际造价和交付使用的固定资产和流动资产的详细情况，新增生产（使用）能力及建设计划、定额和技术经济指标等的执行情况。

（三）工程造价构成

工程造价是工程项目按照确定的建设内容、建设规模、建设标准、功能要求和使用要求等

全部建成及验收合格交付使用所需的全部费用。我国现行工程造价主要由设备及工具、器具购置费用，建筑安装工程费用，工程建设其他费用，预备费和建设期贷款利息等几项构成。

1. 设备及工具、器具购置费用

（1）设备购置费：为建设项目购置或自制的达到固定资产标准的各种国产或进口设备、工具、器具的费用。

（2）工具、器具及生产家具购置费：新建或扩建项目初步设计规定的、保证初期正常生产必须购置的、没有达到固定资产标准的设备、仪器、器具和生产家具等的购置费用。

2. 建筑安装工程费用

建筑安装工程费由直接费、间接费、利润和税金组成，如图 1-1-1 所示。

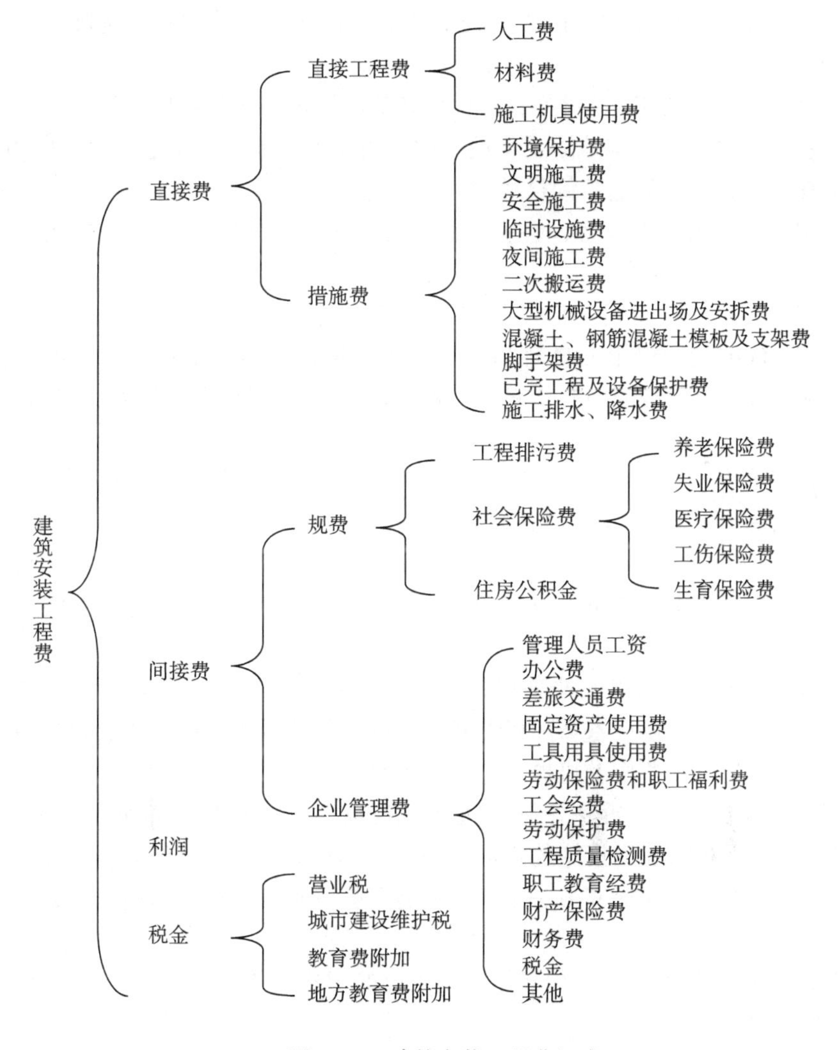

图 1-1-1 建筑安装工程费组成

（1）直接费，由直接工程费和措施费组成。

1）直接工程费：施工过程中耗费的构成工程实体的各项费用，包括人工费、材料费、施工机具使用费。

① 人工费：直接从事建筑安装工程施工的生产工人开支的各项费用，内容包括：

a. 基本工资：发放给生产工人的基本工资。

b. 工资性补贴：按规定标准发放的物价补贴，煤、燃气补贴，交通补贴，住房补贴，流动施工津贴等。

c. 生产工人辅助工资：生产工人年有效施工天数以外非作业天数的工资，包括职工学习、培训期间的工资，调动工作、探亲、休假期间的工资，因气候影响的停工工资，女工哺乳期间的工资，病假在六个月以内的工资及产、婚、丧假期的工资。

d. 职工福利费：按规定标准计提的职工福利费。

e. 生产工人劳动保护费：按规定标准发放的劳动保护用品的购置费及修理费，徒工服装补贴，防暑降温费，在有碍身体健康环境中施工的保健费用等。

② 材料费：施工过程中耗费的构成工程实体的原材料、辅助材料、构配件、零件、半成品的费用。内容包括：

a. 材料原价（或供应价格）：材料、工程设备的出厂价格或商家供应价格。

b. 材料运杂费：材料自来源地运至工地仓库或指定堆放地点所发生的全部费用。

c. 运输损耗费：材料在运输装卸过程中不可避免的损耗。

d. 采购及保管费：为组织采购、供应和保管材料过程中所需要的各项费用。包括采购费、仓储费、工地保管费、仓储损耗。

e. 检验试验费：对建筑材料、构件和建筑安装物进行一般鉴定、检查所发生的费用，包括自设实验室进行试验所耗用的材料和化学药品等费用。不包括新结构、新材料的试验费，建设单位对具有出厂合格证明的材料进行检验，对构件做破坏性试验及其他特殊要求检验试验的费用。

③ 施工机具使用费：施工机械作业所发生的机械使用费以及机械安拆费和场外运费。

施工机械台班单价由下列七项费用组成：

a. 折旧费：施工机械在规定的使用年限内，陆续收回其原值及购置资金的时间价值。

b. 大修理费：施工机械按规定的大修理间隔台班进行必要的大修理，以恢复其正常功能所需的费用。

c. 经常修理费：施工机械除大修理以外的各级保养和临时故障排除所需的费用。包括为保障机械正常运转所需替换设备与随机配备工具附具的摊销和维护费用、机械运转中日常保养所需润滑与擦拭的材料费用及机械停滞期间的维护和保养费用等。

d. 安拆费及场外运费：安拆费指施工机械在现场进行安装与拆卸所需的人工、材料、机械和试运转费用以及机械辅助设施的折旧、搭设、拆除等费用；场外运费指施工机械整体或分体自停放地点运至施工现场或由一施工地点运至另一施工地点的运输、装卸、辅助材料及架线等费用。

e. 人工费：机上司机（司炉）和其他操作人员的工作日人工费及上述人员在施工机械规定的年工作台班以外的人工费。

f. 燃料动力费：施工机械在运转作业中所消耗的固体燃料（煤、木柴）、液体燃料（汽油、柴油）及水、电费用等。

g. 养路费及车船使用税：施工机械按照国家规定和有关部门规定应缴纳的养路费、车船使用税、保险费及年检费等。

2）措施费：为完成工程项目施工，发生于该工程施工前和施工过程中非工程实体项目的费用。包括内容：

① 环境保护费：施工现场为达到环保部门要求所需要的各项费用。

② 文明施工费：施工现场文明施工所需要的各项费用。

③ 安全施工费：施工现场安全施工所需要的各项费用。

④ 临时设施费：施工企业为进行建筑工程施工所必须搭设的生活和生产用的临时建筑物、构筑物和其他临时设施费用等。

临时设施包括临时宿舍、文化福利及公用事业房屋与构筑物，仓库、办公室、加工厂以及规定范围内道路、水、电、管线等临时设施和小型临时设施。

临时设施费用包括临时设施的搭设、维修、拆除费或摊销费。

上述4项费用称为安全文明施工费。

⑤ 夜间施工费：因夜间施工所发生的夜班补助、夜间施工降效、夜间施工照明设备摊销及照明用电等费用。

⑥ 二次搬运费：因施工场地狭小等特殊情况而发生的二次搬运费用。

⑦ 大型机械设备进出场及安拆费：机械整体或分体自停放场地运至施工现场或由一个施工地点运至另一个施工地点，所发生的机械进出场运输、转移费用及机械在施工现场进行安装、拆卸所需的人工费、材料费、机械费、试运转费和安装所需的辅助设施的费用。

⑧ 混凝土、钢筋混凝土模板及支架费：混凝土施工过程中需要的各种钢模板、木模板、支架等的支、拆、运输费用及模板、支架的摊销（或租赁）费用。

⑨ 脚手架费：施工需要的各种脚手架搭、拆、运输费用及脚手架的摊销（或租赁）费用。

⑩ 已完工程及设备保护费：竣工验收前，对已完工程及设备进行保护所需费用。

⑪ 施工排水、降水费：为确保工程在正常条件下施工，采取各种排水、降水措施所发生的各种费用。

（2）间接费由规费、企业管理费组成。

1）规费：按照国家法律、法规规定，由省级政府和有关管理部门规定必须缴纳的费用（简称规费）。包括：

① 工程排污费：施工现场按规定缴纳的工程排污费。

② 社会保险费。

a. 养老保险费：企业按规定标准为职工缴纳的基本养老保险费。

b. 失业保险费：企业按照国家规定标准为职工缴纳的失业保险费。

c. 医疗保险费：企业按照规定标准为职工缴纳的基本医疗保险费。

d. 工伤保险费：企业按照规定标准为职工缴纳的工伤保险和农民工工伤保险费。

e. 生育保险费：企业按照规定标准为职工缴纳的生育保险费。

③ 住房公积金：企业按照规定标准为职工缴纳的住房公积金。

其他应列而未列入的规费，按实际发生计取。

2）企业管理费：建筑安装企业组织施工生产和经营管理所需费用。内容包括：

① 管理人员工资：管理人员的计时工资、奖金、津贴补助、加班加点工资及特殊情况下支付的工资等。

② 办公费：企业管理办公用的文具、纸张、账表、印刷、邮电、书报、会议、水电、

烧水和集体取暖（包括现场临时宿舍取暖）用煤等费用。

③ 差旅交通费：职工因公出差、调动工作的差旅费，住勤补助费，市内交通费和误餐补助费，职工探亲路费，劳动力招募费，职工离退休、退职一次性路费，工伤人员就医路费，工地转移费以及管理部门使用的交通工具的油料、燃料、养路费及牌照费。

④ 固定资产使用费：管理和试验部门及附属生产单位使用的属于固定资产的房屋、设备仪器等的折旧、大修、维修或租赁费。

⑤ 工具用具使用费：管理使用的不属于固定资产的生产工具、器具、家具、交通工具和检验、试验、测绘、消防用具等的购置、维修和摊销费。

⑥ 劳动保险费和职工福利费：由企业支付离退休职工的易地安家补助费、职工退职金、六个月以上的病假人员工资、职工死亡丧葬补助费、抚恤费、按规定支付给离休干部的各项经费、集体福利费、夏季防暑降温补贴、冬季取暖补贴、上下班交通补贴等。

⑦ 工会经费：企业按职工工资总额计提的工会经费。

⑧ 劳动保护费：企业按规定发放的劳动保护用品的支出（如工作服、安全帽、手套等）。

⑨ 工程质量检测费：依据现行规范及文件规定，由委托方委托检测机构对建筑材料、构件和建筑结构建筑节能鉴定检测所发生的费用。不包括对地基基础工程、建筑幕墙工程、钢结构工程、电梯工程、室内环境等所发生的专项检测费用。

⑩ 职工教育经费：企业为职工学习先进技术和提高文化水平，按职工工资总额计提的费用。

⑪ 财产保险费：施工管理用的财产、车辆保险。

⑫ 财务费：企业为筹集资金而发生的各种费用。

⑬ 税金：企业按规定缴纳的房产税、车船使用税、土地使用税、印花税等。

⑭ 其他：包括技术转让费、技术开发费、业务招待费、绿化费、广告费、公证费、法律顾问费、审计费、咨询费等。

（3）利润。施工企业完成所承包工程获得的盈利。

（4）税金。国家税法规定的应计入建筑安装工程造价内的营业税、城市建设维护税、教育费附加及地方教育费附加等。

以上费用组成中，安全文明施工费、规费、税金是不可竞争费。

园林建设工程费用组成同建筑安装工程费，由直接费、间接费、利润、税金组成。

3. 工程建设其他费用

工程建设其他费用是指从工程筹建起到工程竣工验收交付使用的整个建设期间，除建筑安装工程费用和设备及工具、器具购置费以外的，为保证工程建设顺利完成和交付使用后能够正常发挥效用而发生的各项费用。

工程建设其他费用，按其内容可分为固定资产其他费用、无形资产费用和其他资产费用等。

（1）固定资产其他费用。固定资产费用是指项目投产时将直接形成固定资产的建设投资，包括工程费用以及在工程建设其他费用中按规定将形成固定资产的费用，后者被称为固定资产其他费用。

（2）无形资产费用。直接形成无形资产的建设投资，主要指专利及专有技术使用费。具体包括如下内容：

1）国外设计和技术资料费，引进有效专利、专有技术使用费和技术保密费。

2）国内有效专利、专有技术使用费。

3）商标权、商誉和特许经营权费用等。

（3）其他资产费用。建设投资中除形成固定资产和无形资产以外的部分，主要包括生产准备及开办费等。

生产准备及开办费是指建设项目为保证正常生产（或营业、使用）而发生的人员培训费、提前进厂费以及投产使用必备的生产办公、生活家具用具及工具、器具等购置费用。

4. 预备费和建设期贷款利息

（1）预备费。包括基本预备费和涨价预备费。

1）基本预备费是针对项目实施过程中可能发生难以预料的支出，需要事先预留的费用，又称工程建设不可预见费，主要指设计变更及施工过程中可能增加工程量的费用。

2）涨价预备费是指建设项目在建设期间内由于材料、人工、设备等价格可能发生变化引起工程造价变化而预留的费用，又称价格变动不可预见费。

（2）建设期贷款利息。包括向国内银行及其他非银行金融机构贷款、出口信贷、外国政府贷款、国际商业银行贷款以及在境内发行的债券等在建设期间应计的借款利息。

（四）园林工程项目划分

园林工程项目的划分是进行园林工程概预算的必要条件，在熟悉园林工程施工图及施工组织设计的基础上，严格按照定额的项目类别确定工程中的各项目，计算各项目的工程量，然后才能准确选择定额，进行各类预算、决算，以减少计算过程中的漏算和少算。

园林工程项目划分的依据包括：

（1）工程设计的施工图和各种相关技术资料。

（2）适合的园林工程建设及绿化工程定额。

（3）施工企业完成的施工组织设计资料。

（4）建设单位和园林工程施工企业签订的具有法律效力的合同、协议等文件资料。

一个园林建设工程项目是由多个基本的分项工程构成的，为了方便对工程进行管理，使工程预算项目与预算定额中项目相一致，就必须对工程项目进行划分。一般可划分为以下几个方面：

（1）建设项目：在一个场地上或数个场地上，按照一个总体设计进行施工的各个工程项目的总和。建设项目在行政上具有独立的组织形式，经济上实行独立核算，有法人资格，能与其他单位建立经济往来关系。例如：一个公园、一个游乐园、一个动物园、一个现代农业观光园、一个标准高尔夫球场等项目。建设项目的工程造价一般通过编制设计总概算、设计概算或修正概算来确定。

（2）单项工程（工程项目）：能独立设计、施工，建成后能独立发挥生产能力或工程效益的工程项目。一个工程项目中可以有几个单项工程，也可以只有一个。如一个公园由码头、水榭、餐厅、茶室、码头、管理处等几个单项工程组成，一个高尔夫球场可由会馆、标准球场、练习场、景观休闲绿地、岗亭等多个单项工程组成。其造价通过编制单项工程综合概预算确定。

（3）单位工程：可以独立设计、施工，但不能独立形成生产能力与发挥效益的工程，它是单项工程的组成部分。如餐厅工程中的给水排水工程、照明工程、绿化工程、土建工程，茶室的照明工程、绿化工程，园林工程中的休息亭、花架、公共卫生间等。它是单项工程的重要组成部分。所以一个单项工程可以划分为园林建筑工程、给水排水工程、电气照明部分及智能化工程等单位工程。单位工程造价一般通过编制施工图预算或单位工程设计概算确定。

（4）分部工程：单位工程的各个部位或是按照使用不同的工种、材料和施工机械而划分的工程项目。如园林古亭工程可分为土石方及基础、钢筋混凝土梁柱、木结构构件、亭顶面、装饰和油漆等分部工程，一般土建工程可划分为土石方、砖石、混凝土及钢筋混凝土、木装修、屋面、抹灰、油漆彩画、脚手架、玻璃裱糊、砌筑工程等。

（5）分项工程（定额子目）：分部工程中按不同的施工方法、不同的材料、不同的规格进一步划分的最基本的工程项目。它是施工图预算中最基本的计算单位，是分部工程的组成部分，对其划分的合理性直接影响到园林工程预算书的编制。如土石方工程中包括人工挖土方、运土石方、平整场地等分项工程；混凝土工程中包括柱、梁、板等分项工程。

园林绿化工程可划分为四个分部工程：绿化工程、园路工程、园桥工程及园林景观工程。每个分部工程又分为若干个子分部工程。每个子分部工程中又分为若干个分项工程。园林绿化工程分部分项工程名称见表1-1-1。

表1-1-1　园林绿化工程分部分项工程名称

分部工程	子分部工程	分项工程
绿化工程	绿地整理	砍伐乔木、挖树根，砍挖灌木丛及根，砍挖竹根，挖芦苇及根，清除草皮，整理绿化用地，屋顶花园基底处理等
	栽植花木	栽植乔木，栽植竹类，栽植棕榈类，栽植灌木，栽植绿篱，栽植攀缘植物，栽植色带，栽植花卉，栽植水生植物，铺种草皮，喷播植草
	绿地喷灌	喷灌管线安装，喷管配件安装
园路、园桥工程	园路、园桥工程	园路、路牙铺设，树池围牙、盖板，嵌草砖铺装，石桥基础，石桥墩、石桥台，拱旋石制作、安装，石旋脸制作、安装，金刚墙砌筑，石桥面铺筑，石桥面檐板，仰天石、地伏石，石望柱，踏（蹬）道，桥基础，石汀步（步石、飞石），栈道
	驳岸、护岸	栏杆、扶手，栏板、撑鼓，木质步桥，点（散）布大卵石，石砌驳岸，原木桩驳岸，散铺砂卵石护岸（自然护岸），框格花木护岸
园林景观工程	堆塑假山	堆筑土山丘，堆砌石假山，塑假山，石笋，点风景石，池石、盆景山，山石护角，山坡石台阶，池、盆景置石
	原木、竹构件	原木（带树皮）柱，梁、檩，椽，原木（带树皮）墙，树枝吊挂楣子，竹柱梁、檩、椽，竹编墙，竹吊挂楣子
	亭廊屋面	草屋面，竹屋面，树皮屋面，油毡瓦屋面，预制混凝土穹顶，玻璃屋面，木（防腐木）屋面，彩色压型钢板（夹芯板）穹顶，彩色压型钢板（夹芯板）攒尖亭屋面板
	花架	现浇混凝土花架柱、梁，预制混凝土花架柱、梁，木花架柱、梁，金属花架柱、梁，竹花架柱、梁
	园林桌椅	木质飞来椅，钢筋混凝土飞来椅，竹制飞来椅，现浇混凝土桌凳，预制混凝土桌椅，石桌石凳，塑树根桌凳，塑树节椅，塑料、铁艺、水磨石飞来椅，水磨石桌凳，金属椅
	喷泉安装	喷泉管道，喷泉电缆，水下艺术装饰灯具，电气控制柜
	杂项	石灯，塑仿石音响，塑树皮梁、柱，塑竹梁、柱，铁艺栏杆，标志牌，石浮雕、石镌字，砖石砌小摆设（砌筑果皮箱、放置盆景的须弥座等）

例　某花园工程

建筑项目：市阳光花园

单项工程：一期园林工程
单位工程：绿化工程
分部工程：栽植花木
分项工程：栽植带土球，胸径10cm香樟

三、任务实施

（1）师生共同分析园林工程实例的造价组成及其特点。
（2）学生分组讨论并列举园林绿化工程分部分项工程名称。
（3）教师设置若干识图问题，学生分组讨论。

四、学习评价

学习评价标准	分值	教学评价			总评
		小组评价 40%	学生自评 20%	教师评价 40%	
工程项目划分，正确	20				
回答教师问题，正确	20				
自学能力	20				
完成任务态度	20				
出勤情况	20				
小计	100				

五、复习思考

（1）什么叫园林工程计价？
（2）园林工程造价有哪些职能？
（3）园林工程造价由哪几种费用构成？
（4）简述园林工程项目的划分形式。

六、总结

重点：（1）园林工程造价的含义、职能及特点。
　　　（2）园林工程造价的分类。
难点：（1）园林工程造价的构成。
　　　（2）园林工程项目划分。

任务二　园林工程图识读

一、任务描述

园林工程图识读

（一）任务说明
（1）教师提供园林工程施工图。
（2）阅读图样，分组讨论识图。

（二）任务要求

（1）分析工程施工图中各种符号含义，掌握读图步骤。

（2）按照现行当地建设工程定额的有关内容，列出本工程实例的分部分项工程名称。

二、相关知识

（一）园林总平面图识读

总平面图表现整个基地内所有组成要素（土地、水体、植物、园林建筑等）的平面布局、平面轮廓等，是园林设计最基本的图样，能够较全面地反映园林设计的总体思想及设计意图，是绘制其他施工图及施工、管理的主要依据。

1. 总平面图包含的主要内容

（1）规划用地区域现状及规划的范围。

（2）原有地形等高线及设计地形等高线。

（3）景区景点的设置、景区出入口的位置，园林植物、建筑、山石、水体及其园林小品等造园素材的种类和位置。

（4）山石、建筑物、道路、水体系统及地下或架空管线的位置和外轮廓以及它们的标高。

（5）比例尺、指北针或风向频率玫瑰图。

2. 总平面图的识读步骤

（1）看图名、比例、设计说明、风玫瑰图、指北针。根据这些内容，可了解施工总平面图设计的意图和范围、工程性质、工程的面积和朝向等基本情况，为进一步了解图样做好准备。

（2）看等高线和水位线。根据等高线和水位线，可了解园林的地形和水体的布置情况，从而对全园的地形骨架有一个基本的印象。

（3）看图例和文字说明。根据图例和文字说明，可明确新建景物的平面位置，了解总体布局的情况。

（4）看坐标或尺寸。根据坐标和尺寸，可查找施工放线的依据。

（二）园林竖向设计图识读

竖向设计图又称地形设计图，是根据设计平面图及原地形图绘制的地形详图，借助标注标高的方法，表示地形在竖直方向的变化情况。

1. 园林竖向设计图包含的内容

园林竖向设计图的内容一般包括以下几项：

（1）指北针、图例、比例、图名和文字说明。文字说明中应当包括标注单位、绘图比例、标高系统的名称和补充图例等。

（2）现状与原地形标高、地形等高线。设计等高线的等高距时，通常应取 0.25 ~ 0.5m，当地形较为复杂时，还需要绘制地形等高线放样网格。

（3）最高点或某些特殊点的坐标及该点的标高。例如，道路的起点、变坡点、转折点和终点等的设计标高、纵坡度、纵坡距、纵坡向、平曲线要素、竖曲线半径、关键点的坐

标；建（构）筑物的室内外设计标高；挡土墙、护坡或土坡等构筑物的坡顶和坡脚的设计标高；水体驳岸、岸顶、岸底标高，池底标高，水面最低、最高以及常水位。

（4）地形的汇水线、分水线或用坡向箭头标明设计地面坡向，指明地表排水的方向以及排水的坡度等。

（5）绘制重点地区、坡度变化复杂地段的地形断面图，并标注标高和比例尺等。

竖向设计施工平面图在工程比较简单时，可与施工放线图合并。

2. 竖向设计图的识读

竖向设计图的识读步骤如下：

（1）看图名、比例、指北针、文字说明。根据这些内容可以了解工程名称、设计内容、工程所处方位和设计范围。

（2）看等高线及其标高标注。根据等高线的分布情况及其标高标注，可以了解新设计地形的特点和原地形的标高，了解地形高低变化及土方工程情况，还可以结合景观总体规划设计，分析竖向设计的合理性。根据新、旧地形标高变化，还能了解地形改造施工的基本要求和做法。

（3）看建筑、山石和道路标高情况。

（4）看排水方向。

（5）看坐标。

（三）园林植物种植施工图的识读

园林植物种植施工图是用相应的平面图例在图样上表示设计植物的种类、数量、规格以及园林植物的种植位置。通常还在图面上适当的位置用列表的方式绘制苗木统计表，具体统计并详细说明设计植物的编号、图例、种类、规格（包括树干直径、高度或冠幅）和数量等。

1. 园林植物种植施工图的内容与用途

园林植物种植施工图包括施工图的图名、比例、指北针、苗木配置表、文字说明等。

苗木配置表通常包括编号、图例、树种名称、数量、规格和备注等内容，有时还标注植物的拉丁学名、植物种植时和后期管理时的形态、修剪的特殊要求等。

施工图中利用不同角度的引出线标注出每一组植物的种类、组合方式、规格、数量或者面积。

借助网格定出种植点的位置。植物种植点的定位尺寸，规则式种植标注出植株间距、行间距及端点植物与参照物之间的距离；自然式种植往往借助于坐标网格定位。

对于景观要求细致的种植局部，施工图应当有表达植物高低关系、植物造型形式的立面图、剖面图和参考图或通过文字说明与标注。

对于种植层次较为复杂的区域，应当绘制分层种植图，即分别绘制上层乔木和中下层灌木地被等的种植施工图。

文字说明是针对植物选择、栽植和养护过程中需要注意的问题进行说明。

园林植物种植施工图是植物种植施工、工程结算、工程监理和竣工验收的主要依据，它能准确表达出种植设计的内容和意图，并且对于施工组织、施工管理、后期养护起到很大的作用。

2. 园林植物种植施工图识读步骤

（1）看标题栏、比例、指北针（或风玫瑰图）及设计说明。依据这些内容可以了解工程名称、性质和所处方位（及主导风向），明确工程的目的、设计意图和范围，了解绿化施工后应达到的效果。

（2）看植物图例、编号、苗木统计表及文字说明。依据图样中各植物的编号，对照苗木统计表及文字说明，了解植物的种类、名称、规格和数量等，是园林工程放线和编制工程预算的依据。

（3）看图样中植物种植位置及配置方式。根据植物的种植位置及配置方式，分析种植设计方案是否合理。了解植物种植位置与建（构）筑物和市政管线之间的距离是否符合有关设计规范的规定等技术要求。

（4）看植物的种植规格和定位尺寸。根据植物的种植规格和定位尺寸，明确定点放线的基准。

（5）看植物种植详图。根据植物种植详图，明确具体种植要求，合理组织种植施工。

（四）假山施工图识读

假山施工图是指导假山施工的技术性文件，可以清楚地反映假山的设计，便于指导施工。

1. 假山施工图的内容

通常一幅完整的假山施工图包括平面图、立面图、剖面图、基础图、做法说明。较高要求的细部，还应绘制施工详图。

2. 假山施工图的识读步骤

（1）看标题栏和说明。从标题栏和说明中了解工程名称、材料和技术要求。

（2）看平面图。从平面图中了解比例、假山方位、定位轴线编号，明确假山在总平面图中的位置、平面形状、平面大小及其周围地形。

（3）看立面图。从立面图中了解山体各部位的立面形状及其高度，结合平面图识读其前后层次及布局特点，领会造型特征。

（4）看剖面图。对照平面图的剖切位置、定位轴线编号，了解断面形状、结构材料、做法及各部位高度。

（5）看基础平面图和基础剖面图。了解基础平面形状、大小、结构、材料、做法等。

（五）园林建筑图的识读

园林建筑是指在园林中具有造景功能，同时又能供人游览、观赏、休息的各类建筑物。如体量较大的殿堂、厅、馆、轩、斋、室、楼阁、榭、舫，中型的亭、廊，小型的园林展牌、指示牌、警告牌、垃圾箱、栏杆等，还有园林厕所、公园大门等。在编制预算时需提供完整的建筑施工图，包括园林建筑图和结构图。

园林建筑图根据表现的内容和形式分为平面图、立面图和剖面图。

1. 建筑平面图

（1）建筑平面图的形成及作用。假想用一个水平剖切面，经过建筑的门、窗洞口位置（没有门窗洞口，柱子根部）将建筑物切开，移去剖切面以上部分，将下面部分直接用正投

影法投影到水平面上而得到的图形就是正投影图。建筑平面图表现建筑的平面形状、大小及房间格局、墙柱、门窗、楼梯、台阶、花池等位置，是施工放线、砌筑墙体和柱体、安装门窗等的依据。

（2）建筑平面图的表达内容及要求。建筑平面图主要表现建筑物内部空间的划分、房间名称、出入口的位置、墙和柱的位置、附属构件的位置，配合适当的尺寸标注和位置说明。具体有建筑平面图的图名，图名的右侧标上比例尺、定位轴线及其编号、索引符号；建筑平面图上一般标明三道尺寸，从外往里依次是总尺寸、轴线尺寸、细部尺寸；除尺寸外，还要标注出楼面、地面的相对标高。如果不是单层建筑物，应该提供各层建筑平面图，并且在底层平面图中标上表明建筑朝向的指北针、剖切符号以及台阶、散水等，如图 1-2-1 所示。

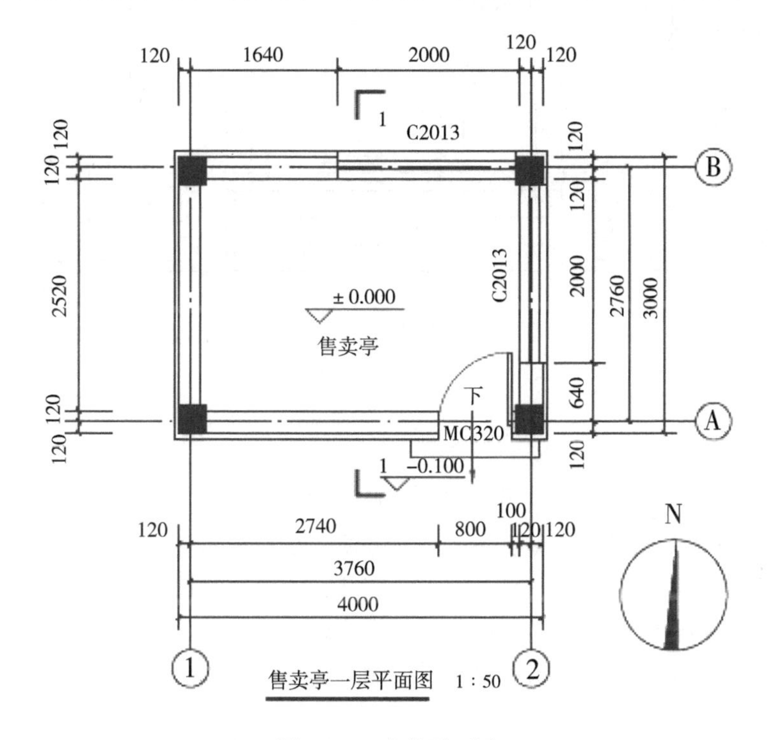

图 1-2-1　建筑平面图

凡是被水平剖切平面剖切到的墙、柱的断面外轮廓，用粗实线表达；可见部分的轮廓线或没有被剖切到的可见构件轮廓线等用中粗实线表达；尺寸线、尺寸界线、尺寸标注、引出线、图名等文字用细实线表达。

2. 建筑立面图

建筑立面图是在某一立面平行面上所做的正投影，用以表现建筑物的形体外观、外部装饰等。

（1）建筑立面图名称的命名。

1）按建筑主、次立面进行命名，包括正立面图、背立面图、左侧立面图、右侧立面图。

2）按建筑朝向进行命名，包括南立面图、北立面图、东立面图、西立面图。

3）按轴线进行命名，如Ⓐ—Ⓔ立面图、①—⑦立面图。

（2）建筑立面图的表达内容及要求。立面图可较清晰、完整地表现该建筑的造型特征，一般只绘制出两端定位轴线及编号，并标注工程做法。立面图的尺寸应标注主要部位的标高，如出入口地面、室外地坪、檐上与檐下、屋顶、景墙窗口等处，标注排列整齐、规范、清晰。以室内地坪高度（即出入口地面标高）为 ±0.000 绘制园林建筑立面图，如图 1-2-2 所示。

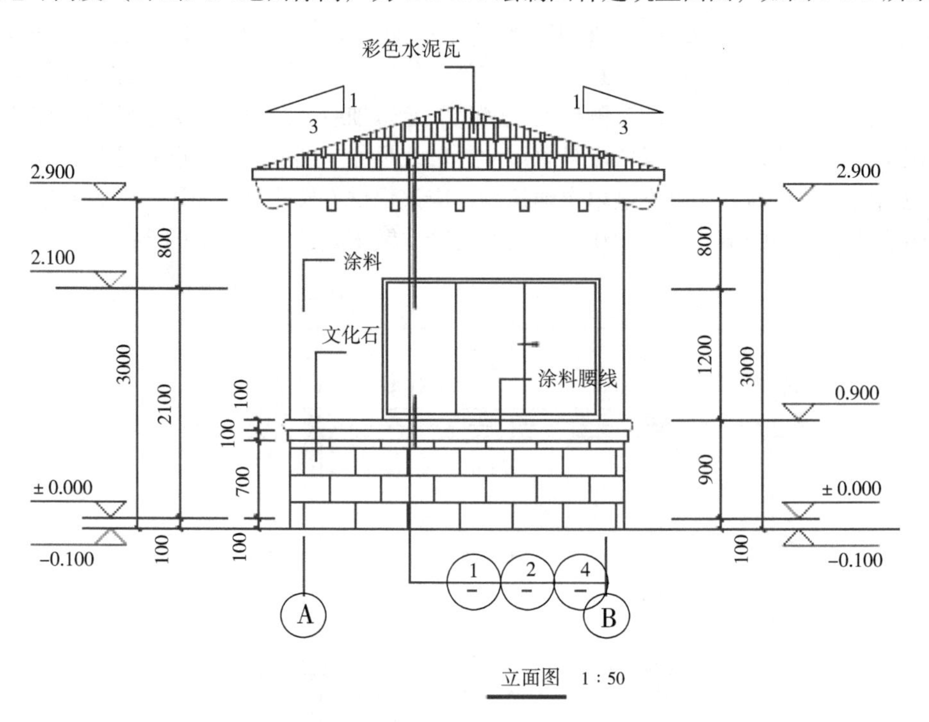

图 1-2-2　园林建筑立面图

为使图面表现真实、层次节奏明快、主次分明，尽量用多种线型绘制。新建建筑物轮廓线和大的转折处用粗实线绘制；立面上较小的凹凸，如门窗洞口、台阶、雨篷、立柱等，轮廓线用中粗实线绘制；轮廓内的局部形象，如门窗扇、雨水管、勒脚、墙体线及引出线、标高等用细实线绘制；室外地坪线用特粗实线绘制。

3. 建筑剖面图

建筑剖面图是假想用一个或多个垂直于外墙轴线的铅垂剖切面把建筑物剖开后所得到的投影图，如图 1-2-3 所示。

建筑剖面图的表达内容及要求：

（1）主要反映建筑内部垂直方向的高度、楼层分层、简要的内部结构形式及构造方式、主要部位的标高。

（2）剖面图的剖切位置应选择在建筑内部构造比较复杂的、有代表特征的部位，如门窗洞口、楼梯间等位置。

（3）剖面图的数量应视建筑的复杂程度与实际要求来定，并与平面图上标注的剖切符号编号一致。

（4）各部分线型按国家标准规定：剖切到的断面轮廓线用粗实线绘制，没有剖切到的主要可见轮廓线（如窗台、门窗洞口、屋檐、雨篷、墙、柱、台阶、花池等）用中粗实线绘制，其他（门窗扇、栏杆、墙面分格等）用细线绘制，室外地坪基准线用特粗实线绘制。

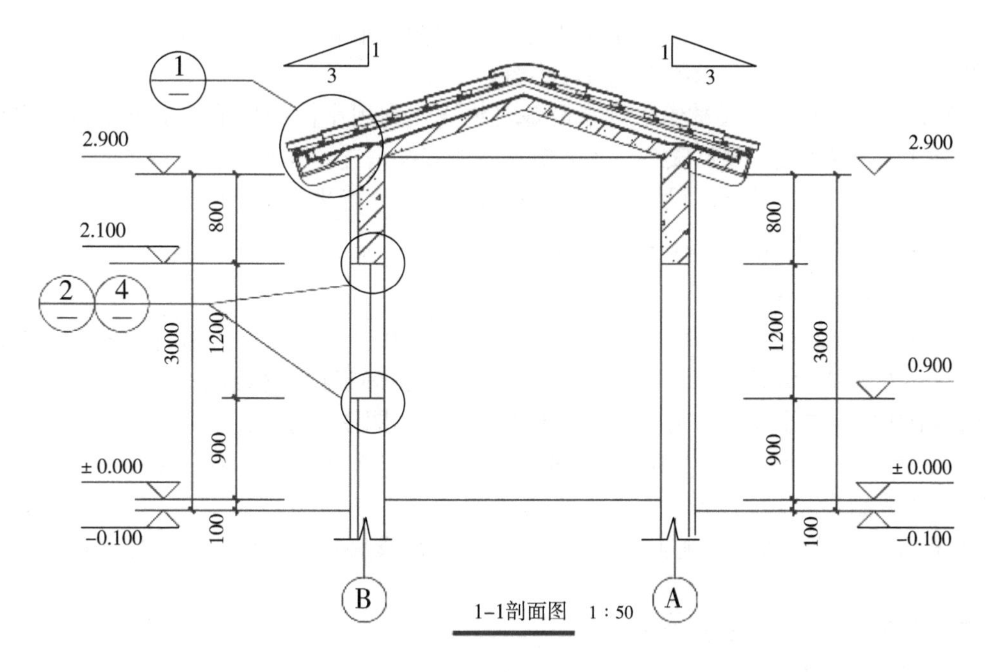

图 1-2-3　建筑剖面图

（六）园林给水排水施工图识读

1. 园林给水排水施工图组成

一套完整的园林给水排水施工图一般由设计总说明、给水排水平面图、绘水排水系统图、图例、设备安装详图等内容组成。

（1）设计总说明：给水排水设计总说明是整套园林给水排水施工图的指导性文件，内容包括了工程概况、设计范围、设计依据、水景系统设计情况、灌溉系统设计情况、设计参考规范等内容。

1）工程简介（概况）。包含工程规模、地点、属性描述。

2）设计依据。主要有建筑专业提供的条件图；建设单位提供的技术要求及有关资料；现行国家标准《室外给水设计标准》（GB 50013）、《室外排水设计标准》（GB 50014）和《建筑给水排水及采暖工程施工质量验收规范》（GB 50242）等。

3）给水排水管道平面布置图。表达出建筑物、构筑物、广场、道路、绿地等的相对位置关系，一般用细实线绘出其外形轮廓、管线设备的平面定位及相关尺寸标注。

4）管线纵断面图。表达出原始地形地貌标注，一般标注原始地面线、设计地面线及与本管道相关的其他地下管线的相对距离和各自标高，包括设计管线长度、坡度、坡向、地面标高、管线标高等。

（2）给水排水平面图：根据工程设计情况，给水排水平面图一般按水景系统和灌溉系统分别绘制。绘制内容包含输水线路和给水排水设备定位、主要材料安装规格方式等。

（3）给水排水系统图：给水排水系统图主要确定了园林给水排水工程中所涉及的输水线路分配情况，图中详细标注了给水排水阀门、各种井、管道，泵等设备的型号、规格、材质、安装敷设情况等内容。

（4）图例：一个完整的园林给水排水施工图图例一般包含序号、图例、名称、型号规格、单位、数量以及安装要求等其他备注内容。

（5）设备安装详图。园林给水排水设备安装详图利用小比例尺给出了重要设备安装节点，如阀门井、取水阀、灌溉喷头、水泵等设备的安装情况。详细给出了设备的尺寸、规格以及与其他设备的连接情况。设备安装详图可以直接套用标准图集确定。

2. 园林给水排水施工图的识读

（1）识读相关知识。

1）常用园林给水排水图例。园林给水排水施工图中，常用一些图形符号来表示管道及各种设备，熟悉和记清各种图形符号所表达的内容是正确识读园林给水排水施工图的基础。在施工图中通常要给出图例，另外还可以参见相关的制图图例标准。

2）管径。管径计量单位为毫米，一般用公称直径 DN 来表示。对于无缝钢管，一般用管外径×壁厚表示。

3）标高。园林给水排水施工图管线标高一般采用管底标高标注，个别情况还可以标注管顶标高。

（2）识读的主要内容和注意事项。

1）查明管路平面布置与走向。

2）查看与室外管网相连接的水表井、阀门井的具体位置，了解管道的埋深与管径。

3）详图识读。施工详图制图时一般要求图纸完整详尽、标注尺寸齐全、资料规范、有详细的施工做法。标准的施工详图一般直接套用标准图集，只在详图索引符号上注明所选图集编号，识图时需具备专用的标准图集。

（3）园林给水排水施工图识图步骤。

1）阅读园林给水排水设计总说明，了解工程概况、设计内容、设计范围、设计依据等内容，对工程项目有初步了解。

2）阅读图例，掌握园林给水排水设计图中涉及的各种用水泵、阀门、喷头等设备的符号、规格及特殊要求等。

3）给水排水平面图与系统图配合使用，确定给水排水设备的位置、给水排水管道的布置与安装要求。读图过程中重点确定不同管道的标高、管径、材质等内容。

4）对于平面图中未能详细标注尺寸及安装方式的设备，需根据平面图内标注的详图编号进行详图查找，根据详图中确定的尺寸、设备要求进行施工、预算。

（七）园林电气施工图识读

园林电气施工图是对园林景观中所涉及的各种配电箱、庭院灯、草坪灯等电气设备进行指导施工的技术性文件，图纸中按照比例尺确定了电气设备的位置和电气线路的敷设情况以及各种用电器的大样详图等。

1. 园林电气施工图的内容与用途

一套完整的园林电气施工图一般由电气设计总说明、电气布置平面图、系统图、图例、大样详图及主要设备安装示意图等内容组成。

（1）电气设计总说明：电气设计总说明是整套园林电气施工图的指导性文件，内容包括了设计依据、设计范围、供电设计、主要设备施工要求、配电箱与灯具选型和安装方式等。

（2）电气布置平面图：电气平面布置图给出了园林景观设计中灯具、配电箱等用电器的准确位置，图中对电气设备的编号、名称、线路布置情况等都有详细的标注，是工程预算人员进行识图算量的重要依据。

（3）系统图：如图 1-2-4 所示，园林电气施工图系统图给出了配电箱的型号、规格。各个配电线路的功能以及电线材质、敷设方式等内容。包括供配电系统图、照明系统图等。系统图主要表达系统的基本构成、主要电气设备、元器件连接情况以及其规格、型号参数等。

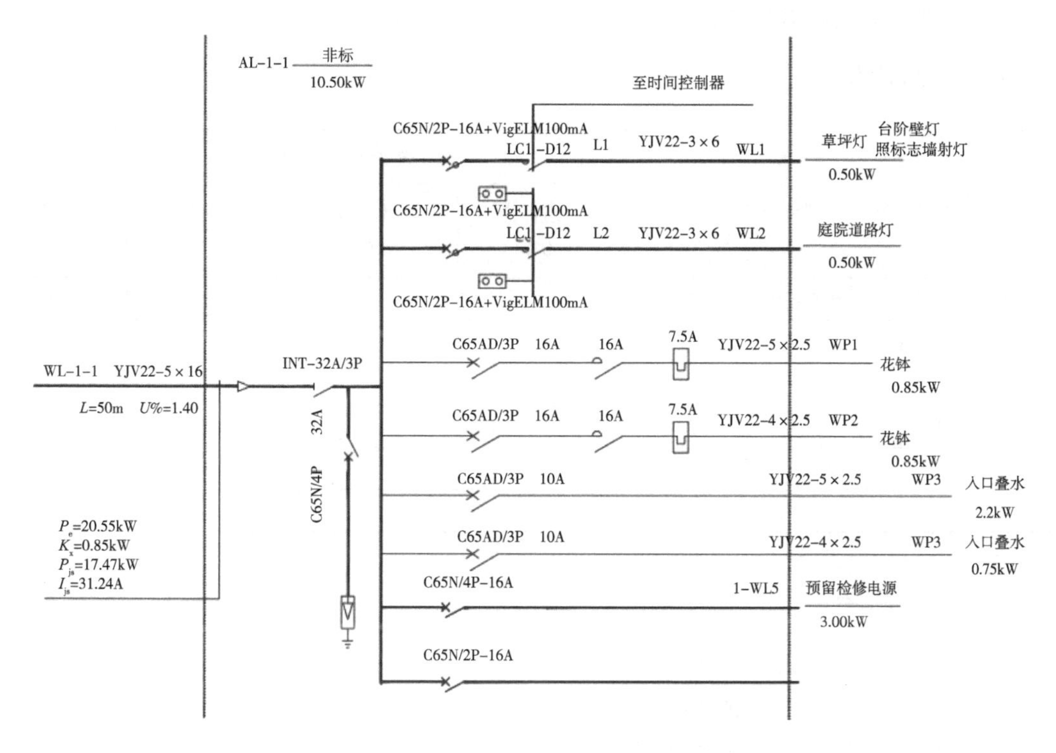

图 1-2-4　某园林电气施工图系统图

（4）图例：一个完整的园林电气施工图图例一般包含序号、图例、名称、型号规格、单位、数量以及安装要求等其他备注内容。

（5）大样详图：园林景观电气施工图大样详图利用小比例尺给出了重要灯具、电缆等安装详图，从而确定了不同设备的安装位置关系，有助于施工人员和预算人员进行施工和预算。

（6）主要设备安装示意图：对于园林景观电气中重要的设备需要给出其安装示意图，安装示意图大多采用剖面图的形式给出，示意清楚明了。

2. 园林电气施工图识图步骤

阅读园林景观电气设计总说明，了解工程概况、设计内容、电气设备供电要求、用电设备要求等内容。

（1）阅读图例，掌握园林景观电气设计图中涉及的各种用电设备、电缆等符号、规格及特殊要求等。

（2）电气布置平面图与系统图配合使用，确定电气设备的位置、电线（电缆）线路的布置情况、功能应用以及不同线路中电气设备的不同型号、规格尺寸。

（3）对于平面图中未能详细描述的设备安装情况，需阅读园林景观电气施工图大样详图和安装示意图，从而确定施工工艺和施工方法等。

三、任务实施

（1）教师根据施工图内容设置若干识图问题。

（2）学生分组讨论并回答问题。

四、学习评价

学习评价标准	分值	教学评价			总评
		小组评价 40%	学生自评 20%	教师评价 40%	
识读图样和施工内容，基本正确	20				
回答教师提问，正确	20				
自学能力	20				
完成任务态度	20				
出勤情况	20				
小计	100				

五、复习思考

（1）园林工程总平面图包括哪些内容？

（2）园林竖向设计包括哪些内容？

（3）园林建筑图包括的内容及其作用。

（4）简述园林给水排水、电气工程图的识读方法。

六、总结

重点：（1）园林工程图包括的内容。

（2）对园林工程各种施工图的识读。

难点：对园林工程各种施工图的识读。

项目一总结

本项目讲述园林工程造价组成、计价分类，以及怎样对园林工程施工图进行识读的相关知识，包括园林总平面图、园林竖向设计图、园林植物种植施工图、假山施工图、园林建筑图、园林给水排水施工图、园林电气施工图识读，为编制园林工程计价打下良好基础。

综合实训一　某绿化工程工程图识读

【实训内容】

图 1-2-5 ~ 图 1-2-7 所示分别为某别墅庭院绿化配置总平面图、廊架施工详图、镜面树池施工详图，看懂园林工程平面图和园林工程施工详图，并讲述出图样的内容。

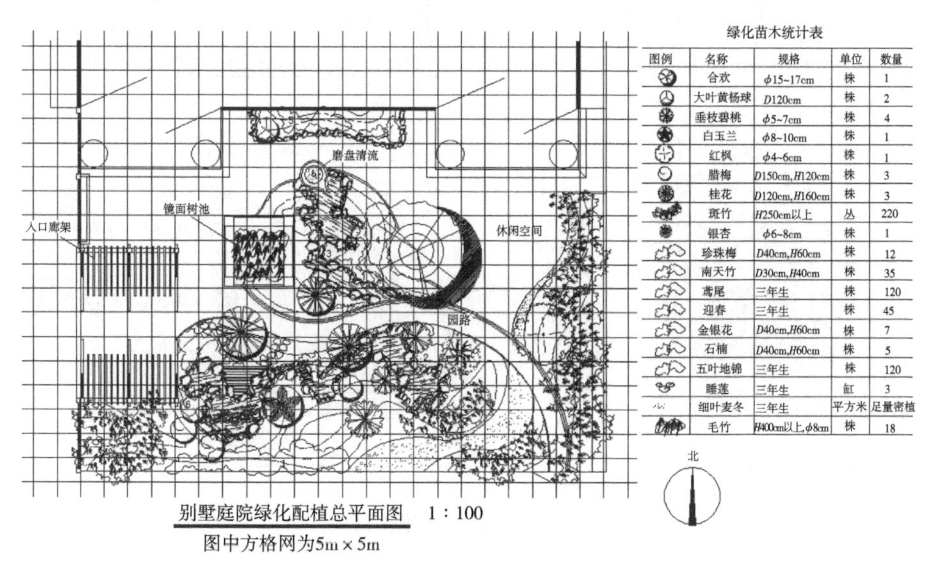

绿化苗木统计表

图例	名称	规格	单位	数量
	合欢	ϕ15~17cm	株	1
	大叶黄杨球	D120cm	株	2
	垂枝碧桃	ϕ5~7cm	株	4
	白玉兰	ϕ8~10cm	株	1
	红枫	ϕ4~6cm	株	1
	腊梅	D150cm, H120cm	株	3
	桂花	D120cm, H160cm	株	3
	斑竹	H250cm以上	丛	220
	银杏	ϕ6~8cm	株	1
	珍珠梅	D40cm, H60cm	株	12
	南天竹	D30cm, H40cm	株	35
	鸢尾	三年生	株	120
	迎春	三年生	株	45
	金银花	D40cm, H60cm	株	7
	石楠	D40cm, H60cm	株	5
	五叶地锦	三年生	株	120
	睡莲	三年生	缸	3
	细叶麦冬	三年生	平方米	足量密植
	毛竹	H400cm以上, ϕ8cm	株	18

图 1-2-5　某别墅庭院绿化配置总平面图

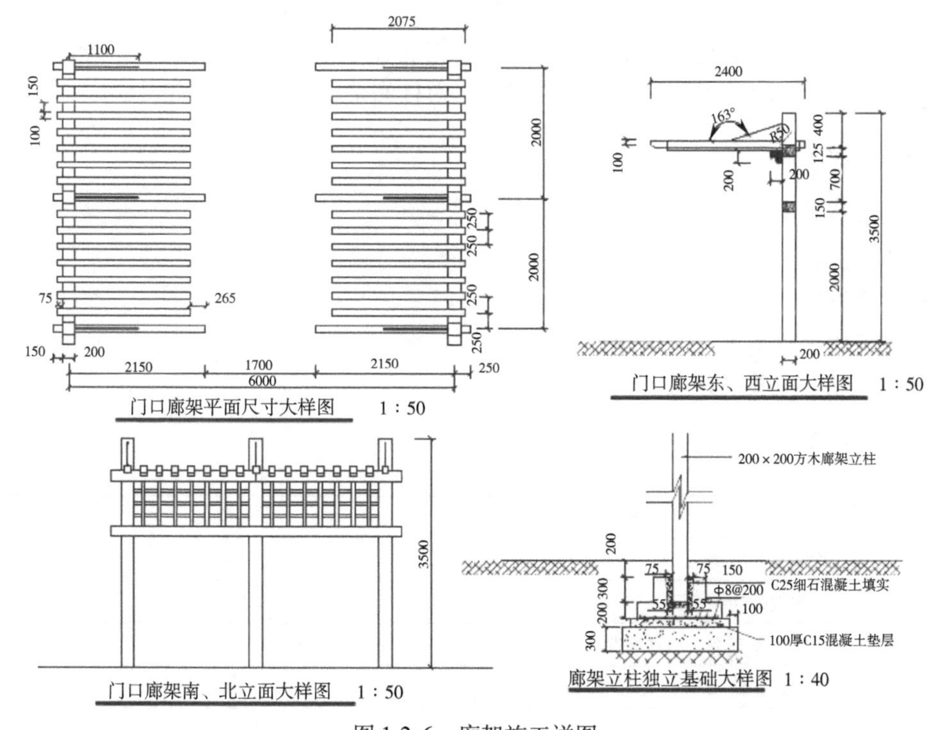

图 1-2-6　廊架施工详图

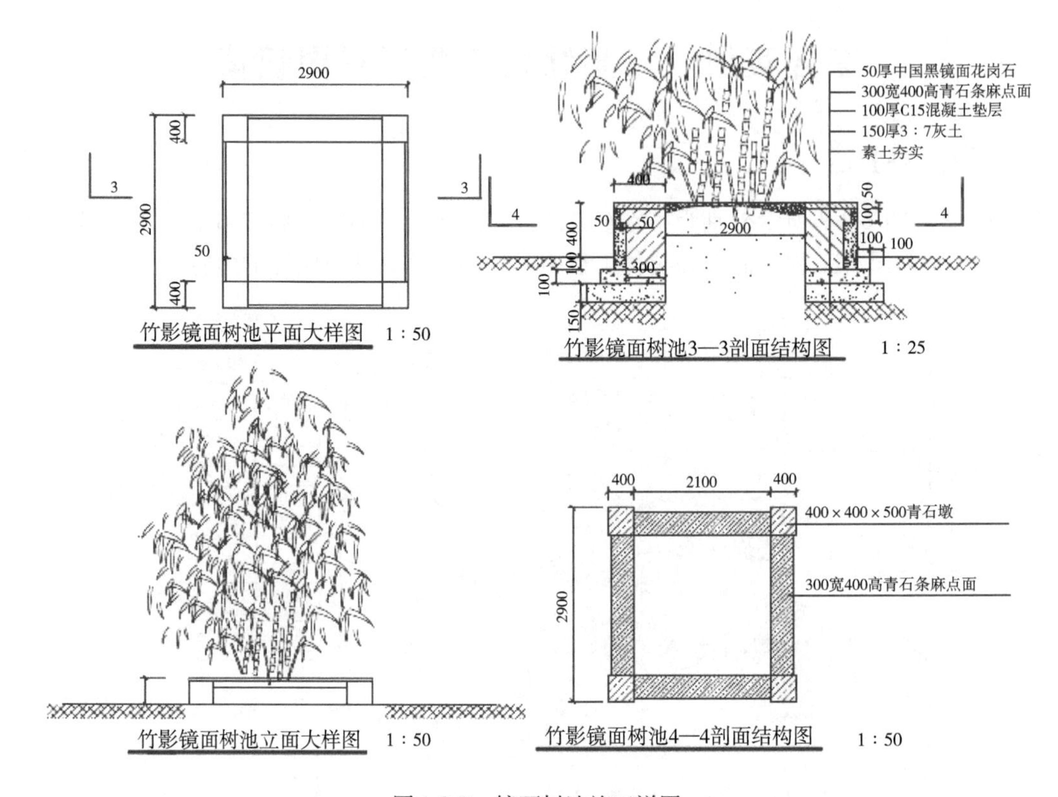

图 1-2-7　镜面树池施工详图

【实训目的】

通过阅读图样上的图例、文字说明、比例、指北针等，懂得平面图、立面图、剖面图上各符号代表的含义，理解园林工程图设计意图、总体布局，找到各部位的尺寸。

【实训步骤】

（1）学生分组。
（2）各组进行讨论。
（3）教师设问，学生回答。
（4）各组代表讲述施工图内容。
（5）教师和学生共同评价。

【考核评价】

序号	检测项目	分值	评价分数
1	读懂施工图	40	
2	回答教师问题情况	20	
3	完成任务态度，出勤情况	20	
4	小组合作情况	20	

项目二 园林工程定额计价

项目引言

定额计价编制通常是以施工图预算形式表现，预算是在工程建设的不同阶段，依据图样和定额预先计算和确定建设项目的全部工程费用的技术性经济文件。本项目是以施工图、园林工程预算定额及建筑工程定额、装饰工程定额等为依据，应用计价软件，通过完成一个一个的小任务讲解园林工程定额计价步骤、过程。

学习目标

了解：园林工程施工图预算的作用，施工图预算编制的依据。

熟悉：园林工程施工图预算的内容和计价程序。

掌握：各种结构材料构件的工程量计算。

能够：根据施工图、预算定额编制园林工程预算书。

思政目标

1. 培养学生为人诚信的基本品德。
2. 培养学生树立正确的人生观、价值观。
3. 培养学生节能、环保的意识。
4. 培养学生严谨的工作态度、团结协作的工作精神。
5. 培养学生不断学习先进科学技术的思想，树立科技强国的理念。
6. 培养学生的爱国主义情怀。

任务一　园林工程预算与定额应用

一、任务描述

（一）任务说明

（1）教师提供园林工程实例，分析预算书的组成。

（2）学习预算定额的内容及应用。

（二）任务要求

（1）分析园林工程预算书的编制依据和程序。

（2）按照现行当地建设工程定额，学习预算定额的套用及换算。

园林工程
预算概述

二、相关知识

（一）园林工程预算概述

1. 园林工程预算的概念

园林工程预算是指在工程建设过程中，根据不同设计阶段的设计文件的具体内容和有关定额、指标及取费标准，预先计算和确定建设项目的全部工程费用的技术性经济文件。

2. 园林工程预算的种类

园林工程建设一般要经过初步设计阶段、施工图设计阶段、施工阶段、竣工验收阶段等。园林工程预算按不同的设计阶段、作用及编制依据，一般可分为设计概算、施工图预算和施工预算三种，见表2-1-1。

表2-1-1　园林工程预算种类

预算种类	设计概算	施工图预算	施工预算
编制目的	控制工程投资	对外确定工程造价	企业内部进行施工管理、核算工程成本
编制单位	设计单位	施工单位	施工单位、施工项目部
建设阶段	初步设计阶段、技术设计阶段	施工图已完成、工程开工前	施工准备阶段、工程开工前
编制依据	初步设计图、技术设计图、概算定额、概算指标、费用定额	施工图、施工组织设计、预算定额、材料市场价格、费用定额	施工图预算、施工图、施工组织设计、施工定额
编制结果	从项目筹建到交付使用全过程的建设费用	单位工程从开工到竣工全过程的建设费用	拟建工程的人工、材料、机械消耗量，以及相应的人工费、材料费、机械费

建设项目或单项工程竣工后，还应编制竣工决算。工程竣工决算分为施工单位竣工决算和建设单位竣工决算两种。

施工企业内部的单位竣工决算是以单位工程为对象，以单位工程竣工结算为依据，核算一个单位工程的预算成本、实际成本和成本降低额，又称为单位工程竣工成本决算。建设单位竣工决算是由施工企业的财会部门编制的。通过决算，施工企业内部可以进行实际成本分

析，反映经营效果，总结经验教训，以提高企业经营管理水平。

建设单位竣工决算是在新建、改建和扩建工程建设项目竣工验收移交后，由建设单位组织有关部门，以竣工结算等资料为基础编制的，一般是建设单位的财务支出情况，是整个建设项目从筹建到全部竣工的建设费用的文件，其中包括建筑工程费用、安装工程费用、设备及工具器具购置费用和其他费用等，竣工决算的主要作用是分析投资效果。

设计概算不得超过计划的投资额，施工图预算和竣工决算不得超过设计概算。三者都有独立的功能，在工程建设的不同阶段发挥各自的作用。设计概算、施工图预算和竣工决算简称“三算”。

3. 园林工程预算书的编制依据

（1）施工图：会审的图样。

（2）施工组织设计。

（3）概预算定额。

（4）材料概预算定额，人工工资标准。

（5）管理费及其他取费定额。

（6）合同。

（7）有关文件。

（8）工具书及其他有关手册。

4. 单位工程施工图预算费用计算程序

在使用定额计价法计算施工图预算时，其单位工程预算费用计算程序见表2-1-2。

表2-1-2　单位工程预算费用计算程序

序号	费用项目	计算方法
1	直接工程费	按计价表
2	措施费	按规定标准计算
3	直接费	1+2
4	直接费中的人工费 + 机械费	
5	间接费	4×相应费率
6	利润	(4+5) ×相应费率
7	不含税造价	4+5+6
8	税金	(4+5+6) ×税率
9	工程造价	7+8

5. 园林工程预算书的组成内容

（1）封面：建设单位、工程名称、施工单位、工程造价（大写、小写）、负责人、编制人、编制时间。

（2）编制说明：

1）工程概况。

2）编制依据。

3）采用的定额。

4）企业取费类别。

（3）工程直接费汇总表。

（4）工程造价计算表。

（5）工程预算书。

（6）材料价差分析表。

（7）工程量计算表。

（8）苗木统计表（绿化工程）。

（二）园林工程预算定额概述

园林工程预算定额概述

1. 工程定额的概念

所谓定，就是规定；额，就是额度或限额。从广义理解，定额就是规定的额度或限额，即工程施工中的标准或尺度。具体来讲，定额是指在正常的施工条件下，完成某一合格单位产品或完成一定量的工作所需消耗的人力、材料、机械台班和财力的数量标准（或额度）。

2. 工程定额的分类

在园林工程建设过程中，由于使用对象和目的不同，因而园林建设工程定额的种类很多，根据内容、用途和使用范围的不同等进行分类。

（1）按生产要素分类。进行物质资料生产所必须具备的三要素是：劳动者、劳动对象和劳动手段。为了适应建设工程施工活动的需要，定额可按这三个要素编制，即劳动定额、材料消耗定额、机械台班使用定额。

（2）按编制程序和用途分类。按编制程序和用途可分为四种：施工定额、预算定额、概算定额和概算指标。

（3）按编制单位和执行范围分类。按编制单位和执行范围可分为全国统一定额、一次性定额、企业定额。

（4）按专业不同分类。按专业不同可分为建筑工程定额、建筑（设备）安装工程定额、仿古建筑及园林绿化工程定额、公路工程定额。

3. 园林工程预算定额的概念

园林工程预算定额是指在正常的施工条件下，确定完成一定计量单位合格的分项工程或结构构件所需消耗的人工、材料、机械台班和费用的数量标准。表2-1-3是《河北省园林绿化工程消耗量定额项目表（2013年版）》中的一部分。

表2-1-3　河北省园林绿化工程消耗量定额项目表［栽植乔木（带土球）］

工作内容：挖坑、栽植、浇水、保墒、整形、清理　　（单位：株）

定额编号	1-72	1-73	1-74	1-75	1-76
项目名称	乔木（带土球）				
	土球直径（cm以内）				
	70	80	100	120	140
基　价（元）	**27.16**	**41.14**	**67.28**	**96.69**	**142.23**
人工费（元）	16.72	25.68	41.24	60.32	90.68
材料费（元）	0.68	0.82	1.64	2.18	2.73
机械费（元）	9.76	14.64	24.40	34.19	48.82

（续）

名称		单位	单价（元）	数量				
人工	综合用工二类	工日	40.00	0.418	0.642	1.031	1.508	2.267
材料	水	m^3	3.03	0.225	0.27	0.54	0.72	0.9
机械	机械费	元	1.00	9.76	14.64	24.4	34.19	48.82

例如，要知道某绿化栽植1株土球直径为100cm的国槐需消耗的人工费、材料费、机械费，以及需消耗的人工和材料量等。查表2-1-3《河北省园林绿化工程消耗量定额项目表（2013年版）》就可以得到消耗的人工费为41.24元，材料费为1.64元，机械费为24.40元。消耗的人工为1.031工日。

本任务中涉及的定额都是以河北省园林工程定额为例。

4. 预算定额的内容和编排形式

（1）预算定额手册的内容。预算定额手册主要由文字说明、定额项目表和附录三部分组成，如图2-1-1所示。

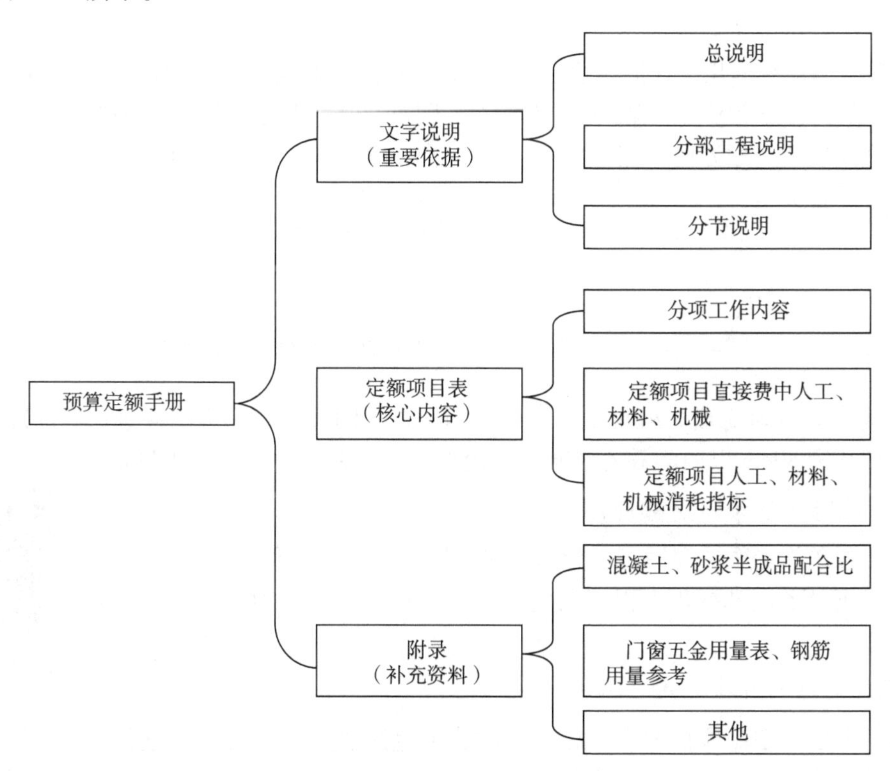

图2-1-1 预算定额手册的组成

文字说明包括总说明、分部工程说明、分节说明。在总说明中，主要阐述预算定额的用途、编制依据、适用范围、定额中已考虑的因素和未考虑的因素、使用中应注意的事项等。

在分部工程说明中，主要阐述本分部工程所包括的主要项目、编制中有关问题的说明、定额应用时的具体规定和处理方法等。分节说明是对本节所包含的工作内容及使用的有关说明。因此，在使用定额前应首先了解和掌握文字说明的各项内容，这些文字说明是定额应用的重要依据。

定额项目表是定额的核心部分，其中列出了每一分项工程中人工、材料、机械台班消耗量。定额项目表由分项工作内容，定额计量单位，定额编号，人工、材料、机械消耗量，附注等组成。如从表2-1-3可以查出：

1）栽植带土球乔木的工作内容包括挖坑、栽植、浇水、保墒、整形、清理等工序。

2）栽植土球直径100cm以内乔木的定额编号1-74。

3）栽植土球直径100cm以内乔木消耗的人工为1. 031工日。

4）栽植土球直径100cm以内乔木需浇水0. 54m^3。

附录列在预算定额的最后，这些资料供定额换算之用，是定额应用的重要补充资料。

（2）预算定额手册的编排形式。预算定额手册根据园林结构及施工程序等按章、节、项目、子目等顺序排列。

分部工程以下，又按工程性质、工作内容及施工方法、使用材料，分为许多节。如预算定额手册中的第三章园林绿化工程中，分为绿地整理、栽植花木、绿地喷灌三节。

节以下，再按工程性质、规格、材料类别等分为若干项目。

在项目中还可以按其规格、材料等再细分为许多子项目。

如《河北省园林绿化工程消耗量定额项目表（2013年版）》共分三部分，第一部分实体项目，分为三章：第一章绿化工程，第二章园路、园桥、假山工程，第三章园林景观工程。

为了查阅使用定额方便，定额的章、节、子目都有统一的编号即定额编号，如表2-1-3中“1-73”的含义是：

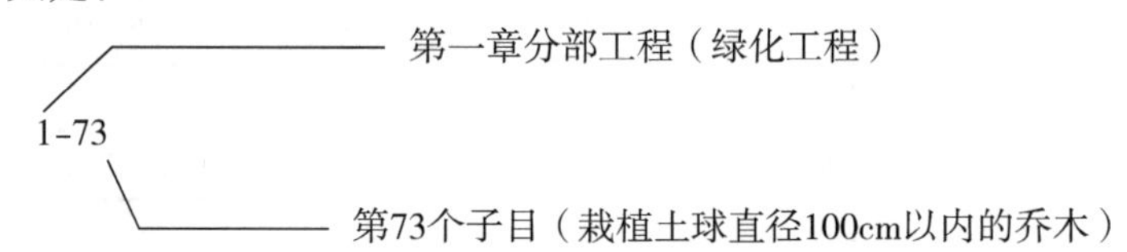

定额编号1-73确定后，就可以根据定额编号查《园林绿化工程消耗量定额价目表》，得知栽植土球直径80cm以内的乔木的基价，消耗的人工费、材料费、机械费等。

（三）园林工程预算定额应用

园林工程预算定额应用

园林工程预算定额的套用可以分为直接套用、材料换算和系数换算三种。

现以《河北省园林绿化工程消耗量定额（2013年版）》为例，说明预算定额的套用。

1. 预算定额的直接套用

当设计要求与定额项目的内容相一致时，可直接套用定额的预算基价及工料消耗量计算该分项工程的直接费以及人工、材料需用量，计算人工、材料需用量后，就可以进行工料分析，以便控制工程成本。

例如：某园路采用3cm厚花岗石路面400m^2，试计算完成该分项工程的直接费及主要材料消耗量。

解：① 根据分项工作内容，选用套用的定额，见表2-1-4。

表2-1-4 河北省园林绿化工程消耗量定额项目表

工作内容：放线、集修路槽、夯实、修平垫层、调浆、铺面层、嵌缝、清扫 （单位：$10m^2$）

定额编号				2-27	2-28	2-29
项目名称				碎大理石板路面	花岗石路面	
					厚3cm	厚5cm
基价（元）				**527.80**	**1138.52**	**1456.32**
人工费（元）				164.00	155.60	155.60
材料费（元）				363.08	962.88	1279.44
机械费（元）				0.72	20.04	21.48
名称		单位	单价（元）	数量		
人工	综合用工二类	工日	40.00	4.1000	3.8900	3.8900
材料	花岗石板厚30mm	m^3	90.00	—	10.1500	—
	白水泥	kg	0.39	—	0.1000	0.1000
	1:4水泥砂浆	m^3	107.90	—	0.3050	0.4050
	素水泥浆	m^3	332.11	—	0.0300	0.0300
机械	机械费	元	1.00	0.7200	20.0400	21.4800

② 确定定额编号：2-28。

③ 计算该分项工程直接费：

分项工程直接费 = 预算基价 × 工程量 = 1138.52/10 × 400 = 45540.80（元）

④ 计算主要材料消耗量：

材料消耗量 = 定额规定的消耗量 × 工程量

花岗石板厚30mm：10.1500/10 × 400 = 406.00（m^2）

白水泥：0.1000/10 × 400 = 4.00（kg）

1:4水泥砂浆：0.3050/10 × 400 = 12.20（m^3）

素水泥浆：0.0300/10 × 400 = 1.20（m^3）

2. 预算定额的材料换算

当设计要求与定额项目的内容所使用的材料种类不一致时，需进行材料换算。最常用的材料换算包括混凝土的换算、砂浆的换算。混凝土和砂浆的强度等级在设计要求与定额不同时，按附录中半成品配合比进行换算。

混凝土和砂浆的换算中，若混凝土和砂浆的用量不发生变化，则只需换算强度、石子种类或混凝土和砂浆面层厚度。换算的思路是先确定换算定额编号及其单价，确定混凝土或砂浆种类。再根据确定的混凝土或砂浆的种类，从附录中查换出、换入混凝土或砂浆的单价。换算价格是在原定额价格的基础上减去换出部分的费用，加上换入部分的费用。换算公式为：

混凝土换算价格 = 原定额价格 + 定额混凝土用量 ×（换入混凝土单价 − 换出混凝土单价）

砂浆换算价格 = 原定额价格 + 定额砂浆用量 ×（换入砂浆单价 − 换出砂浆单价）

例如：定额中规定 M2.5 砂浆，用量为 2.5m^3，单价为 29 元/m^3，相应的定额预算单价为 500 元/10m^3，根据图样要求，换用 M5 砂浆，单价为 33 元/m^3，则得砂浆相应的换算单价应为多少？

套入上面的公式，不难计算出砂浆相应的换算单价为 510 元/10m^3。

3. 预算定额的系数换算

当设计要求与定额项目的内容不同时，还需进行系数换算。预算定额的系数换算是按定额说明中规定的系数乘以相应定额的基价（或定额中工料之一部分）后，得到一个新单价的换算。比如土、石方工程定额规定，土、石方工程的体积，按自然密实体积计算，填方按夯实后的体积计算。运土、石方按虚方计算时，按定额乘以系数 0.80。系数换算在园林工程预算中是比较重要的一项内容。

例如：某工程平基土方，需人力车外运虚土 140m^3，运距 50m，试计算完成该分项工程的直接费。

解：① 根据分项工作内容，选用套用的定额，见表 2-1-5。

表 2-1-5　河北省仿古建筑工程消耗量定额

工作内容：装、卸、运及堆放　　（单位：m^3）

定额编号				1-69	1-70	1-71	1-72	1-73	1-74
项目名称				人力车运土					
				运距在 50m 以内			每增加 50m		
				土	淤泥、流沙	石	土	淤泥、流沙	石
基　价（元）				**8.76**	**14.61**	**10.50**	**0.87**	**1.17**	**1.17**
人　工　费（元）				8.76	14.61	10.50	0.87	1.17	1.17
材　料　费（元）				—	—	—	—	—	—
机　械　费（元）				—	—	—	—	—	—
名　称		单位	单价（元）	数　量					
人工	综合用工三类	工日	30.00	0.2920	0.4870	0.3500	0.0290	0.0390	0.0390

注：1. 运土如不装土，按基本运距定额乘以系数 0.80。

2. 人力车运土上坡时，坡度在 15% 以上 30% 以下者，其人工乘以系数 1.5，坡度大于 30% 则按实际另行计算。

② 确定换算定额编号及单价：定额编号 1-69，单价 8.76 元/m^3。

③ 计算换算单价：换算单价 = 8.76 × 0.80 = 7.008（元/m^3）。

④ 计算完成该分项工程的直接费：7.008 × 140 = 981.12（元）。

三、任务实施

（1）师生共同分析园林工程预算书的组成。

（2）学生分组查找学习讨论园林工程定额内容。

四、学习评价

学习评价标准	分值	教学评价			总评
		小组评价 40%	学生自评 20%	教师评价 40%	
定额编号的确定	20				
能正确查找《园林绿化工程消耗量定额》	20				
自学能力	20				
完成任务态度	20				
出勤情况	20				
小计	100				

五、复习思考

（1）园林工程预算定额的作用有哪些？

（2）园林工程定额的编排形式。

（3）谈谈园林工程预算定额的结构、内容。

（4）砌筑砂浆强度等级不同时如何换算？

（5）栽植带土球的乔木（土球直径50cm）1000株，综合工日$S=0.2$工日/株，工期10天，每天施工班次2次，求定员人数。

（6）某现浇钢筋混凝土圈梁工程量为298.76m^3，每天有9名技术工人施工，时间定额为2.41工日/m^3（一班工作制），试计算完成该工程的定额施工天数。

六、总结

重点：（1）园林工程预算种类。

　　　（2）对园林工程预算定额的内容及应用的认识与理解。

难点：对园林工程预算定额的内容及应用的认识与理解。

任务二　园林绿化工程定额计价

一、任务描述

园林绿化工程定额计价

（一）任务说明

（1）图2-2-1所示为某公园绿化种植工程平面图。包括乔木、灌木、草坪、花卉等。

（2）熟悉植物材料的施工顺序，定额中各分项工程工作内容以及植物材料在起挖、运输、栽植过程中的损耗，掌握绿化工程工程量计算规则。

（二）任务要求

（1）套用《河北省园林绿化工程消耗量定额（2013版）》，采用定额计价编制绿化种植工程预算书。

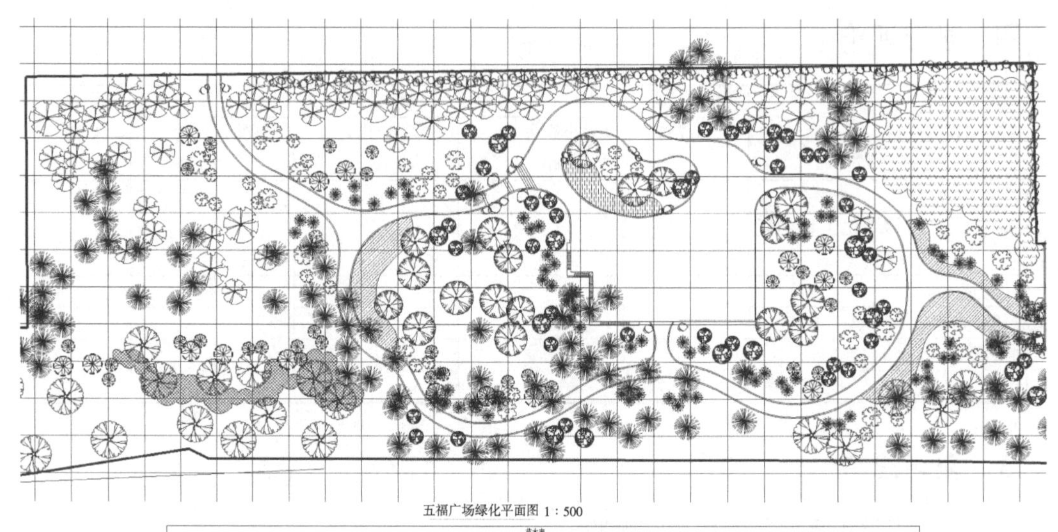

苗木表

序号	图例	序号	规格	单位	数量	备注	序号	图列	名称	规格	单位	数量	备注
1		油松	实生苗：高500~600cm，冠行丰满	株	52	饱满苍翠，树形优美	7		紫叶碧桃	地径6cm，冠幅200cm	株	45	树形良好，干直立
2		水蜡球	冠幅：20~150cm，高150cm以上	株	72	三五成组丛植	8		连翘	丛生：5~6分枝，高250cm以上，冠幅150cm以上	株	49	
3		朴树	胸径20cm，高度4m以上，冠幅3m以上，全冠，冠行丰满	株	21	树形良好，干直立	9		玫瑰	株高40~50cm，冠幅30~40cm，6株/m²	平方米		6株/m²
4		国槐	胸径20cm，高4m以上，冠幅3.5m，3~5分枝	株	19	干直挺拔，植株饱满	10		松果菊	冠幅30cm以上，栽植密度不能露裸土	平方米		30株/m²
5		刺槐	胸径10cm，高4m，冠幅3m，3~5分枝，长1.8m	株	66	树形良好，形状优美	11		二月兰	播种	平方米		
6		樱花	高300cm以上，冠幅180cm以上	株	54	树形良好，叶色纯正	12		冷季型草	播种	平方米		

图 2-2-1 某公园绿化种植工程平面图

（2）主材价格可参照当地工程造价信息网。

二、相关知识

（一）相关名词

（1）胸径：地表1.2m处树干的直径。

（2）株高：地表面至树顶端的高度。

（3）篱高：地表面至绿篱顶端的高度。

（4）色带：一定地带同种或不同种花卉及观叶植物配合起来所形成的、具有一定面积的、有观赏价值的风景带。

（5）植生带：采用有一定的韧性和弹性的无纺布，在其上均匀撒播种子和肥料而培植出来的地毯式草坪种植生带。

（二）各种植物材料在运输、栽植过程中合理损耗率

乔木、果树、花灌木、常绿树为1.5%；绿篱、攀缘植物为2%；草坪、木本花卉、地被植物为4%；草花为10%。

（三）工程量计算规则

1. 绿地整理

（1）伐树、挖树根应区分树干胸径不同，按数量以“株”计算。

（2）砍挖灌木丛应区分丛高不同，按数量以“丛”计算。

（3）清除草皮，按面积以“平方米”计算。

（4）整理绿化地按设计图示尺寸以“平方米”计算。

（5）原土过筛按体积以“立方米”计算。

2. 栽植工程量计算规则

（1）乔木按带土球和裸根分别区分土球直径和胸径不同，按数量以“株”计算。

（2）灌木按带土球和裸根分别区分土球直径和冠丛高度不同，按数量以“株”计算。

（3）双排以内绿篱，区分单、双排及绿篱高度按设计尺寸以“延长米”计算；双排以上绿篱视为片植，应区分高度，按设计尺寸以“平方米”计算。

（4）草皮按设计图示尺寸，以“平方米”计算。

（5）露地花卉按“平方米”计算。盆花摆设应区分盆径尺寸及艺术造型，按数量以“盆”计算。

（6）色带按设计尺寸以“平方米”计算。

（7）水生植物区分塘植与盆植按“株/丛”计算。

（8）散生竹应区分胸径不同，按数量以“株”计算；丛生竹应区分根盘丛径不同，按数量以“丛”计算。

（9）攀缘植物应区分地径不同，按数量以“株”计算。

（10）树木支撑应区分支撑材料以“株”计算。

（11）草绳绕树干应分胸径不同，按缠绕树干高度以“延长米”计算。

（12）换土工程：乔木、灌木、攀缘植物应区分以“株”计算；草坪、花卉按换土面积以“平方米”计算。

（13）花卉防寒应区分高培土、低培土，按数量以“株”计算。

3. 养护工程量计算规则

（1）乔木、灌木、攀缘植物以“株”计算。

（2）草皮、色带、花卉以“平方米”计算。

（3）单、双排绿篱以“延长米”计算。

（4）片植绿篱以“平方米”计算。

（5）水生植物塘植按种植面积以“平方米”计算。

（6）水生植物养护分塘植、盆植，塘植以“丛”计算，盆植以“盆”计算。

（7）攀缘植物养护按覆盖面积以“平方米”计算。

（8）草坪养护分普通型、运动型，按实际养护面积以“平方米”计算。

（9）花坛养护分普通花坛、彩纹图案花坛以“平方米”计算；花坛内乔木及绿篱以外、高度100cm以上的灌木，应另设相应养护项目，计算花坛时不扣除其所占面积。

4. 绿地喷灌

（1）管道按中心线长以“米”计算。

（2）阀门区分规格及连接方式，以“个”计算。

（3）水表以“组”计算。

（4）喷头以“个”计算。

（5）管道除锈、刷油按面积以“平方米”计算。

（6）填砂按设计图示尺寸体积以“立方米”计算。

（四）园林绿化工程工程量计算步骤

（1）列出分项工程项目名称。

（2）列出工程量计算式。

（3）调整计量单位。

（4）校核。

（五）分项工程工程量计算顺序

（1）按顺时针方向计算：先从平面图左上角开始向右进行，绕一周回到左上角止。

（2）先横后竖，先上后下，先左后右：以平面图上横竖方向分别从左到右或从上到下逐步计算。

（3）按图上分项编号顺序依次计算。

三、任务实施

（一）识图并熟悉定额

（二）列表计算工程量

根据图2-2-1所示的某公园绿化种植工程平面图和园林绿化工程工程量计算规则，按照工程量计算步骤和顺序填写工程量计算表，因篇幅有限，仅以其中的几种植物示例，见表2-2-1。

表2-2-1 绿化种植工程量计算表

序号	分项工程名称	单位	工程数量	备注
1	整理绿化地	$10m^2$	500	
2	栽植油松	株	52	
3	栽植水蜡球	株	72	
4	栽植连翘	株	49	
5	栽植玫瑰	$10m^2$	30	
6	铺种野牛草	$10m^2$	60	

（三）根据预算定额，计算定额直接费

工程量校核后，根据地区的预算定额，按措施费单列模式，套用计价软件。实体项目预算表见表2-2-2，措施项目预算表见表2-2-3。

表2-2-2 实体项目预算表

工程名称：

序号	定额编号	项目名称	单位	数量	单价（元）	其中：（元）			合价（元）	其中：（元）		
						人工费	材料费	机械费		人工费	材料费	机械费
1	1-28	整理绿化用地	$10m^2$	500.000	32.47	29.22	3.25		16235.00	14610.00	1625.00	
2	1-59	起挖乔木（带土球），土球直径140cm以内	株	52.000	391.71	159.96	148.06	83.69	20368.92	8317.92	7699.12	4351.88
3	1-79	栽植乔木（带土球），土球直径140cm以内	株	52.000	199.10	136.02	4.50	58.58	10353.20	7073.04	234.00	3046.16
4	1-276	后期管理费，乔木，土球直径140cm以下，胸径20cm以下	株·年	52.000	52.73	39.60	9.19	3.94	2741.96	2059.20	477.88	204.88

（续）

序号	定额编号	项目名称	单位	数量	单价（元）	其中：（元）			合价（元）	其中：（元）		
						人工费	材料费	机械费		人工费	材料费	机械费
		主材：油松		52.780	2400.00				126672.00			
5	1-120	起挖灌木（裸根），冠丛高度200cm以内	株	72.000	5.82	5.82			419.04	419.04		
6	1-134	栽植灌木（裸根），冠丛高度200cm以内	株	72.000	6.87	6.42	0.45		494.64	462.24	32.40	
7	1-281	后期管理费，灌木，土球直径50cm以下，冠丛高度200cm以下	株·年	72.000	32.72	27.96	2.61	2.15	2355.84	2013.12	187.92	154.80
		主材：水蜡球		73.080	50.00				3654.00			
8	1-121	起挖灌木（裸根），冠丛高度250cm以内	株	49.000	9.90	9.90			485.10	485.10		
9	1-135	栽植灌木（裸根），冠丛高度250cm以内	株	49.000	11.78	11.10	0.68		577.22	543.90	33.32	
10	1-282	后期管理费，灌木，土球直径60cm以下，冠丛高度250cm以下	株·年	49.000	47.76	42.54	3.07	2.15	2340.24	2084.46	150.43	105.35
		主材：连翘		49.735	15.00				746.03			
11	1-201	露地花卉栽植，木本花	$10m^2$	30.000	83.27	63.06	20.21		2498.10	1891.80	606.30	
12	1-273	花卉换土，厚度0.3m	$10m^2$	30.000	104.30	54.06	49.50	0.74	3129.00	1621.80	1485.00	22.20
13	1-289	后期管理费，花卉	m^2·年	300.000	8.01	1.74	4.22	2.05	2403.00	522.00	1266.00	615.00
		主材：玫瑰		312.000	1.00				312.00			
14	1-232	起挖草皮	$10m^2$	60.000	10.50	10.50			630.00	630.00		
15	1-234	草皮铺种，满铺	$10m^2$	60.000	80.10	72.60	7.50		4806.00	4356.00	450.00	
16	1-273	草坪、花卉换土，厚度0.3m	$10m^2$	60.000	104.30	54.06	49.50	0.74	6258.00	3243.60	2970.00	44.40
17	1-287	后期管理费，冷季型草坪草	m^2·年	600.000	15.14	2.94	9.61	2.59	9084.00	1764.00	5766.00	1554.00
		主材：野牛草		62.400	30.00				1872.00			
		合　计							218435.53	52097.22	156239.64	10098.67

表2-2-3　措施项目预算表

工程名称：

项目编号	项目名称	单位	数量	单价（元）	合价（元）	其中：（元）		
						人工费	材料费	机械费
4-15	树木支撑，三脚桩，1.2m高	株	52.000	14.04	730.08	180.96	549.12	
4-31	草绳绕树干，胸径20cm以内	m	62.400	30.08	1876.99	254.59	1622.40	
4-40	树干刷涂白剂1.5m高，树干胸径20cm以内	10株	5.200	19.92	103.58	62.40	41.18	
4-52	花卉防寒，低培土	株	1800.000	1.59	2862.00	1080.00	1782.00	
5-1	冬期施工增加费（绿化工程）	项	1.000	267.85	267.85	146.68	89.28	31.89
5-2	雨期施工增加费（绿化工程）	项	1.000	618.60	618.60	338.00	210.45	70.15

（续）

项目编号	项目名称	单位	数量	单价（元）	合价（元）	其中：（元）		
						人工费	材料费	机械费
5-3	夜间施工增加费（绿化工程）	项	1.000	172.19	172.19	102.04	38.26	31.89
5-4	临时停水、停电费（绿化工程）	项	1.000	178.57	178.57	133.93		44.64
5-5	二次搬运费（绿化工程）	项	1.000	491.06	491.06	414.53		76.53
5-6	生产工具用具使用费（绿化工程）	项	1.000	1033.13	1033.13		822.68	210.45
5-7	检验试验配合费（绿化工程）	项	1.000	70.14	70.14	12.75	44.64	12.75
5-8	工程定位复测及场地清理费（绿化工程）	项	1.000	274.22	274.22	140.30	95.66	38.26
5-9	成品保护费（绿化工程）	项	1.000	306.12	306.12	133.93	133.93	38.26
5-10	繁华地段交叉施工增加费（绿化工程）	项	1.000	293.36	293.36	133.93	159.43	
	合　计				9277.89	3134.04	5589.03	554.82

（四）工料分析

1. 工料分析的含义

单位工程施工图预算的工料分析，就是计算一个单位工程全部人工需要量和各种材料消耗量。根据工程量计算和定额规定的消耗量标准，对工程所用工日及材料进行分析计算。

工料分析得到的全部人工和各种材料消耗量是工程消耗的最高限额，是编制单位工程劳动计划和材料供应计划、开展班组经济核算的基础，也是预算造价计算当中直接费调整的计算依据之一。

2. 工料分析的方法

工料分析，首先是从所使用的地区消耗量定额表中查出各分项工程各工料的单位定额消耗量，然后分别乘以相应分项工程的工程量，得到分项工程的人工、材料消耗量。最后将各分项工程的人工、相同材料消耗量分别计算和汇总，得出单位工程人工、材料的消耗数量。

人工 = Σ（分项工程的工程量 × 工日定额消耗量）

相同材料 = Σ（分项工程的工程量 × 材料定额消耗量）

工料分析见表2-2-4～表2-2-6。

表2-2-4　分项工程人工、材料、机械分析汇总表（一）

工程名称：

定额编号	1-28	1-59	1-79	1-276	1-120	1-134	1-281	1-121
项目名称	整理绿化用地	起挖乔木（带土球），土球直径140cm以内	栽植乔木（带土球），土球直径140cm以内	后期管理费，乔木，土球直径140cm以下，胸径20cm以下	起挖灌木（裸根），冠丛高度200cm以内	栽植灌木（裸根），冠丛高度200cm以内	后期管理费，灌木，土球直径50cm以下，冠丛高度200cm以下	起挖灌木（裸根），冠丛高度250cm以内

（续）

定额编号			1-28	1-59	1-79	1-276	1-120	1-134	1-281	1-121
单位			$10m^2$	株	株	株·年	株	株	株·年	株
工程量			500.000	52.000	52.000	52.000	72.000	72.000	72.000	49.000
单价			32.47	391.71	199.10	52.73	5.82	6.87	32.72	9.90
合价			16235.00	20368.92	10353.20	2741.96	419.04	494.64	2355.84	485.10
人工费			29.22	159.96	136.02	39.60	5.82	6.42	27.96	9.90
材料费			3.25	148.06	4.50	9.19	0.00	0.45	2.61	0.00
机械费			0.00	83.69	58.58	3.94	0.00	0.00	2.15	0.00
名称	单位	单价	数量							
综合用工二类	工日	60.00	243.5000	138.6320	117.8840	34.3200	6.9840	7.7040	33.5520	8.0850
镀锌铁丝 $8^{\#}\sim12^{\#}$	kg	5.90	—	72.8000	—	—	—	—	—	—
农药	kg	30.80	—	—	—	1.5600	—	—	1.9440	—
水	m^3	5.00	—	—	46.8000	74.8800	—	6.4800	10.3680	—
麻袋	m^2	3.80	—	134.1600	—	—	—	—	—	—
草绳	kg	6.50	250.0000	1040.0000	—	—	—	—	—	—
其他材料费	元	1.00	—	—	—	54.6000	—	—	75.6000	—
肥料	kg	1.80	—	—	—	0.5200	—	—	0.5040	—
机械费	元	1.00	—	4351.8800	3046.1600	204.8800	—	—	154.8000	—
油松		2400.00	—	—	—	52.7800	—	—	—	—
水蜡球		50.00	—	—	—	—	—	—	73.0800	—

表 2-2-5　分项工程人工、材料、机械分析汇总表（二）

工程名称：

定额编号	1-135	1-282	1-201	1-273	1-289	1-232	1-234	1-273
项目名称	栽植灌木(裸根)，冠丛高度250cm以内	后期管理费，灌木，土球直径60cm以下，冠丛高度250cm以下	露地花卉栽植，木本花	花卉换土，厚度0.3m	后期管理费，花卉	起挖草皮	草皮铺种，满铺	草坪、花卉换土，厚度0.3m
单位	株	株·年	$10m^2$	$10m^2$	m^2·年	$10m^2$	$10m^2$	$10m^2$
工程量	49.000	49.000	30.000	30.000	300.000	60.000	60.000	60.000
单价	11.78	47.76	83.27	104.30	8.01	10.50	80.10	104.30
合价	577.22	2340.24	2498.10	3129.00	2403.00	630.00	4806.00	6258.00
人工费	11.10	42.54	63.06	54.06	1.74	10.50	72.60	54.06
材料费	0.68	3.07	20.21	49.50	4.22	0.00	7.50	49.50
机械费	0.00	2.15	0.00	0.74	2.05	0.00	0.00	0.74

（续）

定额编号			1-135	1-282	1-201	1-273	1-289	1-232	1-234	1-273
名称	单位	单价	数量							
综合用工二类	工日	60.00	9.0650	34.7410	31.5300	27.0300	8.7000	10.5000	72.6000	54.0600
种植土	m^3	16.50	—	—	—	90.0000	—	—	—	180.0000
农药	kg	30.80	—	1.4700	—	—	15.0000	—	—	—
水	m^3	5.00	6.6150	10.5840	13.5000	—	150.0000	—	90.0000	—
其他材料费	元	1.00	—	51.4500	—	—	—	—	—	—
肥料	kg	1.80	—	0.3920	—	—	30.0000	—	—	—
有机肥（土堆肥）	m^3	285.00	—	—	1.8900	—	—	—	—	—
机械费	元	1.00	—	105.3500	—	22.2000	615.0000	—	—	44.4000
连翘		15.00	—	49.7350	—	—	—	—	—	—
玫瑰		1.00	—	—	—	—	312.0000	—	—	—
野牛草		30.00	—	—	—	—	—	—	—	62.4000
草皮	m^2	0.00	—	—	—	—	—	—	660.0000	—

表2-2-6　分项工程人工、材料、机械分析汇总表（三）

工程名称：

定额编号			1-287							
项目名称			后期管理费，冷季型草坪草							
单位			m^2·年							
工程量			600.000							
单价			15.14							
合价			9084.00							
人工费			2.94							
材料费			9.61							
机械费			2.59							
名称	单位	单价	数量							
综合用工二类	工日	60.00	29.4000	—	—	—	—	—	—	—
草坪肥	kg	2.53	60.0000	—	—	—	—	—	—	—
尿素	kg	2.64	1.2000	—	—	—	—	—	—	—
农药	kg	30.80	36.0000	—	—	—	—	—	—	—
水	m^3	5.00	900.0000	—	—	—	—	—	—	—
机械费	元	1.00	1554.0000	—	—	—	—	—	—	—

3. 计算人工价差、材料价差

人工价差、材料价差是指人工、材料的预算价格与实际价格的差额。

材料价差的计算是在编制施工图预算时，在各分项工程工程量计算出来后，按预算定额中相应项目给定的材料消耗定额计算出使用的材料数量，汇总后，用实际购入单价减去预算单价再乘以材料数量即为某材料的差价。将各种相同的材料差价汇总，即为该工程的材料差价，列入工程造价。

人工、材料价差的计算可用下式表示：

某类人工价差 =（实际单价 - 预算定额人工单价）×人工数量

某种材料价差 =（实际购入单价 - 预算定额材料单价）×材料数量

将计算结果填入人工、材料、机械台班（用量、单价）汇总表，见表 2-2-7。

表 2-2-7 人工、材料、机械台班（用量、单价）汇总表

工程名称：

编 码	名称及型号规格	单位	数 量	预算价（元）	市场价（元）	市场价合计（元）	价差合计（元）
				人工			
10000002	综合用工二类	工日	894.5862	60.00	74.00	66199.38	12524.21
CSRGF	措施费中的人工费	元	1556.0818	1.00	1.00	1556.08	
				材料			
BA2-3047	原木杆长 1.2m	根	156.0000	3.52	3.52	549.12	
CD1Y0056	种植土	m^3	378.0000	16.50	16.50	6237	
CSCLF	措施费中的材料费	元	1594.3461	1.00	1.00	1594.35	
IF2-0102	镀锌铁丝 10#	kg		5.00	5.00		
IF2-2001	镀锌铁丝 8#～12#	kg	72.8000	5.90	5.90	429.52	
LY1-0177	草坪肥	kg	60.0000	2.53	2.53	151.8	
LY1-0178	尿素	kg	1.2000	2.64	2.64	3.17	
LY1-0179	农药	kg	55.9740	30.80	30.80	1723.99	
YL1-0005	涂白剂	kg	17.1600	2.40	2.40	41.18	
YL1-0008	原木杆长 3m	根		7.50	7.50		
ZA1-0002	水	m^3	1309.2270	5.00	5.00	6546.14	
ZB1-0011	麻袋	m^2	134.1600	3.80	3.80	509.81	
ZB1-0013	草绳	kg	1539.6000	6.50	6.50	10007.4	
ZG1-0001	其他材料费	元	181.6500	1.00	1.00	181.65	
ZL1-3008	肥料	kg	31.4160	1.80	1.80	56.55	
ZL1-3049	有机肥（土堆肥）	m^3	1.8900	285.00	285.00	538.65	
				机械			
90000002	机械费	元	10098.6700	1.00	1.00	10098.67	
CSJXF	措施费中的机械费	元	554.8324	1.00	1.00	554.83	
				未计价材			
	油松		52.7800	2400.00	2400.00	126672	
	水蜡球		73.0800	50.00	50.00	3654	
	连翘		49.7350	15.00	15.00	746.03	
	玫瑰		312.0000	1.00	1.00	312	
	野牛草		62.4000	30.00	30.00	1872	
LY1-0172	草皮	m^2	660.0000				

（五）计算总造价

根据本地区的园林工程取费标准和园林工程造价计算表，计算各项费用，汇总得出工程总造价，见表2-2-8。

表2-2-8　单位工程费汇总表

工程名称：

序号	编码	项 目 名 称	计 算 基 础	费率（%）	费用金额（元）
绿化工程					
1	ZJF	直接费	RGF + CLF + JXF + WCF	100.000	227713.42
2	RGF	其中：人工费	STRGF + CSRGF	100.000	55231.26
3	CLF	其中：材料费	STCLF + CSCLF	100.000	28572.40
4	JXF	其中：机械费	STJXF + CSJXF	100.000	10653.49
5	WCF	其中：未计价材料费	STWCF + CSWCF	100.000	133256.27
6	QFJS	直接费中的人工费 + 机械费	RGF + JXF	100.000	65884.75
7	GLF	企业管理费	QFJS	7.000	4611.93
8	LR	利润	QFJS	4.000	2635.39
9	GF	规费	QFJS	10.000	6588.48
10	JKTZ	价款调整	JC + DLF	100.000	12528.19
11	JC	其中：价差	STJC + CSJC + STJGJC + CSJGJC	100.000	12528.19
12	DLF	其中：独立费	DLFHJ	100.000	
13	AQWM	安全生产、文明施工费	ZJF + GLF + LR + GF + JKTZ	2.850	7241.21
14	SJ	税金	ZJF + GLF + LR + GF + JKTZ + AQWM	3.480	9093.89
15	HJ	工程造价	ZJF + GLF + LR + GF + JKTZ + AQWM + SJ	100.000	270412.51
		合　计			270412.51

（六）填写工程预算书封面

工程预算书

建设单位：________________

工程名称：________________

施工单位：________________

工程造价(小写)：270412.51元

(大写)：贰拾柒万零肆佰壹拾贰元伍角壹分整

负责人：________

编制人：________

编制时间：______年______月______日

（七）编制说明

（1）工程概况。

（2）本工程施工图预算是根据某公园绿化种植工程平面图编制。

（3）预算采用《河北省园林绿化工程消耗量定额（2013 年版）》、新奔腾计价软件编制。

（4）企业取费类别为三类，包工包料。

（八）按工程预算书格式的顺序装订成册，并由有关人员签字盖章

四、学习评价

学习评价标准	分值	教学评价			总评
		小组评价 40%	学生自评 20%	教师评价 40%	
收集资料情况，主要资料齐全	5				
识读图样和施工内容，基本正确	10				
工程项目划分，正确	10				
工程量的计算，正确	20				
定额套用，正确	20				
计价表格编写，完整	10				
自学能力	5				
综合运用知识能力	10				
完成任务态度	5				
出勤情况	5				
小计	100				

五、复习思考

（1）以绿化工程为例，简述园林绿化工程预算书编制程序。

（2）简述园林绿化工程工程量计算的步骤。

（3）园林绿化工程工程量计算规则有哪些？

（4）绘制园林工程预算书的表格样式。

六、总结

重点：（1）园林绿化工程工程量的计算规则。

（2）园林绿化工程预算书编制的程序。

难点：（1）对园林工程预算定额的内容及应用的认识与理解。

（2）对园林绿化工程工程量计算规则的应用。

任务三 园路工程定额计价

一、任务描述

（一）任务说明

（1）图2-3-1所示为某广场园路放线图、断面图，有两种路面，分别为花岗石路面和卵石路面。其中花岗石路面长35m，宽30m，假设需要挖土280mm厚；卵石路面长450m，宽2m。

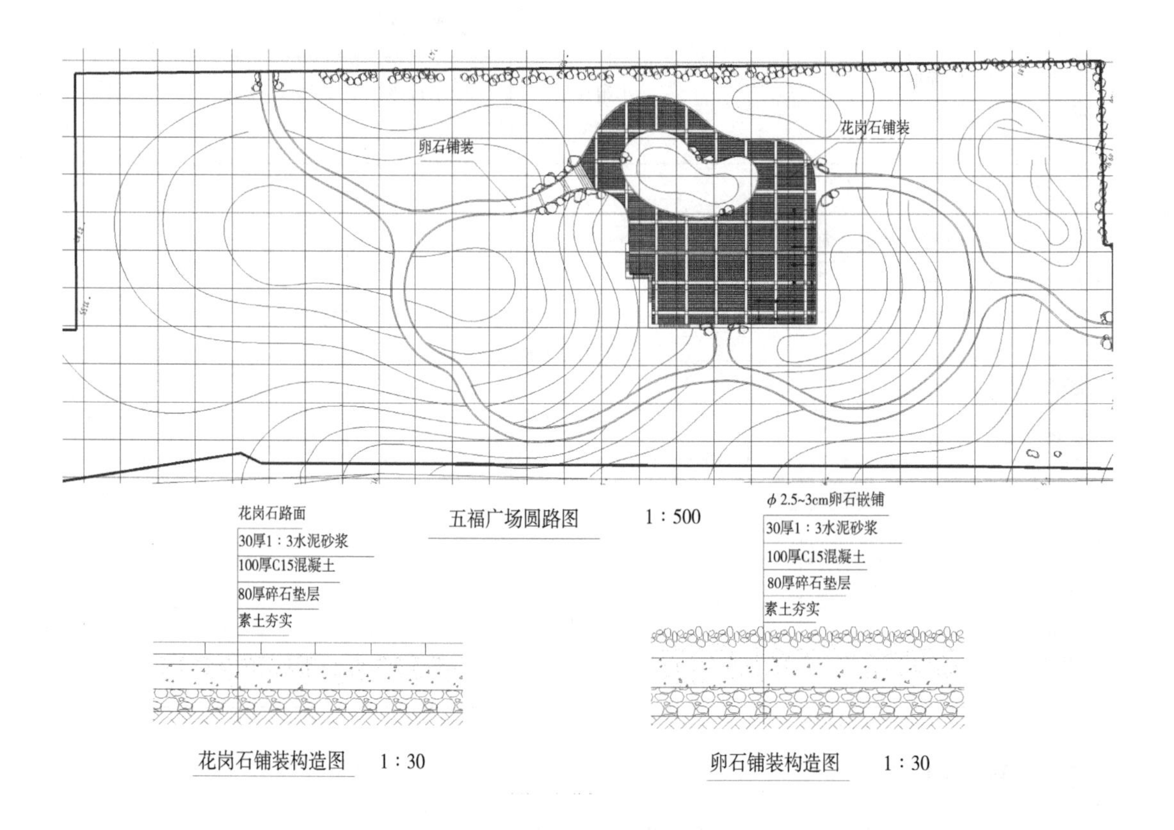

图2-3-1 某广场园路放线图、断面图

（2）本任务中30mm厚1:3水泥砂浆，在定额中给出20mm厚水泥砂浆的单价，所以需要增加的10mm厚水泥砂浆，在园林工程定额中没有，需要查找套用相近的定额，如建筑工程定额、装饰装修工程定额等。

（二）任务要求

（1）按照《河北省园林绿化工程消耗量定额（2013年版）》的有关内容计算园路工程工程量。

（2）套用《河北省园林绿化工程价目表》《河北省建筑工程消耗量定额（2012年版）》等，利用计价软件编制园路工程预算书。

二、相关知识

计算规则

（1）园路土基整理路床的工程量按整理路床的面积计算，不包括路缘石面积。

（2）园路垫层工程量以垫层的体积计算，基础垫层体积按垫层宽度两边各放宽5cm乘以垫层厚度计算。

（3）园路按设计图示尺寸，以“平方米”计算，园路如有坡度时，工程量以斜面积计算。相应规定如下：

1）各种园路面层按设计图示尺寸以“平方米”计算。坡道园路带踏步者，其踏步部分应扣除，并另按台阶计算。

2）园路地面应扣除面积大于0.5m^2的树池、花坛等所占面积，但不扣除路缘石所占面积。

3）卵石拼花、拼字路面均按花或字的外接矩形或圆形面积计算工程量。

（4）树池围牙按设计图示长度以“延长米”计算，树池盖板按“套”计算。

（5）嵌草砖铺装按设计图示面积以“平方米”计算，不扣除镂空部分的面积。

（6）路缘石，按单侧长度以“米”计算。

三、任务实施

实例计算

（一）小组识图并熟悉定额

（二）列表计算工程量

结合现行定额项目划分，划分工程项目。依据计量单位，写出计算式。一般通过列表方式计算工程量。先填写分部分项工程名称，列出计算式，调整计量单位，得出工程数量，最后校核。工程量计算表见表2-3-1。

表2-3-1 广场园路工程工程量计算表

序号	分部分项工程名称	单位	计　算　式	数量
	一、卵石路面			
1	园路土基，整理路床	10m^2	450×（2.1+0.05×2）=990（m^2）	99.00
2	基础垫层，碎石	10m^3	450×（2.1+0.05×2）×0.08=79.2（m^3）	7.92
3	C15混凝土垫层	10m^3	450×（2.1+0.05×2）×0.1=99（m^3）	9.90
4	水泥砂浆在硬基层上找平层	100m^2	450×2=900（m^2）	9.00
5	水泥砂浆找平层每增减5mm	100m^2	450×2×2=1800（m^2）	18.00
6	卵石铺地，满铺	10m^2	450×2=900（m^2）	90.00
	二、广场花岗石路面			
7	人工平整场地	100m^2	35×30=1050（m^2）	10.50
8	人工挖土方，一、二类土（深度2m以内）	10m^3	（35+0.05×2）×（30+0.05×2）×0.28=295.82（m^3）	29.58
9	人工原土打夯	100m^2	（35+0.05×2）×（30+0.05×2）=1056.51（m^2）	10.57
10	基础垫层，碎石	10m^3	（35+0.05×2）×（30+0.05×2）×0.08=84.52（m^3）	8.45
11	C15混凝土垫层	10m^3	（35+0.05×2）×（30+0.05×2）×0.1=105.65（m^3）	10.56
12	水泥砂浆在硬基层上找平层	100m^2	35×30=1050（m^2）	10.50
13	水泥砂浆找平层每增减5mm	100m^2	35×30×2=2100（m^2）	21.00
14	路面铺筑，花岗石路面，厚3cm	10m^2	35×30=1050（m^2）	105.00

（三）填写项目预算表

工程量校核后，根据地区的预算定额，按措施费单列模式，套用计价软件。实体项目预算表见表2-3-2，措施项目预算表见表2-3-3。

表2-3-2　实体项目预算表

工程名称：

序号	定额编号	项目名称	单位	数量	单价（元）	其中：（元）			合价（元）	其中：（元）		
						人工费	材料费	机械费		人工费	材料费	机械费
		一、卵石路面										
1	2-1	园路土基，整理路床	$10m^2$	99.00	26.28	26.28			2601.72	2601.72		
2	2-4	基础垫层，碎石	$10m^3$	7.92	1082.96	405.00	669.90	8.06	8577.05	3207.60	5305.61	63.84
3	2-5	基础垫层，C15混凝土	$10m^3$	9.90	2930.17	935.40	1919.66	75.11	29008.68	9260.46	19004.63	743.59
4	[52] B1-27	水泥砂浆在硬基层上找平层（平面20mm）	$100m^2$	9.00	936.71	459.60	451.25	25.86	8430.39	4136.40	4061.25	232.74
5	[52] B1-30	水泥砂浆找平层每增减5mm	$100m^2$	18.00	188.78	82.80	99.77	6.21	3398.04	1490.40	1795.86	111.78
6	2-7	路面铺筑，卵石铺地，满铺	$10m^2$	90.00	1528.12	1225.98	302.14		137530.80	110338.20	27192.60	
		二、广场花岗石路面										
7	[51] A1-39	人工平整场地	$100m^2$	10.50	142.88	142.88			1500.24	1500.24		
8	[51] A1-1	人工挖土方，一、二类土（深度2m以内）	$10m^3$	29.58	958.80	958.80			2836.13	2836.13		
9	[51] A1-38	人工原土打夯	$100m^2$	10.57	81.93	64.39		17.54	865.59	680.28		185.31
10	2-4	基础垫层，碎石	$10m^3$	8.45	1082.96	405.00	669.90	8.06	9153.17	3423.06	5661.99	68.12
11	2-5	基础垫层，C15混凝土	$10m^3$	10.56	2930.17	935.40	1919.66	75.11	30957.25	9882.50	20281.21	793.54
12	[52] B1-27	水泥砂浆在硬基层上找平层（平面20mm）	$100m^2$	10.50	936.71	459.60	451.25	25.86	9835.46	4825.80	4738.13	271.53
13	[52] B1-30	水泥砂浆找平层每增减5mm	$100m^2$	21.00	188.78	82.80	99.77	6.21	3964.38	1738.80	2095.17	130.41
14	2-28	路面铺筑，花岗石路面厚3cm	$10m^2$	105.00	1272.95	233.40	1015.50	24.05	133659.75	24507.00	106627.50	2525.25
		合　计							382318.65	180428.59	196763.95	5126.11

表2-3-3　措施项目预算表

工程名称：

项目编号	项目名称	单位	数量	单价（元）	合价（元）	其中：（元）		
						人工费	材料费	机械费
[51] A12-77	现浇混凝土基础垫层木模板［水泥砂浆1:2（中砂）］	$100m^2$	1.035	4155.02	4300.45	674.41	3566.68	59.36
5-1	冬季施工增加费（园林工程）	项	1.000	782.40	782.40	428.46	260.80	93.14
5-2	雨季施工增加费（园林工程）	项	1.000	1807.00	1807.00	987.33	614.75	204.92

（续）

项目编号	项 目 名 称	单位	数量	单价（元）	合价（元）	其中：（元）		
						人工费	材料费	机械费
5-3	夜间施工增加费（园林工程）	项	1.000	502.97	502.97	298.06	111.77	93.14
5-4	临时停水、停电费（园林工程）	项	1.000	521.61	521.61	391.21		130.40
5-5	二次搬运费（园林工程）	项	1.000	1434.43	1434.43	1210.88		223.55
5-6	生产工具用具使用费（园林工程）	项	1.000	3017.87	3017.87		2403.12	614.75
5-7	检验试验配合费（园林工程）	项	1.000	204.92	204.92	37.26	130.40	37.26
5-8	工程定位复测及场地清理费（园林工程）	项	1.000	801.03	801.03	409.83	279.43	111.77
5-9	成品保护费（园林工程）	项	1.000	894.19	894.19	391.21	391.21	111.77
5-10	繁华地段交叉施工增加费（园林工程）	项	1.000	856.93	856.93	391.21	465.72	
	合　计				15123.8	5219.86	8223.88	1680.06

（四）工料分析

工料分析的编制采用表格形式。工料分析先将每个分项工程的定额消耗量查到，乘以工程数量得出用量，再将用工种类相同、材料相同的分别汇总，填入表2-3-4人工、材料、机械台班（用量、单价）汇总表中，查找预算价和市场价，计算人工价差、材料价差以及价差合计。

表2-3-4　人工、材料、机械台班（用量、单价）汇总表

工程名称：

编　码	名称及型号规格	单位	数　量	预算价（元）	市场价（元）	市场价合计（元）	价差合计（元）
			人工				
10000002	综合用工二类	工日	2934.7725	60.00	74.00	217173.165	41086.82
10000003	综合用工三类	工日	31.9200	47.00	47.00	1500.24	
10000003	综合用工三类	工日	74.8173	47.00	60.00	4489.038	972.62
CSRGF	措施费中的人工费	元	4545.4388	1.00	1.00	4545.4388	
			材料				
BA2C1016	木模板	m^3	1.4956	2300.00	2300.00	3439.88	
BB1-0101	水泥 32.5	t	121.1030	360.00	350.00	42386.05	-1211.03
BB3-2001	白水泥	kg	10.5000	0.66	0.66	6.93	
BC3-0030	碎石	t	250.1028	42.00	42.00	10504.3176	
BC3-2008	碎石	m^3	261.1334	42.00	42.00	10967.6028	
BC4-0013	中砂	t	364.3112	30.00	30.00	10929.336	
BC4-3002	本色卵石	t	49.5000	273.00	273.00	13513.5	
BC4-3004	彩色卵石粒径1~3cm	t	15.3000	388.50	388.50	5944.05	
BF3-0005	花岗石板 厚30mm	m^2	1065.7500	93.00	93.00	99114.75	
CSCLF	措施费中的材料费	元	4657.2119	1.00	1.00	4657.2119	
EF1-0009	隔离剂	kg	10.3500	0.98	0.98	10.143	
IA2C0071	铁钉	kg	20.4206	5.50	5.50	112.3133	
IF2-0108	镀锌铁丝 22#	kg	0.1863	6.70	6.70	1.24821	

（续）

编　码	名称及型号规格	单位	数　量	预算价（元）	市场价（元）	市场价合计（元）	价差合计（元）
ZA1-0002	水	m^3	245.9009	5.00	5.00	1229.5045	
ZG1-0001	其他材料费	元	959.5500	1.00	1.00	959.55	
			机械				
00006016-1	灰浆搅拌机 200L	台班	7.2150	103.45	103.45	746.39175	
90000002	机械费	元	4194.3345	1.00	1.00	4194.3345	
CSJXF	措施费中的机械费	元	1620.7097	1.00	1.00	1620.7097	
JX001	折旧费（机械台班）	元	32.8131	1.00	1.00	32.8131	
JX002	大修理费（机械台班）	元	6.4570	1.00	1.00	6.457	
JX003	经常修理费（机械台班）	元	30.4307	1.00	1.00	30.4307	
JX004	安拆费及场外运费（机械台班）	元	27.9691	1.00	1.00	27.9691	
JX005	人工（机械台班）	工日	0.1139	60.00	60.00	6.834	
JX007	柴油（机械台班）	kg	3.6664	9.80	9.80	35.93072	
JX009	电（机械台班）	kW·h	102.1866	1.00	1.00	102.1866	
JX013	人工费（机械台班）	元	0.3132	1.00	1.00	0.3132	
JX014	其他费用（机械台班）	元	1.8121	1.00	1.00	1.8121	

（五）计算总造价

根据本地区的预算定额取费标准和单位工程费汇总表，计算各项费用，汇总得出工程总造价。计算结果见表2-3-5。

表2-3-5　单位工程费汇总表

工程名称：

序号	编码	项目名称	计算基础	费率（%）	费用金额（元）
			园林工程		
1	ZJF	直接费	RGF + CLF + JXF + WCF	100.000	397442.45
2	RGF	其中：人工费	STRGF + CSRGF	100.000	185648.45
3	CLF	其中：材料费	STCLF + CSCLF	100.000	204987.83
4	JXF	其中：机械费	STJXF + CSJXF	100.000	6806.17
5	WCF	其中：未计价材料费	STWCF + CSWCF	100.000	
6	QFJS	直接费中的人工费 + 机械费	RGF + JXF	100.000	192454.62
7	GLF	企业管理费	QFJS	10.000	19245.46
8	LR	利润	QFJS	6.000	11547.28
9	GF	规费	QFJS	12.000	23094.55
10	JKTZ	价款调整	JC + DLF	100.000	40848.16
11	JC	其中：价差	STJC + CSJC + STJGJC + CSJGJC	100.000	40848.16
12	DLF	其中：独立费	DLFHJ	100.000	
13	AQWM	安全生产、文明施工费	ZJF + GLF + LR + GF + JKTZ	2.850	14027.07
14	SJ	税金	ZJF + GLF + LR + GF + JKTZ + AQWM	3.480	17615.93
15	HJ	工程造价	ZJF + GLF + LR + GF + JKTZ + AQWM + SJ	100.000	523820.90
		合　计			523820.90

（六）填写工程预算书封面

工程预算书

建设单位：____________________

工程名称：____________________

施工单位：____________________

工程造价：（小写）523820.9元

（大写）伍拾贰万叁仟捌佰贰拾元玖角整

负责人：__________

编制人：__________

编制时间：______年______月______日

（七）编制说明

（1）工程概况。

（2）本工程施工图预算是根据某广场园路施工图编制的。

（3）预算定额采用《河北省园林绿化工程消耗量定额（2013年版）》、新奔腾计价软件编制。

（4）企业取费类别为三类，包工包料。

（八）按工程预算书格式的顺序装订成册，并由有关人员签字盖章

四、学习评价

学习评价标准	分值	教学评价			总评
		小组评价 40%	学生自评 20%	教师评价 40%	
收集资料情况，主要资料齐全	5				
识读图样和施工内容，基本正确	10				
工程项目划分，正确	10				
工程量的计算，正确	20				
定额套用，正确	20				
计价表格编写，完整	10				
自学能力	5				
综合运用知识能力	10				
完成任务态度	5				
出勤情况	5				
小计	100				

五、复习思考

（1）编制园路工程预算需要收集哪些资料？

（2）编制园路工程预算的步骤和内容有哪些？

（3）园路工程工程量计算规则有哪些？

六、总结

重点：(1) 园路工程工程量的计算规则。

　　　(2) 园路工程预算书编制的程序。

难点：(1) 对园林工程中园路定额的内容及应用的认识与理解。

　　　(2) 对园路工程工程量计算规则的应用。

任务四　园桥工程定额计价

一、任务描述

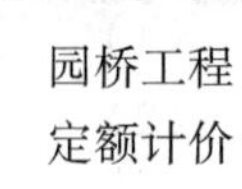

园桥工程定额计价

(一) 任务说明

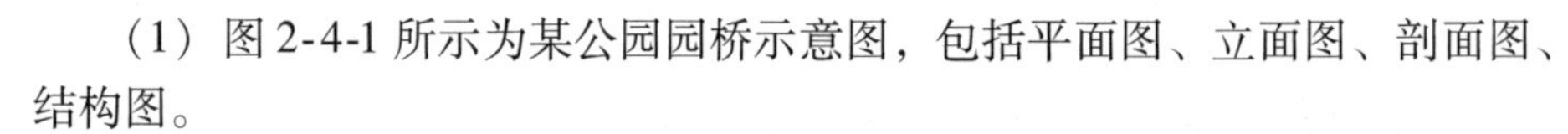

(1) 图 2-4-1 所示为某公园园桥示意图，包括平面图、立面图、剖面图、结构图。

(2) 认真阅读图样，熟悉施工内容，掌握园桥工程量计算规则及钢筋混凝土计算规则。

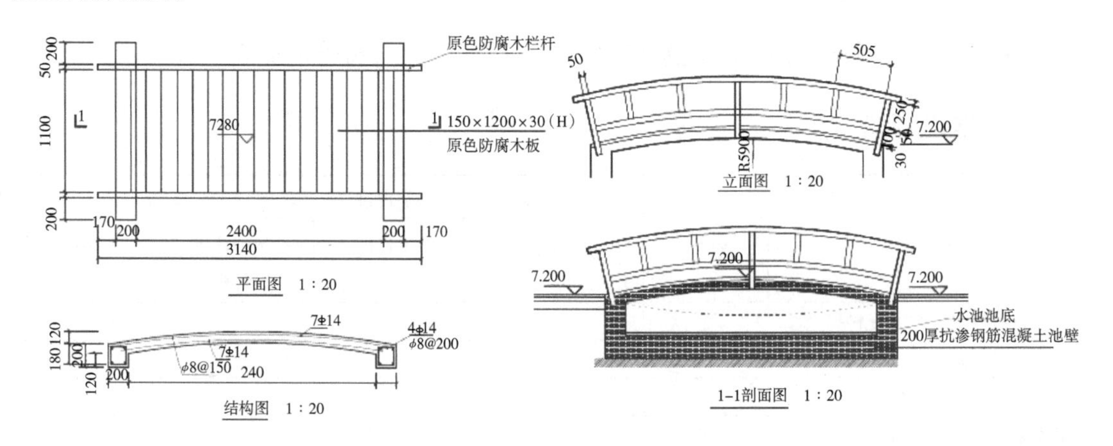

图 2-4-1　某公园园桥示意图

(二) 任务要求

(1) 按照《河北省园林绿化工程消耗量定额（2013 年版）》的有关内容计算园桥工程量。

(2) 套用《河北省园林绿化工程价目表》《河北省建筑工程定额（2012 年版）》等，利用计价软件编制园桥工程预算书。

(3) 钢筋工程量计算的规则见后面任务七，此处暂不介绍。

二、相关知识

(1) 园桥按设计图示尺寸以桥面板长乘以宽以“平方米”计算。相应规定如下：

1) 木构件按设计图示尺寸以“立方米”计算，加固铁件按重量以“千克”计算。

2) 栏杆按设计图示尺寸以“米”计算。

3）木构件油漆按构件展开面积计算。

（2）现浇混凝土桥基、桥台、桥墩、桥身、桥面，预制混凝土桥身、桥面均按体积以“立方米”计算。

（3）石桥基础、石桥台、石桥墩、拱券石安装、碹脸石安装、金刚墙砌筑、石护坡均按设计图示尺寸以“立方米”计算；石桥面铺砌按面积计算。

（4）仰天石、地伏石按设计图示体积以“立方米”计算，不扣除望柱卡口所占的体积。

三、任务实施

（一）识图并熟悉定额

（二）列表计算工程量

1. 工程量计算分析过程

结合现行定额项目划分，划分工程项目，依据计量单位，写出计算过程。

（1）园桥弧度　$\arcsin\left(\frac{1200}{5900}\right)=11.74°$。

（2）园桥弧板长　$\frac{11.74°\times2\times3.14\times5.9}{180°}=2.42$（m）。

（3）园桥桥梁混凝土体积　0.2×0.2×（1.1+0.05×2+0.2×2）×2=0.13（m^3）。

园桥桥梁模板面积：0.2×3×（1.1+0.05×2+0.2×2）×2=1.92（m^2）。

（4）桥梁板

板厚暂按100mm考虑，桥梁板混凝土体积：2.42×（1.1+0.05×2）×0.1=0.29（m^3）。

桥梁板底模板面积：2.42×（1.1+0.05×2）=2.90（m^2）。

桥梁板侧模板面积：2.42×0.1×2=0.48（m^2）。

（5）桥面150mm×1200mm×30mm原色防腐木板

桥面原色防腐木板面积：（0.2×2+2.42）×（1.1+0.05×2）=3.38（m^2）。

（6）原色防腐木栏杆

上栏杆水平长度：[2.42+（0.2+0.17）×2]×2=6.32（m）。

下栏杆水平长度：2.42×2=4.84（m）。

长立杆高度：0.25+0.05+0.1+0.1=0.5×3×2=3（m）。

隔断立杆高度：0.25×4×2=2（m）。

（7）钢筋计算

1）桥梁钢筋。

4Φ14钢筋单根长度：1.1+0.05×2+0.2×2−0.02×2=1.56（m）。

4Φ14钢筋重量：1.56×4×1.21=7.550（kg）。

Φ8@200箍筋单根长度：0.2×4−0.02×8+11.9×0.008×2=0.83（m）。

Φ8@200箍筋根数：1.56/0.2+1≈9（根）。

Φ8@200箍筋重量：0.83×9×0.395=2.951（kg）。

桥梁钢筋汇总：直径10mm以内钢筋重量：2.951×2=5.902（kg）。

直径20mm以内钢筋重量：7.550×2=15.1（kg）。

2）桥板面钢筋。

桥板面上部7Φ14钢筋重量：（2.42－2×0.015）×7×1.21＝20.243（kg）。

桥板面下部7Φ14钢筋重量：（2.42－2×0.015）×7×1.21＝20.243（kg）。

桥板面分布筋Φ8@250单根长度：1.1＋0.05×2－2×0.015＋6.25×0.008×2＝1.27（m）。

根数：（2.42－0.015×2）/0.25＋1≈11（根），双排22根。

Φ8@250钢筋重量：1.27×22×0.395＝11.036（kg）。

桥板面钢筋：直径10mm以内钢筋重量11.036kg，直径20mm以内钢筋重量40.486kg。

2008年版定额钢筋铁件定额子目不包含施工损耗，钢筋工程量加上损耗按总量套定额。2012年版定额钢筋铁件定额子目已包含施工损耗，钢筋工程量按净量套定额。本例中钢筋工程量计算出净用量即可。

2. 工程量计算表

根据以上工程量计算过程分析，通过列表方式计算工程量。先填写分部分项工程名称，列出计算式，调整计量单位，得出工程数量，最后校核。工程量计算表见表2-4-1。

表2-4-1　板拱桥工程量计算表

序号	分项工程名称	单位	计　算　式	数量
1	桥梁混凝土	$10m^3$	0.2×0.2×（1.1＋0.05×2＋0.2×2）×2＝0.13（m^3）	0.013
2	桥梁模板	$10m^2$	0.2×3×（1.1＋0.05×2＋0.2×2）×2＝1.92（m^2）	0.192
3	桥板板厚暂按100mm	$10m^3$	2.42×（1.1＋0.05×2）×0.1＝0.29（m^3）	0.029
4	桥板模板	m^2	2.42×（1.1＋0.05×2）＝2.90（m^2） 2.42×0.1×2＝0.48（m^2）	
5	桥面原色防腐木板	m^2	（0.2×2＋2.42）×（1.1＋0.05×2）＝3.38（m^2）	3.38
6	防腐木栏杆直径按50mm	$10m^2$	37.92（m^2）	3.79
7	桥梁钢筋	kg	10mm以内：2.951×2＝5.902（kg） 20mm以内：7.550×2＝15.100（kg）	
8	桥板面钢筋	kg	10mm以内：11.036kg 20mm以内：40.486kg	

（三）填写项目预算表

工程量校核后，相同分项工程量合并，根据地区的预算定额，套用定额基价，计算定额直接费。先抄写分项工程名称、定额编号、单位。当借用其他定额时，定额编号必须区分，如A4-330表示建筑定额。应用计价软件计算定额直接费、人工费、材料费、机械费。实体项目预算表见表2-4-2，措施项目预算表见表2-4-3。

表2-4-2　实体项目预算表

工程名称：

序号	定额编号	项目名称	单位	数量	单价（元）	其中：（元）			合价（元）	其中：（元）		
						人工费	材料费	机械费		人工费	材料费	机械费
1	[56] 2-81	混凝土桥身、桥面，现浇混凝土［现浇混凝土C25-10］	$10m^3$	0.042	2724.45	479.40	2235.92	9.13	114.42	20.13	93.91	0.38
2	[56] 2-77	防腐木桥面制作安装	$10m^2$	0.338	119.47	109.20	10.27		40.38	36.91	3.47	

（续）

序号	定额编号	项目名称	单位	数量	单价（元）	其中：（元）			合价（元）	其中：（元）		
						人工费	材料费	机械费		人工费	材料费	机械费
		主材：防腐木	m^3	0.213	3500.00		3500.00		745.50		745.50	
3	［56］2-72 换	木步桥，直挡栏杆	$10m^2$	3.792	145.98	117.00	28.98		553.55	443.66	109.89	
4	A4-330	钢筋制作、安装，现浇构件（钢筋直径 10mm 以内）	t	0.017	5299.97	799.86	4444.39	55.72	90.10	13.60	75.55	0.95
5	A4-331	钢筋制作、安装，现浇构件（钢筋直径 20mm 以内）	t	0.056	5357.47	483.60	4728.00	145.87	300.02	27.08	264.77	8.17
		合计							1843.97	541.38	1293.09	9.50

表 2-4-3 措施项目预算表

工程名称：

项目编号	项目名称	单位	数量	单价（元）	合价（元）	其中：（元）		
						人工费	材料费	机械费
［56］4-2	桥洞底板，木模板	m^2	2.900	778.70	2258.23	1050.96	1169.63	37.64
［56］4-3	桥身侧板，组合钢模板	m^2	2.400	362.87	870.89	396.00	474.22	0.67
A15-59	冬季施工增加费（一般土建）	项	1.000	0.31	0.31	0.06	0.19	0.06
5-1	冬季施工增加费（园林工程）	项	1.000	8.34	8.34	4.57	2.78	0.99
A15-60	雨季施工增加费（一般土建）	项	1.000	0.74	0.74	0.15	0.44	0.15
5-2	雨季施工增加费（园林工程）	项	1.000	19.28	19.28	10.53	6.56	2.19
A15-61	夜间施工增加费（一般土建）	项	1.000	0.36	0.36	0.22	0.07	0.07
5-3	夜间施工增加费（园林工程）	项	1.000	5.36	5.36	3.18	1.19	0.99
A15-62	生产工具用具使用费（一般土建）	项	1.000	0.70	0.70	0.21	0.35	0.14
5-6	生产工具用具使用费（园林工程）	项	1.000	32.18	32.18		25.62	6.56
A15-63	检验试验配合费（一般土建）	项	1.000	0.28	0.28	0.08	0.15	0.05
5-7	检验试验配合费（园林工程）	项	1.000	2.19	2.19	0.40	1.39	0.40
A15-64	工程定位复测及场地清理费（一般土建）	项	1.000	0.32	0.32	0.16	0.11	0.05
5-8	工程定位复测及场地清理费（园林工程）	项	1.000	8.54	8.54	4.37	2.98	1.19
A15-65	成品保护费（一般土建）	项	1.000	0.35	0.35	0.18	0.14	0.03
5-9	成品保护费（园林工程）	项	1.000	9.53	9.53	4.17	4.17	1.19
A15-66	二次搬运费（一般土建）	项	1.000	0.59	0.59	0.18		0.41
5-5	二次搬运费（园林工程）	项	1.000	15.29	15.29	12.91		2.38
A15-67	临时停水、停电费（一般土建）	项	1.000	0.22	0.22	0.11		0.11
5-4	临时停水、停电费（园林工程）	项	1.000	5.56	5.56	4.17		1.39
5-10	繁华地段交叉施工增加费（园林工程）	项	1.000	9.14	9.14	4.17	4.97	
	合计				3248.4	1496.78	1694.96	56.66

（四）工料分析

工料分析的编制采用表格形式。工料分析先将每个分项工程的定额消耗量查到，乘以工程数量得出用量，再将用工种类相同、材料相同的分别汇总，填入表2-4-4人工、材料、机械台班（用量、单价）汇总表中，查找预算价和市场价，计算人工价差、材料价差以及价差合计。

表2-4-4　人工、材料、机械台班（用量、单价）汇总表

工程名称：

编　码	名称及型号规格	单位	数量	预算价（元）	市场价（元）	市场价合计（元）	价差合计（元）
			人工				
10000002	综合用工二类	工日	33.1392	60.00	60.00	1988.35	
CSRGF	措施费中的人工费	元	49.8267	1.00	1.00	49.83	
			材料				
AA1C0001	钢筋 ϕ10mm 以内	t	0.0173	4290.00	3150.00	54.50	-19.72
AA1C0002	钢筋 ϕ20mm 以内	t	0.0582	4500.00	3350.00	194.97	-66.93
BA2C1016	木模板	m^3	0.5612	2300.00	2300.00	1290.76	
BB1-0102	水泥 42.5	t	0.1504	390.00	390.00	58.66	
BC3-0030	碎石	t	0.5334	42.00	45.00	24.00	1.6
BC4-0013	中砂	t	0.3119	30.00	70.00	21.83	12.48
BK1-0005	塑料薄膜	m^2	0.3150	0.80	0.80	0.25	
CA1C0007	结 422 电焊条	kg	0.3567	4.14	6.20	2.21	0.73
CD1Y0108	防腐木	m^3	0.0345	2600.00	3500.00	120.75	31.05
CD1Y0122	嵌缝料	kg	1.4500	2.60	2.60	3.77	
CD1Y0123	组合钢模板	kg	14.1600	5.20	5.20	73.63	
CD1Y0124	钢支撑	kg	13.3920	5.50	5.50	73.66	
CD1Y0125	零星卡具	kg	29.5680	6.00	6.00	177.41	
CD1Y0126	隔离剂	kg	5.3000	0.98	0.98	5.19	
CSCLF	措施费中的材料费	元	51.1277	1.00	1.00	51.13	
DR1-0033	防腐油	kg	0.0758	3.20	3.20	0.24	
ED1-0030	乳胶	kg	0.7584	5.00	5.00	3.79	
IA2-0081	木螺钉	10个	9.7006	0.20	0.20	1.94	
IA2-0109	木螺钉	百个	0.1896	2.10	2.10	0.40	
IA2-2010	圆钉	kg	2.6176	8.00	8.00	20.94	
IE1-0202	铁件	kg	1.8960	7.00	7.00	13.27	
IF2-0108	镀锌铁丝 22#	kg	0.3487	6.70	6.50	2.27	-0.07
ZA1-0002	水	m^3	0.6588	5.00	4.80	3.16	-0.13
ZG1-0001	其他材料费	元	2.4791	1.00	1.00	2.48	

（续）

编　码	名称及型号规格	单位	数量	预算价（元）	市场价（元）	市场价合计（元）	价差合计（元）
			机械				
90000002	机械费	元	0.3835	1.00	1.00	0.38	
CSJXF	措施费中的机械费	元	18.3669	1.00	1.00	18.37	
JX001	折旧费（机械台班）	元	5.2146	1.00	1.00	5.21	
JX002	大修理费（机械台班）	元	0.6682	1.00	1.00	0.67	
JX003	经常修理费（机械台班）	元	1.5928	1.00	1.00	1.59	
JX004	安拆费及场外运费（机械台班）	元	2.8468	1.00	1.00	2.85	
JX005	人工（机械台班）	工日	0.0440	60.00	60.00	2.64	
JX009	电（机械台班）	kW·h	33.1597	1.00	1.50	49.73	16.58
JX013	人工费（机械台班）	元	1.2812	1.00	1.00	1.28	
			未计价材				
YL1-0011	防腐木	m^3	0.2129	3500.00	3500.00	745.15	

（五）计算总造价

根据本地区的预算定额取费标准和单位工程费汇总表，计算各项费用，汇总得出工程总造价。计算结果见表2-4-5。

表2-4-5　单位工程费汇总表

工程名称：

序号	编码	项 目 名 称	计 算 基 础	费率（%）	费用金额（元）
			一般建筑工程．三类工程		
1	ZJF	直接费	RGF + CLF + JXF + WCF	100.000	393.99
2	RGF	其中：人工费	STRGF + CSRGF	100.000	42.03
3	CLF	其中：材料费	STCLF + CSCLF	100.000	341.77
4	JXF	其中：机械费	STJXF + CSJXF	100.000	10.19
5	WCF	其中：未计价材料费	STWCF + CSWCF	100.000	
6	QFJS	直接费中的人工费 + 机械费	RGF + JXF	100.000	52.22
7	GLF	企业管理费	QFJS	17.000	8.88
8	LR	利润	QFJS	10.000	5.22
9	GF	规费	QFJS	25.000	13.06
10	JKTZ	价款调整	JC + DLF	100.000	-84.24
11	JC	其中：价差	STJC + CSJC + STJGJC + CSJGJC	100.000	-84.24
12	DLF	其中：独立费	DLFHJ	100.000	
13	AQWM	安全生产、文明施工费	AQWMJB + AQWMZJ	100.000	16.34
14	AQWMJB	其中：基本费	ZJF + GLF + LR + GF + JKTZ	3.850	12.97
15	AQWMZJ	其中：增加费	ZJF + GLF + LR + GF + JKTZ	1.000	3.37
16	SJ	税金	ZJF + GLF + LR + GF + JKTZ + AQWM	3.480	12.29
17	HJ	工程造价	ZJF + GLF + LR + GF + JKTZ + AQWM + SJ	100.000	365.54

（续）

序号	编码	项目名称	计算基础	费率（%）	费用金额（元）
		园林工程			
1	ZJF	直接费	RGF + CLF + JXF + WCF	100.000	4698.17
2	RGF	其中：人工费	STRGF + CSRGF	100.000	1996.13
3	CLF	其中：材料费	STCLF + CSCLF	100.000	1900.78
4	JXF	其中：机械费	STJXF + CSJXF	100.000	55.97
5	WCF	其中：未计价材料费	STWCF + CSWCF	100.000	745.29
6	QFJS	直接费中的人工费 + 机械费	RGF + JXF	100.000	2052.10
7	GLF	企业管理费	QFJS	10.000	205.21
8	LR	利润	QFJS	6.000	123.13
9	GF	规费	QFJS	12.000	246.25
10	JKTZ	价款调整	JC + DLF	100.000	59.73
11	JC	其中：价差	STJC + CSJC + STJGJC + CSJGJC	100.000	59.73
12	DLF	其中：独立费	DLFHJ	100.000	
13	AQWM	安全生产、文明施工费	ZJF + GLF + LR + GF + JKTZ	2.850	151.98
14	SJ	税金	ZJF + GLF + LR + GF + JKTZ + AQWM	3.480	190.86
15	HJ	工程造价	ZJF + GLF + LR + GF + JKTZ + AQWM + SJ	100.000	5675.33
		合　计			6040.87

（六）填写工程预算书封面

工程预算书

建设单位：______________________

工程名称：______________________

施工单位：______________________

工程造价：（小写）：6040.87 元

（大写）：陆仟零肆拾元捌角柒分整

负责人：__________

编制人：__________

编制时间：______年______月______日

（七）编制说明

（1）工程概况。

（2）本工程施工图预算是根据某公园板拱桥施工图编制的。

（3）预算定额采用《河北省建筑工程消耗量定额（2012 年版）》、《河北省园林绿化工程消耗量定额（2013 年版）》、新奔腾计价软件编制。

（4）企业取费类别为三类，包工包料。

（八）按工程预算书格式的顺序装订成册，并由有关人员签字盖章

四、学习评价

学习评价标准	分值	教学评价			总评
		小组评价 40%	学生自评 20%	教师评价 40%	
收集资料情况，主要资料齐全	5				
识读图样和施工内容，基本正确	10				
工程项目划分，正确	10				
工程量的计算，正确	20				
定额套用，正确	20				
计价表格编写，完整	10				
自学能力	5				
综合运用知识能力	10				
完成任务态度	5				
出勤情况	5				
小计	100				

五、复习思考

（1）编制园桥工程预算需要收集哪些资料？

（2）编制园桥工程预算的步骤和内容有哪些？

（3）园桥工程量计算规则有哪些？

六、总结

重点：（1）园桥工程工程量的计算规则。

（2）园桥工程预算书编制的程序。

难点：（1）对园林工程中园桥定额的内容及应用的认识与理解。

（2）对园桥工程工程量计算规则的应用。

任务五　假山工程定额计价

一、任务描述

（一）任务说明

假山工程定额计价

（1）图 2-5-1 所示为某公园一角假山平面图、立面图、台座剖面图。

（2）认真阅读图样，熟悉施工内容，掌握假山工程工程量计算规则。

（二）任务要求

（1）按照《河北省园林绿化工程消耗量定额（2013 年版）》的有关内容

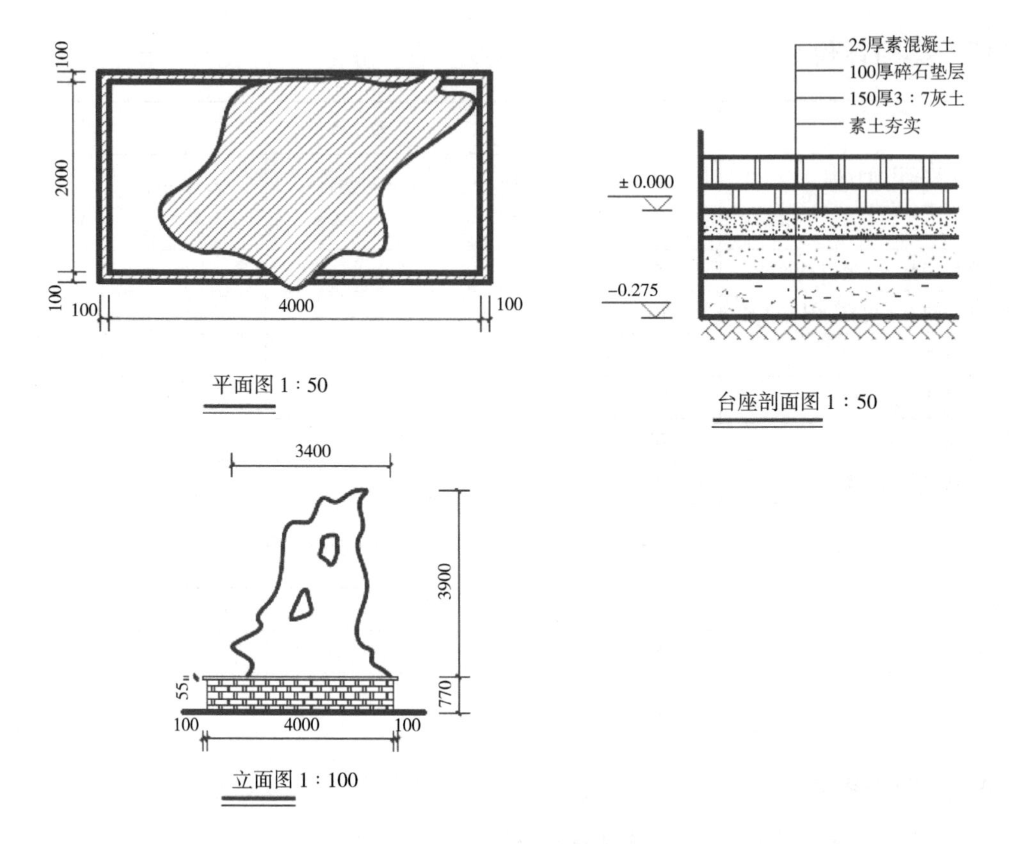

图 2-5-1　假山示意图

计算假山工程工程量。

（2）套用《河北省园林绿化工程价目表》《河北省装饰工程消耗量定额（2012 年版）》等，利用计价软件编制假山工程预算书。

二、相关知识

（一）堆砌假山

（1）堆砌假山的工程量按实际堆砌石料重量以“吨”计算，计算公式：堆砌假山工程量 = 进料的验收数量 − 进料剩余数量（t）。基础另套定额。

（2）堆筑土山丘，按设计图示山坡水平投影外接矩形的面积乘以高度的 1/3，以体积“立方米”计算。

（3）石笋、点风景石、布置景石按单体石料体积乘以石料密度以“吨”计算。计算公式：

$$W_{单} = LBHR$$

式中　$W_{单}$——山石单体重量（t）；

L——长度方向的平均值（m）；

B——宽度方向的平均值（m）；

H——高度方向的平均值（m）；

R——石料密度（t/m^3）［湖石为 2.2t/m^3，黄（石杂）2.6t/m^3］。

（4）池山、盆景山按设计图示数量计算。

（5）山石护角、山坡石台阶按设计图示尺寸以“立方米”计算。

（二）塑假石山

（1）砖骨架塑假石山工程量按不同高度，以塑假石山的外围表面积计算，计量单位为 $10m^2$。

（2）钢骨架钢网塑假石山的工程量按其外围表面积计算，计量单位为 $10m^2$。

三、任务实施

（一）识图并熟悉定额

（二）列表计算工程量

1. 工程量计算过程分析

结合现行定额项目划分，划分工程项目，依据计量单位，写出计算过程。

（1）挖地坑体积：$4\times2\times(0.025+0.1+0.15)=2.2\ (m^3)$。

（2）素土夯实面积：$4\times2=8\ (m^2)$。

（3）150mm 厚 3∶7 灰土体积：$4\times2\times0.15=1.2\ (m^3)$。

（4）100mm 厚碎石层体积：$4\times2\times0.1=0.8\ (m^3)$。

（5）25mm 厚素混凝土体积：$4\times2\times0.025=0.2\ (m^3)$。

（6）砖砌台座体积：$[(4-0.12\times2)+(2-0.12\times2)]\times2\times0.24\times0.7=1.85\ (m^3)$。

（7）台座上的混凝土边沿，按压顶考虑，混凝土边沿体积：$(4+0.1\times2)\times(0.24+0.1)\times2\times0.055+2\times(0.24+0.1)\times2\times0.055=0.23\ (m^3)$。

（8）模板面积。

底边模板面积：$(4+0.1\times2)\times0.1\times2+2\times0.1\times2=1.24\ (m^2)$。

外边模板面积：$[(4+0.1\times2)+(2+0.1\times2)]\times2\times0.055=0.70\ (m^2)$。

内边模板面积：$[(4-0.24\times2)+(2-0.24\times2)]\times2\times0.055=0.55\ (m^2)$。

模板面积：$1.24+0.70+0.55=2.49\ (m^2)$。

（9）砖外样抹灰面积：$(4+2)\times2\times0.7=8.40\ (m^2)$。

（10）景石：

$$W_{单}=LBHR$$

式中　$W_{单}$——山石单体重量（t）；

L——长度方向的平均值（m）；

B——宽度方向的平均值（m）；

H——高度方向的平均值（m）；

R——石料密度（t/m^3）（湖石为 $2.2t/m^3$）。

$W_{单}=LBHR=3.1\times2.2\times3.7\times2.2=55.52\ (t)$。

2. 工程量计算表

根据以上工程量计算过程分析，通过列表方式计算工程量。先填写分部分项工程名称，列出计算式，调整计量单位，得出工程数量，最后校核。假山工程量计算表见表 2-5-1。

表 2-5-1　假山工程量计算表

序号	分项工程名称	单位	计　算　式	数量
1	挖地坑	$100m^3$	4×2×（0.025+0.1+0.15）=2.2（m^3）	0.022
2	素土夯实	$100m^2$	4×2=8（m^2）	0.08
3	150mm 厚 3:7 灰土	$10m^3$	4×2×0.15=1.2（m^3）	0.12
4	100mm 厚碎石层	$10m^3$	4×2×0.1=0.8（m^3）	0.08
5	25mm 厚素混凝土	$10m^3$	4×2×0.025=0.2（m^3）	0.02
6	砖砌台座	$10m^3$	［（4-0.12×2）+（2-0.12×2）］×2×0.24×0.7=1.85（m^3）	0.185
7	台座上的混凝土边沿	$10m^3$	（4+0.1×2）×（0.24+0.1）×2×0.055+2×（0.24+0.1）×2×0.055=0.23（m^3）	0.023
8	混凝土边沿模板	$100m^2$	1.24+0.70+0.55=2.49（m^2）	0.0249
9	砖外样抹灰	$100m^2$	（4+2）×2×0.7=8.40（m^2）	0.084
10	景石	t	3.1×2.2×3.7×2.2=55.52（t）	55.52

（三）填写项目预算表

工程量校核后，根据地区的预算定额，套用定额基价，计算定额直接费。先抄写分项工程名称、定额编号、单位。当借用其他定额时，定额编号必须区分。再抄写基价、人工费单价、材料费单价、机械费单价。水泥砂浆后换算。然后计算定额直接费、人工费、机械费。实体项目预算表见表 2-5-2，措施项目预算表见表 2-5-3。

表 2-5-2　实体项目预算表

工程名称：

序号	定额编号	项目名称	单位	数量	单价（元）	其中：（元）			合价（元）	其中：（元）		
						人工费	材料费	机械费		人工费	材料费	机械费
1	A1-27	人工挖地坑，三类土（深度 2m 以内）	$100m^3$	0.022	2867.94	2867.94			63.09	63.09		
2	A1-74	单（双）轮车运土方，运距 50m 以内	$100m^3$	0.022	744.95	744.95			16.39	16.39		
3	A1-38	人工原土打夯	$100m^2$	0.080	81.93	64.39		17.54	6.55	5.15		1.40
4	［52］B1-2	灰土垫层（灰土 3:7）	$10m^3$	0.120	1115.37	347.80	736.55	31.02	133.85	41.74	88.39	3.72
		主材：黏土	m^3	1.418								
5	［52］B1-8	碎石干铺垫层	$10m^3$	0.080	1156.49	334.80	813.54	8.15	92.51	26.78	65.08	0.65
6	［52］B1-24	混凝土垫层［现浇混凝土（中砂碎石）C15-40］	$10m^3$	0.020	2624.85	772.80	1779.32	72.73	52.50	15.46	35.59	1.45
7	A3-3	砖砌内外墙（墙厚一砖）［水泥石灰砂浆 M5（中砂）］	$10m^3$	0.185	3204.01	798.60	2366.10	39.31	592.74	147.74	437.73	7.27
8	A4-53	现浇钢筋混凝土压顶垫块墩块［现浇混凝土（中砂碎石）C20-20］	$10m^3$	0.023	3912.37	1550.40	2207.39	154.58	89.99	35.66	50.77	3.56
9	［56］3-30	点风景石、布置景石、土山点石，高度 4m 以内（水泥砂浆 1:2.5）	t	55.520	271.15	256.86	4.02	10.27	15054.25	14260.87	223.19	570.19
		主材：湖石	t	55.520	450.00				24984.00		24984.00	
10	［52］B2-9	标准砖墙面水泥砂浆抹灰［水泥砂浆 1:2（中砂），水泥砂浆 1:3（中砂）］	$100m^2$	0.084	1741.26	1198.40	511.82	31.04	146.27	100.67	42.99	2.61
		合　计							41232.14	14713.55	25927.74	590.85

表 2-5-3　措施项目预算表

工程名称：

项目编号	项 目 名 称	单位	数量	单价（元）	合价（元）	其中：（元）		
						人工费	材料费	机械费
A12-103	现浇压顶垫块墩块木模板	$100m^2$	0.025	3571.01	89.28	54.00	33.85	1.43
A15-59	冬季施工增加费（一般土建）	项	1.000	1.59	1.59	0.32	0.95	0.32
A15-59	冬季施工增加费（土石方）	项	1.000	0.55	0.55	0.11	0.33	0.11
B9-1	冬季施工增加费（装饰装修工程）	项	1.000	0.54	0.54	0.29	0.25	
5-1	冬季施工增加费（园林工程）	项	1.000	62.29	62.29	34.11	20.76	7.42
A15-60	雨季施工增加费（一般土建）	项	1.000	3.70	3.70	0.75	2.20	0.75
A15-60	雨季施工增加费（土石方）	项	1.000	1.28	1.28	0.26	0.76	0.26
B9-2	雨季施工增加费（装饰装修工程）	项	1.000	1.24	1.24	0.68	0.56	
5-2	雨季施工增加费（园林工程）	项	1.000	143.85	143.85	78.60	48.94	16.31
A15-61	夜间施工增加费（一般土建）	项	1.000	1.86	1.86	1.12	0.37	0.37
A15-61	夜间施工增加费（土石方）	项	1.000	0.65	0.65	0.39	0.13	0.13
B9-3	夜间施工增加费（装饰装修工程）	项	1.000	1.16	1.16	0.87	0.29	
5-3	夜间施工增加费（园林工程）	项	1.000	40.05	40.05	23.73	8.90	7.42
A15-62	生产工具用具使用费（一般土建）	项	1.000	3.52	3.52	1.05	1.77	0.70
A15-62	生产工具用具使用费（土石方）	项	1.000	1.21	1.21	0.36	0.61	0.24
B9-4	生产工具用具使用费（装饰装修工程）	项	1.000	2.12	2.12		2.12	
5-6	生产工具用具使用费（园林工程）	项	1.000	240.26	240.26		191.32	48.94
A15-63	检验试验配合费（一般土建）	项	1.000	1.42	1.42	0.40	0.77	0.25
A15-63	检验试验配合费（土石方）	项	1.000	0.50	0.50	0.14	0.27	0.09
B9-5	检验试验配合费（装饰装修工程）	项	1.000	0.97	0.97	0.39	0.58	
5-7	检验试验配合费（园林工程）	项	1.000	16.32	16.32	2.97	10.38	2.97
A15-64	工程定位复测及场地清理费（一般土建）	项	1.000	1.62	1.62	0.80	0.57	0.25
A15-64	工程定位复测及场地清理费（土石方）	项	1.000	0.57	0.57	0.28	0.20	0.09
B9-9	工程定位复测及场地清理费（装饰装修工程）	项	1.000	1.93	1.93	1.64	0.29	
5-8	工程定位复测及场地清理费（园林工程）	项	1.000	63.78	63.78	32.63	22.25	8.90
A15-65	成品保护费（一般土建）	项	1.000	1.79	1.79	0.90	0.72	0.17
A15-65	成品保护费（土石方）	项	1.000	0.62	0.62	0.31	0.25	0.06
B9-6	成品保护费（装饰装修工程）	项	1.000	1.30	1.30	0.66	0.52	0.12
5-9	成品保护费（园林工程）	项	1.000	71.20	71.20	31.15	31.15	8.90
A15-66	二次搬运费（一般土建）	项	1.000	2.99	2.99	0.92		2.07
A15-66	二次搬运费（土石方）	项	1.000	1.03	1.03	0.32		0.71
B9-7	二次搬运费（装饰装修工程）	项	1.000	2.91	2.91	1.56	1.35	
5-5	二次搬运费（园林工程）	项	1.000	114.20	114.20	96.40		17.80
A15-67	临时停水、停电费（一般土建）	项	1.000	1.10	1.10	0.55		0.55
A15-67	临时停水、停电费（土石方）	项	1.000	0.38	0.38	0.19		0.19
B9-8	临时停水、停电费（装饰装修工程）	项	1.000	0.78	0.78	0.39	0.39	
5-4	临时停水、停电费（园林工程）	项	1.000	41.53	41.53	31.15		10.38
5-10	繁华地段交叉施工增加费（园林工程）	项	1.000	68.23	68.23	31.15	37.08	
	合　计				990.32	431.54	420.88	137.9

（四）工料分析

工料分析的编制采用表格形式。工料分析先将每个分项工程的定额消耗量查到，乘以工程数量得出用量，再将用工种类相同、材料相同的分别汇总，填入表2-5-4人工、材料、机械台班（用量、单价）汇总表中，查找预算价和市场价，计算人工价差、材料价差以及价差合计。

表2-5-4 人工、材料、机械台班（用量、单价）汇总表

工程名称：

编 码	名称及型号规格	单位	数 量	预算价（元）	市场价（元）	市场价合计（元）	价差合计（元）
人工							
10000001	综合用工一类	工日	1.4381	70.00	70.00	100.67	
10000002	综合用工二类	工日	242.3418	60.00	60.00	14540.51	
10000003	综合用工三类	工日	2.6887	47.00	47.00	126.37	
CSRGF	措施费中的人工费	元	377.5104	1.00	1.00	377.51	
材料							
BA2C1016	木模板	m^3	0.0134	2300.00	2300.00	30.82	
BB1-0101	水泥 32.5	t	0.5811	360.00	300.00	174.33	-34.87
BC1-0002	生石灰	t	0.3348	290.00	300.00	100.44	3.35
BC3-0030	碎石	t	1.8494	42.00	45.00	83.22	5.55
BC4-0013	中砂	t	2.5688	30.00	70.00	179.82	102.75
BD1-0001	标准砖 240mm×115mm×53mm	千块	0.9831	380.00	400.00	393.24	19.66
BK1-0005	塑料薄膜	m^2	2.2264	0.80	0.80	1.78	
CSCLF	措施费中的材料费	元	387.0316	1.00	1.00	387.03	
IA2C0071	铁钉	kg	0.1697	5.50	5.50	0.93	
ZA1-0002	水	m^3	1.7323	5.00	4.80	8.32	-0.35
ZG1-0001	其他材料费	元	100.8608	1.00	1.00	100.86	
机械							
00006016-1	灰浆搅拌机 200L	台班	0.0955	103.45	103.45	9.88	
90000002	机械费	元	570.1904	1.00	1.00	570.19	
CSJXF	措施费中的机械费	元	136.4640	1.00	1.00	136.46	
JX001	折旧费（机械台班）	元	1.9236	1.00	1.00	1.92	
JX002	大修理费（机械台班）	元	0.2789	1.00	1.00	0.28	
JX003	经常修理费（机械台班）	元	1.1081	1.00	1.00	1.10	
JX004	安拆费及场外运费（机械台班）	元	1.4522	1.00	1.00	1.45	
JX005	人工（机械台班）	工日	0.0295	60.00	60.00	1.77	
JX007	柴油（机械台班）	kg	0.0676	9.80	8.77	0.59	-0.07
JX009	电（机械台班）	kW·h	4.3641	1.00	1.50	6.54	2.18
JX013	人工费（机械台班）	元	0.6543	1.00	1.00	0.65	
JX014	其他费用（机械台班）	元	0.0334	1.00	1.00	0.03	
未计价材							
BC2-0002	黏土	m^3	1.4180				
BC4-3011	湖石	t	55.5200	450.00	450.00	24984	

（五）计算总造价

根据本地区的预算定额取费标准和单位工程费汇总表，计算各项费用，汇总得出工程总造价。计算结果见表2-5-5。

表2-5-5　单位工程费汇总表

工程名称：

序号	编码	项目名称	计算基础	费率（%）	费用金额（元）
		一般建筑工程、三类工程			
1	ZJF	直接费	RGF + CLF + JXF + WCF	100.000	791.60
2	RGF	其中：人工费	STRGF + CSRGF	100.000	244.21
3	CLF	其中：材料费	STCLF + CSCLF	100.000	529.70
4	JXF	其中：机械费	STJXF + CSJXF	100.000	17.69
5	WCF	其中：未计价材料费	STWCF + CSWCF	100.000	
6	QFJS	直接费中的人工费 + 机械费	RGF + JXF	100.000	261.90
7	GLF	企业管理费	QFJS	17.000	44.52
8	LR	利润	QFJS	10.000	26.19
9	GF	规费	QFJS	25.000	65.48
10	JKTZ	价款调整	JC + DLF	100.000	44.07
11	JC	其中：价差	STJC + CSJC + STJGJC + CSJGJC	100.000	44.07
12	DLF	其中：独立费	DLFHJ	100.000	
13	AQWM	安全生产、文明施工费	AQWMJB + AQWMZJ	100.000	47.14
14	AQWMJB	其中：基本费	ZJF + GLF + LR + GF + JKTZ	3.850	37.42
15	AQWMZJ	其中：增加费	ZJF + GLF + LR + GF + JKTZ	1.000	9.72
16	SJ	税金	ZJF + GLF + LR + GF + JKTZ + AQWM	3.480	35.46
17	HJ	工程造价	ZJF + GLF + LR + GF + JKTZ + AQWM + SJ	100.000	1054.46
		建筑工程土石方、建筑物超高、垂直运输、特大型机械场外运输及一次安拆			
1	ZJF	直接费	RGF + CLF + JXF + WCF	100.000	92.82
2	RGF	其中：人工费	STRGF + CSRGF	100.000	86.99
3	CLF	其中：材料费	STCLF + CSCLF	100.000	2.55
4	JXF	其中：机械费	STJXF + CSJXF	100.000	3.28
5	WCF	其中：未计价材料费	STWCF + CSWCF	100.000	
6	QFJS	直接费中的人工费 + 机械费	RGF + JXF	100.000	90.27
7	GLF	企业管理费	QFJS	4.000	3.61
8	LR	利润	QFJS	4.000	3.61
9	GF	规费	QFJS	7.000	6.32
10	JKTZ	价款调整	JC + DLF	100.000	0.37
11	JC	其中：价差	STJC + CSJC + STJGJC + CSJGJC	100.000	0.37
12	DLF	其中：独立费	DLFHJ	100.000	
13	AQWM	安全生产、文明施工费	AQWMJB + AQWMZJ	100.000	5.18
14	AQWMJB	其中：基本费	ZJF + GLF + LR + GF + JKTZ	3.850	4.11
15	AQWMZJ	其中：增加费	ZJF + GLF + LR + GF + JKTZ	1.000	1.07

（续）

序号	编码	项目名称	计算基础	费率（%）	费用金额（元）
建筑工程土石方、建筑物超高、垂直运输、特大型机械场外运输及一次安拆					
16	SJ	税金	ZJF + GLF + LR + GF + JKTZ + AQWM	3.480	3.89
17	HJ	工程造价	ZJF + GLF + LR + GF + JKTZ + AQWM + SJ	100.000	115.80
装饰装修工程					
1	ZJF	直接费	RGF + CLF + JXF + WCF	100.000	438.08
2	RGF	其中：人工费	STRGF + CSRGF	100.000	191.13
3	CLF	其中：材料费	STCLF + CSCLF	100.000	238.40
4	JXF	其中：机械费	STJXF + CSJXF	100.000	8.55
5	WCF	其中：未计价材料费	STWCF + CSWCF	100.000	
6	QFJS	直接费中的人工费 + 机械费	RGF + JXF	100.000	199.68
7	GLF	企业管理费	QFJS	18.000	35.94
8	LR	利润	QFJS	13.000	25.96
9	GF	规费	QFJS	20.000	39.94
10	JKTZ	价款调整	JC + DLF	100.000	34.37
11	JC	其中：价差	STJC + CSJC + STJGJC + CSJGJC	100.000	34.37
12	DLF	其中：独立费	DLFHJ	100.000	
13	AQWM	安全生产、文明施工费	AQWMJB + AQWMZJ	100.000	22.74
14	AQWMJB	其中：基本费	ZJF + GLF + LR + GF + JKTZ	3.250	18.66
15	AQWMZJ	其中：增加费	ZJF + GLF + LR + GF + JKTZ	0.710	4.08
16	SJ	税金	ZJF + GLF + LR + GF + JKTZ + AQWM	3.480	20.78
17	HJ	工程造价	ZJF + GLF + LR + GF + JKTZ + AQWM + SJ	100.000	617.81
园林工程					
1	ZJF	直接费	RGF + CLF + JXF + WCF	100.000	40899.96
2	RGF	其中：人工费	STRGF + CSRGF	100.000	14622.76
3	CLF	其中：材料费	STCLF + CSCLF	100.000	593.97
4	JXF	其中：机械费	STJXF + CSJXF	100.000	699.23
5	WCF	其中：未计价材料费	STWCF + CSWCF	100.000	24984.00
6	QFJS	直接费中的人工费 + 机械费	RGF + JXF	100.000	15321.99
7	GLF	企业管理费	QFJS	10.000	1532.20
8	LR	利润	QFJS	6.000	919.32
9	GF	规费	QFJS	12.000	1838.64
10	JKTZ	价款调整	JC + DLF	100.000	19.43
11	JC	其中：价差	STJC + CSJC + STJGJC + CSJGJC	100.000	19.43
12	DLF	其中：独立费	DLFHJ	100.000	
13	AQWM	安全生产、文明施工费	ZJF + GLF + LR + GF + JKTZ	2.850	1288.47
14	SJ	税金	ZJF + GLF + LR + GF + JKTZ + AQWM	3.480	1618.13
15	HJ	工程造价	ZJF + GLF + LR + GF + JKTZ + AQWM + SJ	100.000	48116.15
		合　计			49904.22

（六）填写工程预算书封面

工程预算书

建设单位：______________________________

工程名称：______________________________

施工单位：______________________________

工程造价：（小写）：49904.22 元

（大写）：肆万玖仟玖佰零肆元贰角贰分整

负责人：____________

编制人：____________

编制时间：________年________月________日

（七）编制说明

（1）工程概况。

（2）本工程施工图预算是根据某公园假山示意图编制的。

（3）预算定额采用《河北省建筑工程消耗量定额（2012 年版）》《河北省园林工程消耗量定额（2013 年版）》《河北省装饰工程消耗量定额（2012 年版）》和新奔腾计价软件编制。

（4）企业取费类别为三类，包工包料。

（八）按工程预算书格式的顺序装订成册，并由有关人员签字盖章

四、学习评价

学习评价标准	分值	教学评价			总评
		小组评价 40%	学生自评 20%	教师评价 40%	
收集资料情况，主要资料齐全	5				
识读图样和施工内容，基本正确	10				
工程项目划分，正确	10				
工程量的计算，正确	20				
定额套用，正确	20				
计价表格编写，完整	10				
自学能力	5				
综合运用知识能力	10				
完成任务态度	5				
出勤情况	5				
小计	100				

五、复习思考

（1）简述堆砌假山工程工程量的计算方法。

（2）塑造假山工程工程量的计算规则有哪些?

（3）编制假山工程预算的步骤和内容有哪些?

（4）在某园林工程中为了屏蔽配电箱以砖为骨架塑了一块高1.5m、长0.9m、厚0.6m的假山石，问该工程中假山工程的工程量为多少?

六、总结

重点：（1）假山工程工程量的计算规则。

（2）假山工程预算书编制的程序。

难点：（1）对园林工程中假山定额的内容及应用的认识与理解。

（2）对假山工程工程量计算规则的应用。

任务六 景墙砌体工程定额计价

一、任务描述

任务描述

（一）任务说明

（1）图2-6-1～图2-6-3所示为某公园“邀月问天”综合工程，包括效果图、施工图及设计说明。本任务主要完成广场景墙定额计价。

图2-6-1 “邀月问天”综合工程效果图

（2）广场景墙是砖砌，基础用M5水泥砂浆砌筑，墙身用M5水泥混合砂浆砌筑，墙厚370mm，景墙从基础梁起设置5根C20钢筋混凝土构造柱，墙顶做250mm厚C20钢筋混凝土压顶，景墙面层是抛光面花岗石，上有刻字。景墙施工工序即为预算列项时所有的分项工程。同时，在砌筑和装饰过程中，需搭设脚手架。

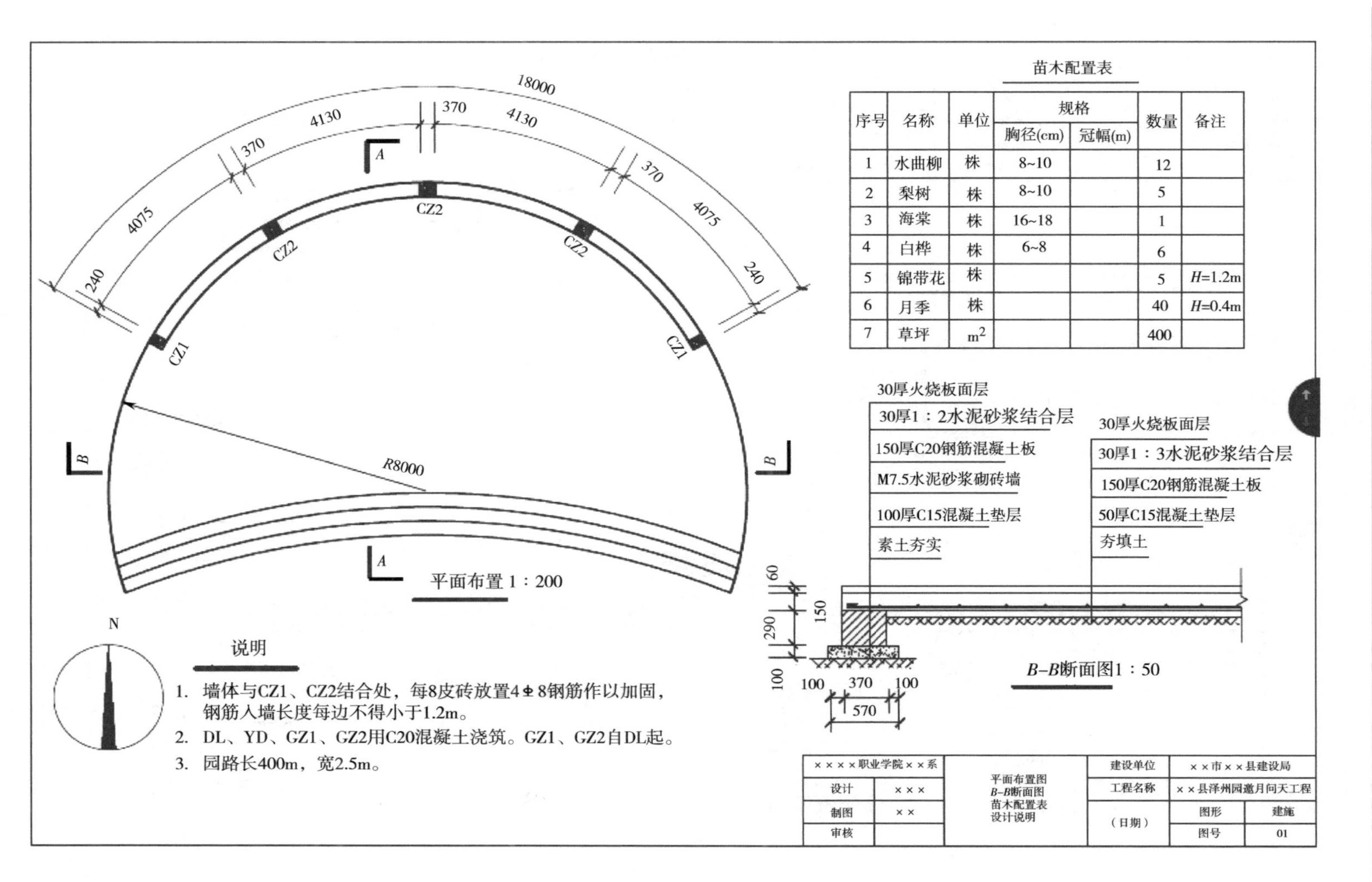

苗木配置表

序号	名称	单位	规格		数量	备注
			胸径(cm)	冠幅(m)		
1	水曲柳	株	8~10		12	
2	梨树	株	8~10		5	
3	海棠	株	16~18		1	
4	白桦	株	6~8		6	
5	锦带花	株			5	H=1.2m
6	月季	株			40	H=0.4m
7	草坪	m^2			400	

图2-6-2 “邀月问天”施工图（一）

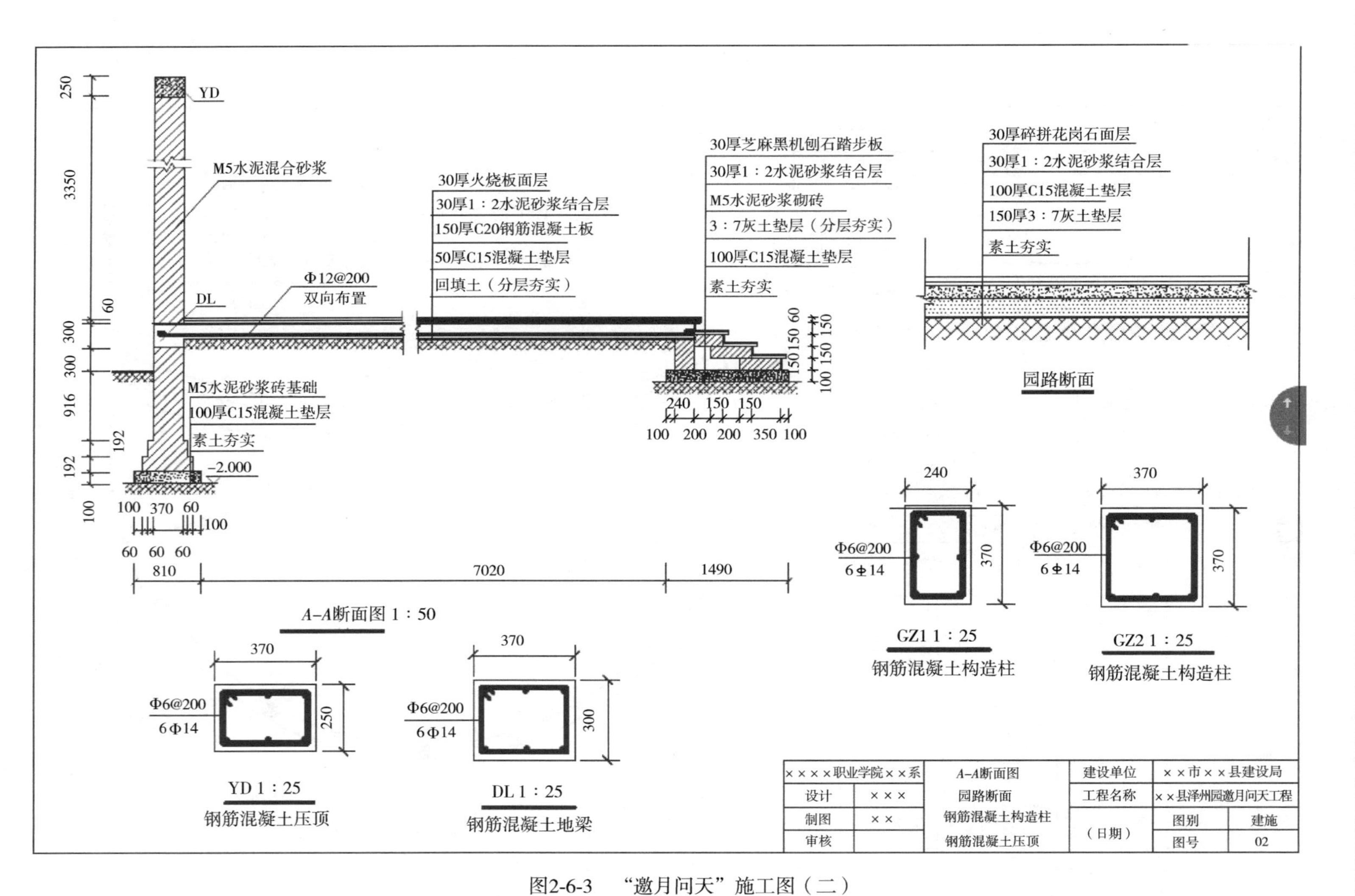

图2-6-3　“邀月问天”施工图（二）

（二）任务要求

（1）按照《河北省建筑工程消耗量定额（2012 年版）》的有关内容计算景墙工程工程量。

（2）套用《河北省园林工程价目表》《河北省装饰工程消耗量定额（2012 年版）》等，利用计价软件编制景墙工程预算书。

二、相关知识

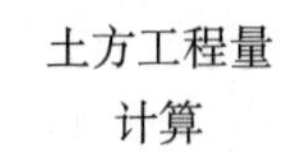

土方工程量计算

（一）土方工程定额相关规定及工程量计算

（1）工程量除注明者外，均按图示尺寸以实体积计算。

（2）挖土方：凡平整场地厚度在 30cm 以上、槽底宽度在 3m 以上和坑底面积在 $20m^2$ 以上的挖土，均按挖土方计算。

（3）挖地槽：凡槽底宽在 3m 以内、槽长为槽宽 3 倍以上的挖土，按挖地槽计算。外墙地槽长度按其中心线长度计算，内墙地槽长度以内墙地槽的净长计算，宽度按图示宽度计算，突出部分挖土量应予增加。

挖沟槽体积 = 沟槽断面面积 × 沟槽长度 = （基础垫层宽 + 2 × 工作面宽 + 边坡水平长）× 沟槽挖深 × 计算长度，即：

$$V_{挖沟槽} = [(a + 2c + kH) \times H] \times L$$

式中　$V_{挖沟槽}$——挖沟槽体积（m^3）；

a——基础垫层底边的宽度（m）；

c——因施工需增加的工作面（m），见表 2-6-1，若不需增加，则 $c = 0$；

k——放坡系数，见表 2-6-2，若不需放坡，则 $k = 0$；

H——沟槽的设计深度，指自然地面至基础垫层底的深度（m）；

L——沟槽的计算长度（m），其中外槽按槽底中心线长度计算，内槽按槽底净长线计算。

表 2-6-1　基础工程施工所需工作面（c）参考表　　（单位：m）

基础材料	砖基础	毛石、条石基础	混凝土基础垫层支模板	混凝土基础支模板	基础垂直面做防水层
每边各增加工作面宽度	0.2	0.15	0.3	0.3	0.8（防水层面）

表 2-6-2　挖沟槽、基坑土方放坡系数（k）表

土壤类别	放坡起点深度/m	人工挖土	机械挖土	
			在坑内作业	在坑上作业
一、二类土	1.20	1:0.5	1:0.33	1:0.75
三类土	1.50	1:0.33	1:0.25	1:0.67
四类土	2.00	1:0.25	1:0.10	1:0.33

（4）挖地坑：凡挖土底面积在 $20m^2$ 以内，槽宽在 3m 以内，槽长小于槽宽 3 倍者按挖地坑计算。

1）矩形坑放坡时，挖地坑的体积：

$$V_{矩形1} = (a + 2c + kH) \times (b + 2c + kH) \times H + 1/3k^2H^3$$

式中　$V_{矩形1}$——矩形坑放坡时，挖地坑的体积（m^3）；

a、b——坑底基础垫层的两个边长（m）；

c——工作面的尺寸（m）；

k——放坡系数，见表2-6-2；

H——地坑深度，由自然地面至坑底深度（m）。

2）矩形坑不放坡，挖地坑的体积：

$$V_{矩形2} = (a + 2c) \times (b + 2c) \times H$$

式中　$V_{矩形2}$——矩形坑不放坡时，挖地坑的体积（m^3）；

a、b——坑底基础垫层的两个边长（m）；

c——工作面的尺寸（m）；

H——地坑深度，由自然地面至坑底深度（m）。

3）圆形坑放坡时，挖地坑的体积：

$$V_{圆形1} = 1/3\pi(R_1^2 + R_2^2 + R_1R_2) \times H$$

式中　$V_{圆形1}$——圆形坑放坡时，挖地坑的体积（m^3）；

R_1——坑底半径（m）；

R_2——坑口半径（m）；

H——地坑深度（m）。

4）圆形坑不放坡时，挖地坑的体积：

$$V_{圆形2} = \pi R^2 H$$

式中　$V_{圆形2}$——圆形坑不放坡时，挖地坑的体积（m^3）；

R——地坑半径（m）；

H——地坑深度（m）。

（5）挖土方、地槽、地坑的高度，按室外自然地坪至槽底计算。

（6）挖管沟槽，按规定尺寸计算，沟槽长度不扣除检查井，检查井突出管道部分的土方也不增加。

（7）平整场地是指工程所在现场厚度在±30cm以内的就地挖、填、找平。

建筑物平整场地工程量按建筑物外形每边各加宽2m，以“平方米”计算。矩形建筑物平整场地面积=底层建筑面积+外墙周长×2+4×（阳角数-阴角数）$=S_{底}+2L_{外}+16$。

围墙的平整场地，工程量按围墙中心线每边各加宽1m，以“平方米”计算。

（8）回填土、场地填土。分松填和夯填，以“立方米”计算。

（9）地槽、地坑回填土的工程量，可按经验计算，回填土按地槽地坑的挖土量乘以系数0.6计算；也可按理论公式计算，即回填土为地槽地坑的挖土量减去设计室外地坪以下埋设的砌筑量。

（10）管道回填土按挖土体积减去垫层和直径大于500mm（包括500mm以上）的管道体积计算，管道直径小于500mm的不扣除其所占体积，管道直径在500mm以上应扣除管道体积，可按表2-6-3计算。

表 2-6-3　各种管道沟槽回填土方扣除表

管道名称	管道直径/mm					
	501 ~ 600	601 ~ 800	801 ~ 1000	1001 ~ 1200	1201 ~ 1400	1401 ~ 1600
	每延长米管道所占体积/mm^3					
混凝土管	0.33	0.60	0.92	1.15	1.35	1.55
铸铁管	0.24	0.49	0.77	—	—	—
钢管、PVC 管、石棉水泥管	0.21	0.44	0.71	—	—	—

（二）砌筑工程定额相关规定及工程量计算

砌筑工程量计算

（1）标准砖墙体厚度按表 2-6-4 计算。标准砖以 240mm × 115mm × 53mm 为准。

表 2-6-4　标准砖墙体计算厚度

砖数（厚度）	1/4	1/2	3/4	1	1.5	2	2.5	3
计算厚度/mm	53	115	180	240	365	490	615	740

（2）基础与墙身的划分：砖基础与砖墙以设计室内地坪为界，设计室内地坪以下为基础、以上为墙身，如墙身与基础为两种不同材料时，以材料为分界线。砖围墙以设计室外地坪为分界线。

（3）砖基础工程量。

外墙条形基础体积：$V_{外墙} = L_{中} \times$ 基础断面面积 − 面积在 0.3m^2 以上的孔洞等体积

内墙条形基础体积：$V_{内墙} = L_{内净长} \times$ 基础断面面积 − 面积在 0.3m^2 以上的孔洞等体积

式中　$V_{外墙}$——外墙条形基础体积（m^3）；

$L_{中}$——外墙条形基础中心线长度（m）；

$V_{内墙}$——内墙条形基础体积（m^3）；

$L_{内净长}$——内墙条形基础净长度（m）。

外墙基础长度，按外墙中心线计算；内墙基础长度，按内墙净长计算，不扣除 0.3m^2 以内的孔洞，嵌入基础的钢筋、铁杆、管件等所占的体积。

（4）基础抹隔潮层按实抹面积计算。

（5）砖墙墙身工程量的计算。

外墙墙身砌筑体积：$V_{外墙} =（L_{中} \times H_{外}$ − 外墙门窗框外围面积）× 墙厚 ± 有关体积

内墙墙身砌筑体积：$V_{内墙} =（L_{内净长} \times H_{内}$ − 内墙门窗框外围面积）× 墙厚 ± 有关体积

式中　$V_{外墙}$——外墙墙身砌筑体积（m^3）；

$L_{中}$——外墙条形基础中心线长度（m）；

$H_{外}$——外墙高度（m）；

$V_{内墙}$——内墙墙身砌筑体积（m^3）；

$L_{内净长}$——内墙条形基础净长线度（m）；

$H_{内}$——内墙高度（m）。

外墙长度按外墙中心线长度计算，内墙长度按内墙净长度计算。

（6）墙身高度从首层设计室内地坪算至设计要求高度。

（7）砖垛、三皮砖以上的檐槽、砖砌腰线的体积，并入所附的墙身体积内计算。

（8）围墙以“立方米”计算，按相应外墙定额执行，砖垛和压顶等工程量应并入墙身内计算。

（9）砖柱不分柱身和柱基，其工程量合并计算，按砖柱定额执行。砖柱的体积计算：

矩形砖柱体积 =（矩形断面面积 × 柱高 + 柱基础体积）× 根数

圆形砖柱体积 =（0.7854 × 柱径^2 + 柱基础体积）× 根数

（10）台阶、花台应按零星砌体项目计算。

（11）毛石砌体按图示尺寸，以“立方米”计算。

（三）脚手架定额工程量计算

（1）围墙脚手架。按里脚手架定额执行，其高度以自然地坪到围墙顶面，长度按围墙中心线计算，不扣除大门面积，也不另行增加独立门柱的脚手架。

（2）独立砖石柱的脚手架。按单排外脚手架定额执行，其工程量按柱截面的周长另加3.6m再乘以柱高，以“平方米”计算。

（3）砌墙脚手架按墙面垂直投影面积计算。外墙脚手架长度按外墙外边线计算，内墙脚手架长度按内墙净长计算，高度按自然地坪到墙顶的总高计算。

三、任务实施

任务实施

（一）识图并熟悉定额

（二）列表计算工程量

1. 工程量计算过程分析

结合现行定额项目划分，划分工程项目，依据计量单位，写出计算过程。

（1）挖沟槽：CAD测出沟槽，沟槽挖土长17.18m，沟槽挖土宽0.81m，深1.4m，按照二类土计算，每边留出工作面20cm，不考虑放坡，则挖沟槽体积为17.18 ×（0.81 + 2 × 0.2）× 1.4 = 29.1（m^3）。

（2）沟槽原土打夯：按夯实面积计算。

（3）150mm厚C15混凝土垫层：按垫层体积计算。

（4）砖基础和砖砌墙身：按体积计算。

（5）沟槽回填土：挖沟槽体积减去混凝土垫层体积和砖基础体积。

（6）砖墙面抹灰和砖墙面粘贴花岗石抛光面：按面积计算。

（7）钢筋混凝土压顶、地梁、构造柱：需计算三个分项工程的工程量，即模板、钢筋、混凝土三个分项工程。模板按混凝土体积计算，钢筋按项目二任务七的计算方法计算，这里不详细介绍。

（8）墙身钢筋加固：即为拉结钢筋，按吨计算。墙体与GZ1、GZ2结合处，每8皮砖设置4ϕ8钢筋作以加固，8皮砖高480mm，钢筋伸入墙体直长度为1.2m，按180°弯钩考虑。每道钢筋加固4ϕ8，4根ϕ8钢筋长为4 ×（1.2 + 6.25 × 0.008）= 5（m）；沿GZ1、GZ2高

度方向上共设拉结筋道数为（0.25 + 3.35 + 0.06 + 0.3） ÷ 0.48 + 1 ≈ 9（道），9 × 8 = 72（道）；ϕ8 钢筋总长度为 5 × 72 = 360（m），净重量为 360 × 0.395 = 142.2（kg）。

（9）脚手架：墙体在砌筑和装饰过程中搭设脚手架，均按面积计算。

2. 工程量计算表

根据以上工程量计算过程分析，通过列表方式计算工程量。先填写分部分项工程名称，列出计算式，调整计量单位，得出工程数量，最后校核。工程量计算表见表 2-6-5。

表 2-6-5 景墙工程量计算表

序号	分部分项工程名称	单位	计　算　式	数量
1	人工挖沟槽二类干土	m^3	17.18 ×（0.81 + 2 × 0.2）× 1.4 = 29.1（m^3）	29.100
2	沟槽原土打夯	$10m^3$	17.18 ×（0.81 + 2 × 0.2） = 20.79（m^2）	2.079
3	150mm 厚 C15 混凝土垫层	$10m^3$	17.18 × 0.81 × 0.15 = 2.09（m^3）	0.209
4	砖基础（水泥砂浆 M5）	m^3	[（0.37 + 0.24 + 0.37 + 0.12）× 0.192 + 0.37 × 0.916] × 17.18 = 9.45（m^3）	9.450
5	沟槽回填土	m^3	29.1 − 2.09 − 9.45 = 17.56（m^3）	17.560
6	砖砌墙身（水泥石灰砂浆 M5）	m^3	17.18 × 0.37 × 4.01 = 25.49（m^3）	25.490
7	砖墙面粘贴花岗石抛光面	$100m^2$	17.18 × 4.26 × 2 + 0.37 × 3.66 × 2 + 17.18 × 0.37 = 155.44（m^2）	1.554
8	花岗石抛光面上面刻字	cm	7000cm	7000
9	C20 混凝土压顶	m^3	17.18 × 0.25 × 0.37 = 1.59（m^3）	1.590
	ϕ14 钢筋	t	0.0915t	0.092
	ϕ6 钢筋	t	0.028t	0.028
10	C20 混凝土 GZ1	m^3	0.24 × 0.37 × 3.41 × 2 = 0.606（m^3）	0.610
	ϕ14 钢筋	t	0.0417t	0.042
	ϕ6 钢筋	t	0.0134t	0.013
11	C20 混凝土 GZ2	m^3	0.37 × 0.37 × 3.41 × 3 = 1.40（m^3）	1.400
	ϕ14 钢筋	t	0.0625t	0.063
	ϕ6 钢筋	t	0.0243t	0.024
12	C20 混凝土地梁	m^3	17.18 × 0.3 × 0.37 = 1.91（m^3）	1.910
	ϕ14 钢筋	t	0.0915t	0.092
	ϕ6 钢筋	t	0.0304t	0.030
13	墙身钢筋加固	t	0.142t	0.142
14	砌筑脚手架	$100m^2$	17.18 × 4.26 = 73.19（m^2）	0.730
15	装饰脚手架	$100m^2$	17.18 × 4.26 × 2 = 146.37（m^2）	1.464

（三）填写项目预算表

工程量校核后，根据地区的预算定额，套用定额基价，计算定额直接费。先抄写分项工程名称、定额编号、单位。当借用其他定额时，定额编号必须区分。然后计算定额直接费、人工费、机械费。本例景墙可以套用仿古建筑工程定额的第一分册通用项目中的土方工程、砌筑工程、混凝土及钢筋混凝土工程等，其中钢筋混凝土构造柱、地梁、压顶在园林及仿古建筑工程定额通用项目中，钢筋、模板分项都是按混凝土体积计算，在建筑工程定额中，模板是按粘灰面积计算，钢筋是按体积计算。本任务景墙定额预算编制，套用园林及仿古建筑工程定额。在后面的任务中，将学习钢筋计算、模板计算。景墙实体项目预算表见表2-6-6，措施项目预算表见表2-6-7。

表2-6-6　景墙实体项目预算表

工程名称：

序号	定额编号	项目名称	单位	数量	单价（元）	其中：（元）			合价（元）	其中：（元）		
						人工费	材料费	机械费		人工费	材料费	机械费
1	1-1	人工挖沟槽，二类干土，深度在2m以内	m^3	29.100	14.62	14.62			425.44	425.44		
2	1-81	沟槽（地坑）原土打夯	$10m^2$	2.079	5.87	5.03		0.84	12.21	10.46		1.75
3	1-94	基础垫层混凝土C15	$10m^3$	0.209	2862.35	992.46	1787.95	81.94	598.23	207.42	373.68	17.13
4	1-97	砖基础（水泥砂浆M5）	m^3	9.450	302.99	68.10	231.53	3.36	2863.26	643.55	2187.96	31.75
5	1-78	沟槽（地坑）回填土，松填	m^3	17.560	5.50	5.50			96.58	96.58		
6	1-106	砖砌外墙3/2砖	m^3	25.490	350.68	95.58	241.07	14.03	8938.82	2436.33	6144.87	357.62
7	[52] B2-122	标准砖墙面，水泥砂浆粘贴花岗石	$100m^2$	1.554	16279.52	3869.60	12206.74	203.18	25298.37	6013.36	18969.27	315.74
8	1-186	压顶（现浇混凝土C20）	m^3	1.590	406.47	144.78	235.63	26.06	646.29	230.20	374.65	41.44
9	1-361	现浇构件钢筋，直径10mm以内，压顶	t	0.028	5342.78	839.88	4444.39	58.51	149.60	23.52	124.44	1.64
10	1-362	现浇构件钢筋，直径20mm以内，压顶	t	0.092	5388.94	507.78	4728.00	153.16	495.79	46.72	434.98	14.09
11	1-147	矩形柱1，断面周长150cm以内	m^3	0.610	386.84	144.78	219.28	22.78	235.98	88.32	133.76	13.90
12	1-361	现浇构件钢筋，直径10mm以内，矩形柱1	t	0.013	5342.78	839.88	4444.39	58.51	69.46	10.92	57.78	0.76
13	1-362	现浇构件钢筋，直径20mm以内，矩形柱1	t	0.042	5388.94	507.78	4728.00	153.16	226.34	21.33	198.58	6.43
14	1-148	矩形柱2，断面周长150cm以外	m^3	1.400	380.10	138.96	219.28	21.86	532.13	194.54	306.99	30.60
15	1-361	现浇构件钢筋，直径10mm以内，矩形柱2	t	0.024	5342.78	839.88	4444.39	58.51	128.23	20.16	106.67	1.40
16	1-362	现浇构件钢筋，直径20mm以内，矩形柱2	t	0.063	5388.94	507.78	4728.00	153.16	339.50	31.99	297.86	9.65
17	1-160	圈梁（现浇混凝土C20-40）	m^3	1.910	397.20	158.82	213.42	24.96	758.65	303.35	407.63	47.67
18	1-361	现浇构件钢筋，直径10mm以内，圈梁	t	0.030	5342.78	839.88	4444.39	58.51	160.29	25.20	133.33	1.76
19	1-362	现浇构件钢筋，直径20mm以内，圈梁	t	0.092	5388.94	507.78	4728.00	153.16	495.79	46.72	434.98	14.09
20	1-135	钢筋加固	t	0.142	6216.65	1724.52	4424.73	67.40	882.76	244.88	628.31	9.57
		合　计							42553.72	10900.91	31315.74	916.99

表 2-6-7　措施项目预算表

工程名称：

项目编号	项目名称	单位	数量	单价（元）	合价（元）	其中：（元）		
						人工费	材料费	机械费
4-84	现浇钢筋混凝土基础垫层模板	m^3	19.480	57.16	1113.47	170.64	929.00	13.83
4-100	现浇钢筋混凝土圈梁模板	m^3	1.910	360.81	689.15	492.89	147.80	48.46
4-87	现浇钢筋混凝土矩形柱模板，断面周长 150cm 以内	m^3	0.610	713.08	434.98	250.34	160.04	24.60
4-88	现浇钢筋混凝土矩形柱模板，断面周长 150cm 以外	m^3	1.140	582.63	664.20	380.71	246.05	37.44
4-122	现浇钢筋混凝土压顶模板	m^3	1.590	568.68	904.20	453.91	399.60	50.69
[51] A11-2	双排外墙脚手架高度在 5m 内	$100m^2$	0.732	1142.61	836.38	185.34	581.35	69.69
[52] B7-21	简易脚手架，墙面	$100m^2$	1.464	36.09	52.84	28.11	17.76	6.97
4-181	冬季施工增加费（仿古建筑工程）	项	1.000	59.29	59.29	32.05	20.83	6.41
4-182	雨季施工增加费（仿古建筑工程）	项	1.000	137.80	137.80	73.71	48.07	16.02
4-183	夜间施工增加费（仿古建筑工程）	项	1.000	51.28	51.28	28.84	11.22	11.22
4-184	临时停水、停电费（仿古建筑工程）	项	1.000	38.45	38.45	28.84		9.61
4-185	二次搬运费（仿古建筑工程）	项	1.000	108.97	108.97	91.34		17.63
4-186	生产工具用具使用费（仿古建筑工程）	项	1.000	230.75	230.75		184.28	46.47
4-187	检验试验配合费（仿古建筑工程）	项	1.000	16.01	16.01	3.20	9.61	3.20
4-188	工程定位复测及场地清理费（仿古建筑工程）	项	1.000	60.89	60.89	30.45	22.43	8.01
4-189	成品保护费（仿古建筑工程）	项	1.000	64.10	64.10	28.84	30.45	4.81
4-190	繁华地段交叉施工增加费（仿古建筑工程）	项	1.000	64.09	64.09	28.84	35.25	
	合　计				5526.85	2308.05	2843.74	375.06

（四）工料分析

工料分析的编制采用表格形式。工料分析将每个分项工程的定额消耗量查到，乘以工程数量得出用量，再将用工种类相同、材料相同的分别汇总，填入表2-6-8人工、材料、机械台班（用量、单价）汇总表中，查找预算价和市场价，计算人工价差、材料价差以及价差合计。

表2-6-8　人工、材料、机械台班（用量、单价）汇总表

工程名称：

编　码	名称及型号规格	单位	数　量	预算价（元）	市场价（元）	市场价合计（元）	价差合计（元）
人工							
10000001	综合用工一类	工日	85.9051	70.00	74.00	6356.98	343.62
10000002	综合用工二类	工日	137.7164	60.00	60.00	8262.98	
10000003	综合用工三类	工日	9.2925	47.00	47.00	436.75	
CSRGF	措施费中的人工费	元	346.1257	1.00	1.00	346.13	
材料							
AA1C0001	钢筋 ϕ10mm 以内	t	0.2433	4290.00	4290.00	1043.76	
BA2C1016	木模板	m^3	0.6088	2300.00	2300.00	1400.24	
BA2C1018	木脚手板	m^3	0.0541	2200.00	2200.00	119.02	
BA2C1023	支撑方木	m^3	0.0174	2300.00	2300.00	40.02	
BA2C1027	木材	m^3	0.0132	1800.00	1800.00	23.76	
BB1-0101	水泥 32.5	t	10.8959	360.00	360.00	3922.52	
BB3-0129	白水泥	kg	24.0870	0.66	0.66	15.90	
BC1-0002	生石灰	t	0.5288	290.00	290.00	153.35	
BC3-0022	砾石	t	5.8001	45.50	45.50	263.90	
BC3-0030	碎石	t	28.7161	42.00	42.00	1206.08	
BC4-0013	中砂	t	37.6047	30.00	30.00	1128.14	
BD1-3009	标准砖 240mm×115mm×53mm	百块	185.4083	38.00	40.00	7416.33	370.82
BK1-0005	塑料薄膜	m^2	30.3912	0.80	0.80	24.31	
CA1C0007	焊条　结422	kg	1.8405	4.14	4.14	7.62	
CSCLF	措施费中的材料费	元	362.1499	1.00	1.00	362.15	
CZB11-001	钢管 ϕ48.3×3.6	百米·d	128.6863	1.60	1.60	205.90	
CZB11-002	直角扣件 ≥1.1kg/套	百套·d	159.1173	1.00	1.00	159.12	
CZB11-003	对接扣件 ≥1.25kg/套	百套·d	19.9010	1.00	1.00	19.90	
CZB11-004	旋转扣件 ≥1.25kg/套	百套·d	1.5160	1.00	1.00	1.52	
CZB12-002	组合钢模板	t·d	19.7982	11.00	11.00	217.78	
CZB12-004	零星卡具	t·d	3.2026	11.00	11.00	35.23	
CZB12-007	底座	百套·d	6.9716	1.50	1.50	10.46	
CZB12-111	支撑钢管 ϕ48.3×3.6	百米·d	26.9795	1.60	1.60	43.17	
DA1-0027	清油 Y00-1	kg	0.8236	17.00	17.00	14.00	
DR1-0032	松节油	kg	0.9324	7.40	7.40	6.90	

（续）

编　码	名称及型号规格	单位	数　量	预算价（元）	市场价（元）	市场价合计（元）	价差合计（元）
			材料				
EA1-0039	煤油	kg	6.2160	11.90	11.90	73.97	
EB1-0010	草酸	kg	1.5540	6.00	6.00	9.32	
EF1-0009	隔离剂	kg	2.6882	0.98	0.98	2.63	
FG1-0001	钢筋 ϕ20mm 以内	t	0.3006	4500.00	4500.00	1352.7	
IA2-2010	圆钉	kg	10.3827	6.00	6.00	62.2930	
IA2C0071	铁钉	kg	6.1462	5.50	5.50	33.80	
IF2-0101	镀锌铁丝 8#	kg	8.3375	5.00	5.00	41.69	
IF2-0108	镀锌铁丝 22#	kg	2.0020	6.70	6.70	13.41	
IF2-0121	镀锌铁丝	kg	0.0487	5.20	5.20	0.25	
ZA1-0002	水	m^3	36.0398	5.00	5.00	180.20	
ZD1-0009	棉纱头	kg	1.5540	5.83	5.83	9.06	
ZE1-0018	石料切割锯片	片	4.1803	18.89	18.89	78.97	
ZG1-0001	其他材料费	元	64.1586	1.00	1.00	64.16	
ZS1-0196	建筑胶	kg	52.2144	7.50	7.50	391.61	
ZS2-0017	花岗石板（综合）	m^2	158.5080	110.00	110.00	17435.88	
ZS2-0023	硬白蜡	kg	4.1181	12.07	12.07	49.71	
			机械				
00006016-1	灰浆搅拌机 200L	台班	0.4351	103.45	103.45	45.01	
90000002	机械费	元	918.7529	1.00	1.00	918.75	
CSJXF	措施费中的机械费	元	123.3874	1.00	1.00	123.39	
JX001	折旧费（机械台班）	元	62.9254	1.00	1.00	62.93	
JX002	大修理费（机械台班）	元	7.7775	1.00	1.00	7.78	
JX003	经常修理费（机械台班）	元	23.0080	1.00	1.00	23.01	
JX005	人工（机械台班）	工日	0.1610	60.00	60.00	9.66	
JX007	柴油（机械台班）	kg	5.1826	9.80	9.80	50.79	
JX009	电（机械台班）	kW·h	190.2090	1.00	1.00	190.21	
JX013	人工费（机械台班）	元	0.4428	1.00	1.00	0.44	
JX014	其他费用（机械台班）	元	2.5615	1.00	1.00	2.56	
			未计价材				
LF1-0019	含模量	m^2	78.0160				

（五）单位工程独立费

单位工程独立费是指预算定额中没有的、零星的工程项目费用，一般是按合同确认的方式、方法计算，即甲乙双方洽商的价格，是按市场价确定的价格，也可以称为按实计算费用。本任务景墙工程施工图预算中，花钵、石桌凳、木椅、景墙刻字都是在定额中查找不到的分项，按单位工程独立费计算，见表2-6-9。

表 2-6-9　单位工程独立费用表

工程名称：

序号	费用名称	单位	单价（元）	数量	合价（元）
	景墙刻字	cm	5.50	7000.000	38500.00
	合　计				38500.00

（六）计算总造价

根据本地区的预算定额取费标准和单位工程费汇总表，计算各项费用，汇总得出工程总造价。计算结果见表 2-6-10。

表 2-6-10　单位工程费汇总表

工程名称：

序号	编码	项目名称	计算基础	费率（%）	费用金额（元）
			仿古建筑工程		
1	ZJF	直接费	RGF + CLF + JXF + WCF	100.000	53762.56
2	RGF	其中：人工费	STRGF + CSRGF	100.000	15059.29
3	CLF	其中：材料费	STCLF + CSCLF	100.000	37268.73
4	JXF	其中：机械费	STJXF + CSJXF	100.000	1434.54
5	WCF	其中：未计价材料费	STWCF + CSWCF	100.000	
6	QFJS	直接费中的人工费 + 机械费	RGF + JXF	100.000	16493.83
7	GLF	企业管理费	QFJS	11.000	1814.32
8	LR	利润	QFJS	6.000	989.63
9	GF	规费	QFJS	12.000	1979.26
10	JKTZ	价款调整	JC + DLF	100.000	39214.43
11	JC	其中：价差	STJC + CSJC + STJGJC + CSJGJC	100.000	714.43
12	DLF	其中：独立费	DLFHJ	100.000	38500.00
13	AQWM	安全生产、文明施工费	AQWMJB + AQWMZJ	100.000	4741.37
14	AQWMJB	其中：基本费	ZJF + GLF + LR + GF + JKTZ	3.850	3763.77
15	AQWMZJ	其中：增加费	ZJF + GLF + LR + GF + JKTZ	1.000	977.60
16	SJ	税金	ZJF + GLF + LR + GF + JKTZ + AQWM	3.480	3567.05
17	HJ	工程造价	ZJF + GLF + LR + GF + JKTZ + AQWM + SJ	100.000	106068.62
		合　计			106068.62

（七）填写工程预算书封面

工程预算书

建设单位：________________

工程名称：________________

施工单位：________________

工程造价：（小写）：106068.62 元

（大写）：壹拾万陆仟零陆拾捌元陆角贰分整

负责人：________

编制人：________

编制时间：______年______月______日

（八）编制说明

（1）工程概况。

（2）本工程施工图预算是根据某公园景墙施工图编制的。

（3）预算定额采用《河北省建筑工程消耗量定额（2012 年版）》《河北省装饰工程消耗量定额（2012 年版）》《河北省仿古建筑工程消耗量定额（2013 年版）》、新奔腾计价软件编制。

（4）企业取费类别为三类，包工包料。

（九）按工程预算书格式的顺序装订成册，并由有关人员签字盖章

四、学习评价

学习评价标准	分值	教学评价			总评
		小组评价 40%	学生自评 20%	教师评价 40%	
收集资料情况，主要资料齐全	5				
识读图样和施工内容，基本正确	10				
工程项目划分，正确	10				
工程量的计算，正确	20				
定额套用，正确	20				
计价表格编写，完整	10				
自学能力	5				
综合运用知识能力	10				
完成任务态度	5				
出勤情况	5				
小计	100				

五、复习思考

（1）砖砌景墙工程工程量计算时有哪些分项工程？

（2）砖砌景墙工程施工程序有哪些？

（3）编制景墙工程预算的步骤和内容有哪些？

六、总结

重点：（1）砌筑景墙工程工程量的计算规则。

　　　（2）砌筑景墙工程预算书编制的程序。

难点：（1）对砌筑景墙定额的内容及应用的认识与理解。

　　　（2）对砌筑景墙工程工程量计算规则的应用。

任务七　钢筋混凝土亭工程定额计价

一、任务描述

任务描述

（一）任务说明

（1）图2-7-1所示为某公园混凝土方亭设计图及说明。

（2）认真阅读图样，熟悉施工内容，掌握钢筋、混凝土、模板工程量计算规则。

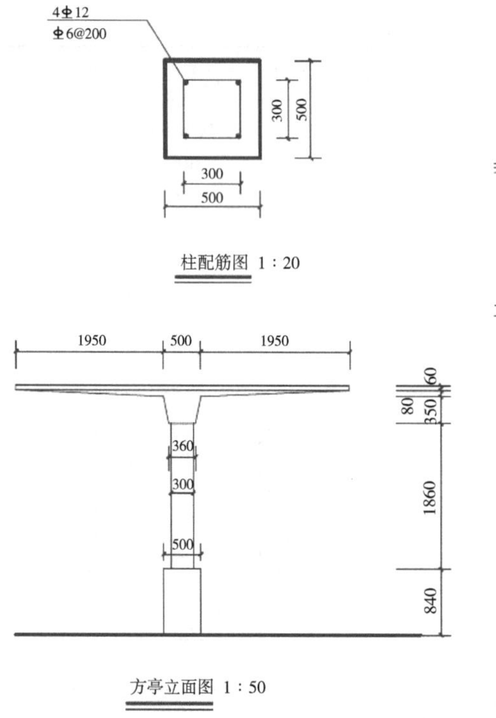

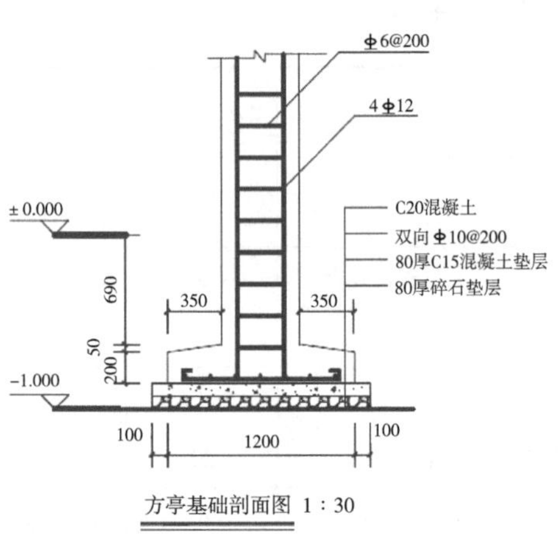

说明：

1.本亭为方式板亭。

2.该亭亭身为C20混凝土，外刷米黄色涂料，基础为C25混凝土。

3.顶板双向配筋⌀8@200。

图2-7-1　混凝土方亭设计图

（二）任务要求

（1）按照《河北省园林绿化工程消耗量定额（2013年版）》的有关内容计算钢筋混凝土亭工程量。

（2）套用《河北省园林工程价目表》《河北省装饰工程消耗量定额（2012年版）》等，利用计价软件编制钢筋混凝土亭工程预算书。

二、相关知识

相关知识

（一）混凝土工程定额相关规定及工程量计算

（1）混凝土及钢筋混凝土工程预算定额中包括了模板、钢筋、混凝土各

工序的工料及施工机械的耗用量。

（2）混凝土和钢筋混凝土以体积为计算单位的各种构件，均根据图示尺寸以构件的实体积计算，不扣除其中的钢筋、铁件、螺栓和预留螺栓孔洞所占的体积。

（3）钢筋混凝土基础，当混凝土的厚度大于12cm时，执行基础定额。

（4）柱的体积＝断面面积×柱高，柱高按柱基上表面算至柱顶面的距离。

（5）梁的体积＝断面面积×梁长，梁与柱交接时，梁长按柱与柱之间的净距计算；梁与墙交接时，伸入墙内的梁头应包括在梁的长度内计算。

（6）板的体积＝面积×板厚。

（二）钢筋工程量计算

1. 构件中的钢筋分类

（1）受力筋　受力筋也称主筋，是指在混凝土结构中对受弯、压、拉等基本构件配置的主要用来承受由荷载引起的拉应力或者压应力的钢筋，其作用是使构件的承载力满足结构功能要求。

（2）构造筋　满足构造要求，对不易计算和没有考虑进去的各种因素，所设置的钢筋称为构造筋。

（3）架立筋　架立筋在混凝土构件中起架立作用（固定箍筋位置）形成钢筋笼骨架的构造钢筋。

（4）贯通筋　贯穿于构件（如梁）整个长度的钢筋中间，既不弯起也不中断，当钢筋过长时，可以搭接或焊接，但不改变直径。贯通筋既可以是受力筋，也可以是架立筋。

（5）分布筋　分布筋出现在板中，布置在受力筋的内侧，与受力筋垂直。作用是固定受力筋的位置，并将板上的荷载分散到受力筋上。同时也能防止因混凝土的收缩和温度变化等原因在垂直于受力筋方向产生的裂缝。

（6）箍筋　用来满足斜截面抗剪强度，并连接受力主筋和受压区混凝土骨架的钢筋。

2. 钢筋的混凝土保护层

混凝土保护层是指混凝土结构构件中最外层钢筋的外缘至混凝土表面之间的混凝土层，简称保护层。混凝土保护层的最小厚度见表2-7-1。

表2-7-1　混凝土保护层的最小厚度　（单位：mm）

环境类别	板、墙	梁、柱
一	15	20
二a	20	25
二b	25	35
三a	30	40
三b	40	50

注：1. 表中混凝土保护层厚度适用于设计使用年限为50年的混凝土结构。
2. 构件中受力筋的保护层厚度不应小于钢筋的公称直径。
3. 一类环境中，设计使用年限为100年的结构最外层钢筋的保护层厚度不应小于表中数值的1.4倍；二、三类环境中，设计使用年限为100年的结构应采取专门的有效措施。
4. 混凝土强度等级不大于C25时，表中保护层厚度数值应增加5mm。
5. 基础底面钢筋的保护层厚度，有混凝土垫层时应从垫层顶面算起，且不应小于40mm。

混凝土结构的环境类别见表 2-7-2。

表 2-7-2　混凝土结构的环境类别

工程名称：

环境类别	条件
一	室内干燥环境 无侵蚀性静水浸没环境
二 a	室内潮湿环境 非严寒和非寒冷地区的露天环境 非严寒和非寒冷地区与无侵蚀性的水或土壤直接接触的环境 严寒和寒冷地区的冰冻线以下与无侵蚀性的水或土壤直接接触的环境
二 b	干湿交替环境 水位频繁变动环境 严寒和寒冷地区的露天环境 严寒和寒冷地区冰冻线以上与无侵蚀性的水或土壤直接接触的环境
三 a	严寒和寒冷地区冬季水位变动区环境 受除冰盐影响环境 海风环境
三 b	盐渍土环境 受除冰盐作用环境 海岸环境
四	海水环境
五	受人为或自然的侵蚀性物质影响的环境

3. 钢筋的弯钩增加长度

工程上常用的钢筋弯钩形式有直弯钩（90°）、斜弯钩（135°）、半圆弯钩（180°）三种，其结构形式如图 2-7-2 所示。

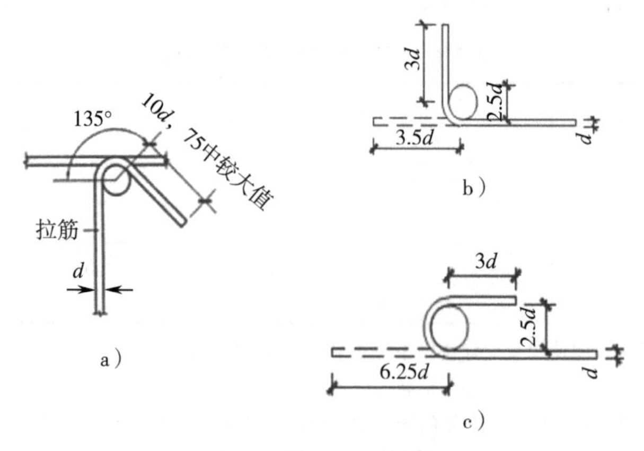

图 2-7-2　钢筋弯钩增加长度示意图

a）135°斜弯钩　b）90°直弯钩　c）180°半圆弯钩

根据图 2-7-2 可得钢筋弯钩增加长度分别为：90°弯钩为 3.5d，180°弯钩为 6.25d，135°弯钩为抗震 1.9d + max（10d，75）；非抗震 6.9d，d 表示钢筋直径。

4. 钢筋长度计算

（1）通长钢筋的长度计算：

钢筋长度 = 构件长度 - 两端保护层厚度 + 弯钩增加长度。

构件长度按图示尺寸计算。

根据 16G101-1 图集规定，HPB300 级钢筋末端应做 180°弯钩。

（2）箍筋长度的计算：

抗震区：单根长度 $L = 2 \times (B + H) - 8c + 2 \times [1.9d + \max(10d, 75)]$

非抗震区：单根长度 $L = 2 \times (B + H) - 8c + 2 \times 6.9d$

式中　L——单根箍筋长度；

B——构件宽度；

H——构件高度；

c——混凝土保护层厚度；

d——箍筋直径。

箍筋总长 = 单根箍筋长度 × 箍筋根数

箍筋根数 = 配置范围长度/间距 + 1

5. 钢筋重量的计算

钢筋理论重量 = 钢筋计算长度 × 钢筋每米重量

钢筋总消耗量 = 钢筋理论重量 ×（1 + 损耗率）

钢筋每米重量表见表 2-7-3，钢筋损耗率表见表 2-7-4。

表 2-7-3　钢筋每米重量表

直径/mm	每米重量/kg	直径/mm	每米重量/kg
6	0.220	12	0.888
6.5	0.261	14	1.21
8	0.395	16	1.58
10	0.617	18	2.00

表 2-7-4　钢筋损耗率表

钢筋类型		损耗率
现浇钢筋	ϕ10mm 以内	2%
	ϕ10mm 以外	4.5%
预制钢筋	ϕ10mm 以内	1.5%
	ϕ10mm 以外	3.5%
铁件		1%

（三）模板工程量计算

（1）模板按木模板、工具式钢模板、定型钢模板考虑。

（2）现浇混凝土模板工程量，除另有规定外，均按混凝土与模板的接触面的面积以“平方米”计算。

（3）现浇混凝土墙、板上单孔面积在0.3m^2以内的孔洞不予以扣除，洞侧壁模板也不增加；单孔面积在0.3m^2以上的，孔洞所占面积予以扣除，洞侧壁模板工程量并入墙、板模板工程量之内计算。

（4）现浇混凝土独立基础，应分别按毛石混凝土和钢筋混凝土独立基础与模板接触面面积计算，其高度从垫层上表面算至柱基上表面。

（四）装饰工程量计算

（1）抹灰按展开面积以“平方米”计算。

（2）喷涂按设计图示尺寸展开面积以“平方米”计算。

三、任务实施

任务实施

（一）识图并熟悉定额

（二）列表计算工程量

1. 工程量计算过程分析

结合现行定额项目划分，划分工程项目，依据计量单位，写出计算过程。

由图2-7-1可知，该钢筋混凝土方亭板工程量由两部分组成，即混凝土方亭板工程量=矩形体部分亭板工程量+棱台体部分亭板工程量；亭柱工程量由三部分组成，即混凝土方亭柱工程量=两部分矩形体部分亭柱工程量+棱台体部分亭柱工程量。

（1）平整场地面积：$0.5\times0.5=0.25$（m^2）。

（2）挖地坑体积：$(1.2+0.1\times2+0.3\times2)\times(1.2+0.1\times2+0.3\times2)\times1.1=4.4$（$m^3$）。

（3）地坑夯实面积：$2\times2=4$（m^2）。

（4）回填土体积：$4.4-0.16-0.16-0.33-0.17=3.58$（$m^3$）。

（5）80mm厚碎石垫层体积：$1.4\times1.4\times0.08=0.16$（$m^3$）。

C15混凝土垫层体积：$1.4\times1.4\times0.08=0.16$（$m^3$）。

混凝土垫层模板面积：$(1.4+1.4)\times2\times0.08=0.45$（$m^2$）。

（6）C25混凝土基础体积：$1.2\times1.2\times0.2+1/3\times0.05\times(1.2\times1.2+0.5\times0.5+\sqrt{1.2\times1.2\times0.5\times0.5})=0.33$（$m^3$）。

混凝土基础模板面积：$1.2\times4\times0.2=0.96$（m^2）。

（7）C20混凝土亭柱。

±0.000m以下亭柱混凝土体积：$0.5\times0.5\times0.69=0.17$（$m^3$）。

±0.000m以下亭柱模板面积：$0.5\times4\times0.69=1.38$（$m^2$）。

±0.000m以上柱体体积：$0.5\times0.5\times0.83+0.3\times0.3\times1.85=0.374$（$m^3$）。

±0.000m以上柱体模板面积：$0.5\times4\times0.85+0.3\times4\times1.85=3.92$（$m^2$）。

（8）C20混凝土亭板。

柱帽部分混凝土体积：$1/3\times0.35\times(0.36\times0.36+0.5\times0.5+\sqrt{0.36\times0.36\times0.5\times0.5})=0.07$（$m^3$）。

柱帽模板面积：$0.36\times0.36-0.3\times0.3=0.04$（$m^2$）。

柱面梯形面高度：$\sqrt{0.35^2+[(4.4-0.5)/2]^2}=0.36$（m）。

柱面梯形模板面积：$1/2\times(0.36+0.5)\times0.36\times4=0.62$（$m^2$）。

亭板模板面积：$0.04+0.62=0.66$（m^2）。

棱台体部分亭板混凝土体积：$1/3\times0.08\times(0.5\times0.5+4.4\times4.4+\sqrt{0.5\times0.5\times4.4\times4.4})=0.58$（$m^3$）。

棱台体部分梯形高度：$\sqrt{0.08^2+[(4.4-0.5)/2]^2}=1.95$（m）。

棱台体部分亭板模板面积：$1/2\times(0.5+4.4)\times1.95\times4=19.11$（$m^2$）。

矩形体部分亭板模板面积：$4.4\times4\times0.06=1.06$（$m^2$）。

C20混凝土亭板体积：$0.07+0.58+1.16=1.81$（m^3）。

C20混凝土亭板模板面积：$0.66+19.11+1.06=20.83$（m^2）。

（9）亭柱抹灰面积：$0.5\times4\times0.85+(0.5\times0.5-0.3\times0.3)+0.3\times4\times1.85+$亭板模板面积$=1.70+0.16+2.22+0.66=4.74$（$m^2$）。

（10）亭板抹灰面积：棱台体部分亭板模板面积+矩形体部分亭板模板面积$=19.11+1.06=20.17$（m^2）。

亭板顶面抹灰面积：$4.4\times4.4=19.36$（m^2）。

（11）刷米黄色涂料：亭柱抹灰面积+亭板抹灰面积$=4.74+20.17=24.91$（m^2）。

（12）脚手架。

柱装饰脚手架面积：$(0.5\times4+3.6)\times(0.85+1.85+0.35)=17.08$（$m^2$）。

板底装饰脚手架面积：$4.4\times4.4=19.36$（m^2）。

（13）亭基础底板配筋：保护层厚度取20mm，配筋双向Φ10@200。

1号每根ϕ10横筋长度：$1.2-0.020\times2+6.25\times0.01\times2=1.285$（m）。

ϕ10横筋根数：$(1.2-0.020\times2)/0.2+1\approx7$（根）。

ϕ10横筋重量：$1.285\times7\times0.617=5.550$（kg）。

同理，2号钢筋总重5.550kg。

（14）亭顶板配筋：保护层厚度取20mm，配筋Φ8@200。

Φ8@200钢筋单根长度：$4.4-0.020\times2+6.25\times0.008\times2=4.46$（m）。

Φ8@200钢筋根数：$(4.4-0.020\times2)/0.2+1\approx23$（根）。

Φ8@200钢筋重量：$4.46\times23\times0.395=40.519$（kg）。

双向配筋，所以顶板ϕ8钢筋总用量$40.519\times2=81.038$（kg）。

（15）柱配筋计算：柱保护层厚度取25mm，基础保护层厚度取40mm。

ϕ12主筋单根长度：$(0.84+1.86+0.35+0.08+0.06-0.025)+(0.69+0.05+0.2-0.040+15\times0.012)=4.25$（m）。

其中基础插筋采用弯锚，弯锚长度为15d，d为钢筋直径，详细判断方法参见图集16G101-3第66页柱纵向钢筋在基础中构造要求。

ϕ12主筋根数：4根。

ϕ12主筋总长：$4.25\times4=17$（m）。

ϕ12主筋重量：$17\times0.888=15.096$（kg）。

500mm×500mm 柱Φ6@200 箍筋的计算，不考虑抗震：

Φ6@200 箍筋单根长度：0.5×4－0.025×8＋6.9×0.0065×2＝1.89（m）。

Φ6@200 箍筋根数：(0.84＋0.69)/0.2＋1≈9（根）。

基础内按照构造配置2根箍筋，所以箍筋根数总计11根。

300mm×300mm 柱Φ6@200 箍筋的计算，不考虑抗震：

Φ6@200 箍筋单根长度：0.3×4－0.025×8＋6.9×0.0065×2＝1.09（m）。

Φ6@200 箍筋根数：1.86/0.2＋1≈11（根）。

棱台柱部分Φ6@200 箍筋的计算：

平均边长 (360＋500)/2＝430（mm）。

Φ6@200 箍筋单根长度：0.43×4－0.025×8＋6.9×0.0065×2＝1.61（m）。

Φ6@200 箍筋根数：0.35/0.2＋1≈3（根）。

Φ6@200 箍筋总重：(1.89×11＋1.09×11＋1.61×3)×0.261＝9.816（kg）。

由于目前市场上没有 ϕ6mm 的钢筋，所以均以 ϕ6.5mm 钢筋代替 ϕ6mm 的钢筋。ϕ6.5mm 钢筋每米重量为 0.261kg。

《河北省建筑工程定额（2008年版）》子目不包含施工损耗，钢筋工程量加上损耗按总量套定额。《河北省建筑工程定额（2012年版）》子目已包含施工损耗，钢筋工程量按净量套定额。本例中钢筋工程量计算出净用量即可。

2. 工程量计算表

根据以上工程量计算过程分析，通过列表方式计算工程量。先填写分部分项工程名称，列出计算式，调整计量单位，得出工程数量，最后校核。工程量计算表见表2-7-5。

表2-7-5　混凝土方亭工程量计算表

序号	分项工程名称	单位	计　算　式	数量
1	平整场地	100m²	0.5×0.5＝0.25（m²）	0.003
2	挖地坑	100m³	(1.2＋0.1×2＋0.3×2)×(1.2＋0.1×2＋0.3×2)×1.1＝4.4（m³）	0.044
3	地坑夯实	100m²	2×2＝4（m²）	0.040
4	回填土	100m³	4.4－0.16－0.16－0.33－0.17＝3.58（m³）	0.036
5	80mm厚碎石垫层	10m³	1.4×1.4×0.08＝0.16（m³）	0.016
	C15混凝土垫层	10m³	1.4×1.4×0.08＝0.16（m³）	0.016
	混凝土垫层模板	m²	(1.4＋1.4)×2×0.08＝0.45（m²）	0.450
6	C25混凝土基础	10m³	$1.2\times1.2\times0.2+1/3\times0.05\times(1.2\times1.2+0.5\times0.5+\sqrt{1.2\times1.2\times0.5\times0.5})=0.33$（m³）	0.033
	C25混凝土基础模板	m²	1.2×4×0.2＝0.96（m²）	0.960
7	C20混凝土亭柱	10m³	0.5×0.5×0.69＋0.5×0.5×0.83＋0.3×0.3×1.85＝0.55（m³）	0.055
	C20混凝土亭柱模板	m²	0.5×4×0.69＋0.5×4×0.85＋0.3×4×1.85＝5.3（m²）	5.300
8	C20混凝土亭板	10m³	0.07＋0.58＋1.16＝1.81（m³）	0.181

（续）

序号	分项工程名称	单位	计 算 式	数量
	C20 混凝土亭板模板	m^2	0.66+19.11+1.06=20.83（m^2）	20.830
9	亭柱抹灰	$100m^2$	0.5×4×0.85+（0.5×0.5−0.3×0.3）+0.3×4×1.85+亭板模板面积=1.70+0.16+2.22+0.66=4.74（m^2）	0.047
10	亭板抹灰	m^2	19.11+1.06+19.36=39.53（m^2）	39.530
11	刷米黄色涂料	$100m^2$	4.74+20.17=24.91（m^2）	0.249
12	脚手架	$100m^2$	柱装饰脚手架面积：（0.5×4+3.6）×（0.85+1.85+0.35）=17.08（m^2） 板底装饰脚手架面积：4.4×4.4=19.36（m^2）	
13	亭基础底板配筋 ϕ10mm	kg	11.100（kg）	11.100
14	亭顶板配筋 ϕ8mm	kg	81.038（kg）	81.038
15	柱配筋计算	kg	ϕ12mm 主筋重量：17×0.888=15.096（kg） Φ6@200 箍筋总重：9.816（kg）	

（三）填写项目预算表

工程量校核后，根据地区的预算定额，套用定额基价，计算定额直接费。先抄写分项工程名称、定额编号、单位，然后计算定额直接费、人工费、机械费。实体项目预算表见表2-7-6，措施项目预算表见表2-7-7。

表2-7-6 实体项目预算表

工程名称：

序号	定额编号	项目名称	单位	数量	单价（元）	其中：（元）			合价（元）	其中：（元）		
						人工费	材料费	机械费		人工费	材料费	机械费
1	A1-39	人工平整场地	$100m^2$	0.003	142.88	142.88			0.43	0.43		
2	A1-27	人工挖地坑三类土（深度2m 以内）	$100m^3$	0.044	2867.94	2867.94			126.19	126.19		
3	A1-38	人工原土打夯	$100m^2$	0.040	81.93	64.39		17.54	3.28	2.58		0.70
4	A1-41	人工回填土，夯填	$100m^3$	0.036	1582.46	1332.45		250.01	56.97	47.97		9.00
5	A1-74	单（双）轮车运土方，运距50m 以内	$100m^3$	0.008	744.95	744.95			5.96	5.96		
6	[52] B1-8	碎石干铺垫层	$10m^3$	0.016	1156.49	334.80	813.54	8.15	18.51	5.36	13.02	0.13
7	[52] B1-24 换	混凝土垫层［现浇混凝土（中砂碎石）C15-40］（垫层项目用于基础垫层）	$10m^3$	0.016	2793.96	927.36	1779.32	87.28	44.71	14.84	28.47	1.40
8	A4-5 换	现浇混凝土独立基础［现浇混凝土（中砂碎石）C25-40］	$10m^3$	0.033	2831.45	619.20	2018.01	194.24	93.43	20.43	66.59	6.41

（续）

序号	定额编号	项目名称	单位	数量	单价（元）	其中：（元）			合价（元）	其中：（元）		
						人工费	材料费	机械费		人工费	材料费	机械费
9	A4-16	现浇钢筋混凝土矩形柱［现浇混凝土（中砂碎石）C20-40，水泥砂浆1:2（中砂）］	$10m^3$	0.055	3423.78	1272.60	2037.20	113.98	188.31	69.99	112.05	6.27
10	A4-35	现浇钢筋混凝土平板［现浇混凝土（中砂碎石）C20-20］	$10m^3$	0.181	3039.03	784.80	2139.39	114.84	550.07	142.05	387.23	20.79
11	［52］B2-76	柱（梁）面水泥砂浆找平层抹灰［水泥砂浆1:3（中砂）］	$100m^2$	0.047	2009.19	1626.10	360.33	22.76	94.44	76.43	16.94	1.07
12	［52］B3-5	顶棚抹灰，水泥砂浆，混凝土［水泥砂浆1:2.5（中砂），水泥砂浆1:3（中砂）］	$100m^2$	0.202	1617.57	1271.20	325.68	20.69	326.75	256.78	65.79	4.18
13	［52］B5-348	外墙涂料，抹灰面	$100m^2$	0.249	986.79	482.30	411.31	93.18	245.71	120.09	102.42	23.20
14	A7-215	平面防水砂浆［防水砂浆（防水粉5%）1:2（中砂）］	$100m^2$	0.194	1198.52	550.20	622.46	25.86	232.52	106.74	120.76	5.02
15	A4-330	钢筋制作、安装，现浇构件（钢筋直径10mm以内）	t	0.102	5299.97	799.86	4444.39	55.72	540.60	81.59	453.33	5.68
16	A4-331	钢筋制作、安装，现浇构件（钢筋直径20mm以内）	t	0.015	5357.47	483.60	4728.00	145.87	80.36	7.25	70.92	2.19
		合　计							2608.24	1084.68	1437.52	86.04

表2-7-7　措施项目预算表

工程名称：

项目编号	项目名称	单位	数量	单价（元）	合价（元）	其中：（元）		
						人工费	材料费	机械费
A12-77	现浇混凝土基础垫层木模板［水泥砂浆1:2（中砂）］	$100m^2$	0.005	4155.02	20.78	3.26	17.23	0.29
A12-6	现浇混凝土独立基础组合式钢模板［水泥砂浆1:2（中砂）］	$100m^2$	0.010	4218.87	42.19	13.42	27.00	1.77
A12-17	现浇矩形柱组合式钢模板	$100m^2$	0.053	4401.96	233.30	114.54	106.64	12.12
A12-32	现浇平板组合式钢模板［水泥砂浆1:2（中砂）］	$100m^2$	0.208	4612.40	959.38	324.85	578.67	55.86
［52］B7-21	简易脚手架，墙面	$100m^2$	0.171	36.09	6.16	3.28	2.07	0.81

（续）

项目编号	项目名称	单位	数量	单价（元）	合价（元）	其中：（元）		
						人工费	材料费	机械费
[52] B7-20	简易脚手架，顶棚	100m²	0.194	119.92	23.27	10.59	10.83	1.85
A15-59	冬季施工增加费（一般土建）	项	1.000	6.40	6.40	1.30	3.80	1.30
A15-59	冬季施工增加费（土石方）	项	1.000	1.23	1.23	0.25	0.73	0.25
B9-1	冬季施工增加费（装饰装修工程）	项	1.000	1.46	1.46	0.78	0.68	
A15-60	雨季施工增加费（一般土建）	项	1.000	14.80	14.80	3.00	8.80	3.00
A15-60	雨季施工增加费（土石方）	项	1.000	2.86	2.86	0.58	1.70	0.58
B9-2	雨季施工增加费（装饰装修工程）	项	1.000	3.33	3.33	1.82	1.51	
A15-61	夜间施工增加费（一般土建）	项	1.000	7.50	7.50	4.50	1.50	1.50
A15-61	夜间施工增加费（土石方）	项	1.000	1.45	1.45	0.87	0.29	0.29
B9-3	夜间施工增加费（装饰装修工程）	项	1.000	3.12	3.12	2.34	0.78	
A15-62	生产工具用具使用费（一般土建）	项	1.000	14.10	14.10	4.20	7.10	2.80
A15-62	生产工具用具使用费（土石方）	项	1.000	2.72	2.72	0.81	1.37	0.54
B9-4	生产工具用具使用费（装饰装修工程）	项	1.000	5.72	5.72		5.72	
A15-63	检验试验配合费（一般土建）	项	1.000	5.70	5.70	1.60	3.10	1.00
A15-63	检验试验配合费（土石方）	项	1.000	1.10	1.10	0.31	0.60	0.19
B9-5	检验试验配合费（装饰装修工程）	项	1.000	2.60	2.60	1.04	1.56	
A15-64	工程定位复测及场地清理费（一般土建）	项	1.000	6.50	6.50	3.20	2.30	1.00
A15-64	工程定位复测及场地清理费（土石方）	项	1.000	1.25	1.25	0.62	0.44	0.19
B9-9	工程定位复测及场地清理费（装饰装修工程）	项	1.000	5.20	5.20	4.42	0.78	
A15-65	成品保护费（一般土建）	项	1.000	7.20	7.20	3.60	2.90	0.70
A15-65	成品保护费（土石方）	项	1.000	1.39	1.39	0.69	0.56	0.14
B9-6	成品保护费（装饰装修工程）	项	1.000	3.48	3.48	1.77	1.40	0.31
A15-66	二次搬运费（一般土建）	项	1.000	12.00	12.00	3.70		8.30
A15-66	二次搬运费（土石方）	项	1.000	2.31	2.31	0.71		1.60
B9-7	二次搬运费（装饰装修工程）	项	1.000	7.85	7.85	4.21	3.64	
A15-67	临时停水、停电费（一般土建）	项	1.000	4.40	4.40	2.20		2.20
A15-67	临时停水、停电费（土石方）	项	1.000	0.84	0.84	0.42		0.42
B9-8	临时停水、停电费（装饰装修工程）	项	1.000	2.08	2.08	1.04	1.04	
	合　计				1413.67	519.92	794.74	99.01

（四）工料分析

工料分析的编制，采用表格形式进行。工料分析将每个分项工程的定额消耗量查到，乘以工程数量得出用量，再将用工种类相同、材料相同的分别汇总，填入表2-7-8人工、材料、机械台班（用量、单价）汇总表中，查找预算价和市场价，计算人工价差、材料价差以及价差合计。

表2-7-8　人工、材料、机械台班（用量、单价）汇总表

工程名称：

编　码	名称及型号	单位	数　量	预算价（元）	市场价（元）	市场价合计（元）	价差合计（元）
			人工				
10000001	综合用工一类	工日	6.4757	70.00	70.00	453.30	
10000002	综合用工二类	工日	15.3034	60.00	60.00	918.20	
10000003	综合用工三类	工日	3.8962	47.00	47.00	183.12	
CSRGF	措施费中的人工费	元	49.9987	1.00	1.00	50.00	
			材料				
AA1C0001	钢筋 ϕ10mm 以内	t	0.1040	4290.00	3150.00	327.6	-118.56
AA1C0002	钢筋 ϕ20mm 以内	t	0.0156	4500.00	3350.00	52.26	-17.94
BA2C1016	木模板	m^3	0.0222	2300.00	2300.00	51.06	
BA2C1018	木脚手板	m^3	0.0082	2200.00	2500.00	20.5	2.46
BA2C1023	支撑方木	m^3	0.0641	2300.00	2500.00	160.25	12.82
BB1-0101	水泥 32.5	t	1.2509	360.00	300.00	375.27	-75.05
BB1-0102	水泥 42.5	t	0.0980	390.00	390.00	38.22	
BC3-0030	碎石	t	4.0191	42.00	45.00	180.86	12.06
BC4-0013	中砂	t	3.2813	30.00	70.00	229.69	131.25
BK1-0005	塑料薄膜	m^2	10.9456	0.80	0.80	8.76	
CA1C0007	焊条 结422	kg	0.0955	4.14	6.20	0.59	0.2
CSCLF	措施费中的材料费	元	52.3121	1.00	1.00	52.31	
CZB11-002	直角扣件 ≥1.1kg/套	百套·d	4.3615	1.00	1.00	4.36	
CZB11-003	对接扣件 ≥1.25kg/套	百套·d	0.8443	1.00	1.00	0.84	
CZB11-004	旋转扣件 ≥1.25kg/套	百套·d	0.0712	1.00	1.00	0.07	
CZB12-002	组合钢模板	t·d	23.4727	11.00	11.00	258.20	
CZB12-004	零星卡具	t·d	4.3952	11.00	11.00	48.35	
CZB12-011	支撑钢管（碗扣式）ϕ48×3.5	百米·d	58.6918	3.00	3.00	176.08	
CZB12-111	支撑钢管 ϕ48.3×3.6	百米·d	9.2157	1.60	1.60	14.75	
DA1-0031	色粉	kg	0.8466	4.50	4.50	3.81	
DZ1-0051	外墙涂料	kg	13.6950	5.40	12.00	164.34	90.39
ED1-0014	TG 胶	kg	8.6154	2.50	2.50	21.54	
EF1-0009	隔离剂	kg	2.7600	0.98	0.98	2.70	

（续）

编　码	名称及型号	单位	数　量	预算价（元）	市场价（元）	市场价合计（元）	价差合计（元）
材料							
FF1-0001	防水粉	kg	10.8155	2.00	3.50	37.85	16.22
IA2C0071	铁钉	kg	0.6936	5.50	5.50	3.81	
IF2-0101	镀锌铁丝 8#	kg	0.5199	5.00	5.50	2.86	0.26
IF2-0108	镀锌铁丝 22#	kg	1.1312	6.70	6.50	7.35	-0.23
ZA1-0002	水	m^3	5.0135	5.00	4.80	24.06	-1
ZG1-0001	其他材料费	元	16.7189	1.00	1.00	16.72	
机械							
00006016-1	灰浆搅拌机 200L	台班	0.1014	103.45	103.45	10.49	
CSJXF	措施费中的机械费	元	26.3270	1.00	1.00	26.33	
JX001	折旧费（机械台班）	元	19.1756	1.00	1.00	19.18	
JX002	大修理费（机械台班）	元	3.4976	1.00	1.00	3.50	
JX003	经常修理费（机械台班）	元	10.7309	1.00	1.00	10.73	
JX004	安拆费及场外运费（机械台班）	元	6.6974	1.00	1.00	6.70	
JX005	人工（机械台班）	工日	0.5183	60.00	60.00	31.10	
JX007	柴油（机械台班）	kg	4.4025	9.80	8.77	38.61	-4.53
JX009	电（机械台班）	kW·h	23.4144	1.00	1.50	35.12	11.71
JX013	人工费（机械台班）	元	7.7924	1.00	1.00	7.79	
JX014	其他费用（机械台班）	元	2.6569	1.00	1.00	2.66	

（五）计算总造价

根据本地区的预算定额取费标准和单位工程费汇总表，计算各项费用，汇总得出工程总造价。计算结果见表 2-7-9。

表 2-7-9　单位工程费汇总表

序号	编码	项目名称	计算基础	费率（%）	费用金额（元）
一般建筑工程、三类工程					
1	ZJF	直接费	RGF + CLF + JXF + WCF	100.000	3019.54
2	RGF	其中：人工费	STRGF + CSRGF	100.000	911.42
3	CLF	其中：材料费	STCLF + CSCLF	100.000	1969.92
4	JXF	其中：机械费	STJXF + CSJXF	100.000	138.20
5	WCF	其中：未计价材料费	STWCF + CSWCF	100.000	
6	QFJS	直接费中的人工费 + 机械费	RGF + JXF	100.000	1049.62
7	GLF	企业管理费	QFJS	17.000	178.44

（续）

序号	编码	项目名称	计算基础	费率（%）	费用金额（元）
			一般建筑工程、三类工程		
8	LR	利润	QFJS	10.000	104.96
9	GF	规费	QFJS	25.000	262.41
10	JKTZ	价款调整	JC + DLF	100.000	-61.15
11	JC	其中：价差	STJC + CSJC + STJGJC + CSJGJC	100.000	-61.15
12	DLF	其中：独立费	DLFHJ	100.000	
13	AQWM	安全生产、文明施工费	AQWMJB + AQWMZJ	100.000	169.95
14	AQWMJB	其中：基本费	ZJF + GLF + LR + GF + JKTZ	3.850	134.91
15	AQWMZJ	其中：增加费	ZJF + GLF + LR + GF + JKTZ	1.000	35.04
16	SJ	税金	ZJF + GLF + LR + GF + JKTZ + AQWM	3.480	127.86
17	HJ	工程造价	ZJF + GLF + LR + GF + JKTZ + AQWM + SJ	100.000	3802.01
			建筑工程土石方、建筑物超高、垂直运输、特大型机械场外运输及一次安拆		
1	ZJF	直接费	RGF + CLF + JXF + WCF	100.000	207.98
2	RGF	其中：人工费	STRGF + CSRGF	100.000	188.39
3	CLF	其中：材料费	STCLF + CSCLF	100.000	5.69
4	JXF	其中：机械费	STJXF + CSJXF	100.000	13.90
5	WCF	其中：未计价材料费	STWCF + CSWCF	100.000	
6	QFJS	直接费中的人工费 + 机械费	RGF + JXF	100.000	202.29
7	GLF	企业管理费	QFJS	4.000	8.09
8	LR	利润	QFJS	4.000	8.09
9	GF	规费	QFJS	7.000	14.16
10	JKTZ	价款调整	JC + DLF	100.000	2.57
11	JC	其中：价差	STJC + CSJC + STJGJC + CSJGJC	100.000	2.57
12	DLF	其中：独立费	DLFHJ	100.000	
13	AQWM	安全生产、文明施工费	AQWMJB + AQWMZJ	100.000	11.68
14	AQWMJB	其中：基本费	ZJF + GLF + LR + GF + JKTZ	3.850	9.27
15	AQWMZJ	其中：增加费	ZJF + GLF + LR + GF + JKTZ	1.000	2.41
16	SJ	税金	ZJF + GLF + LR + GF + JKTZ + AQWM	3.480	8.79
17	HJ	工程造价	ZJF + GLF + LR + GF + JKTZ + AQWM + SJ	100.000	261.36
			装饰装修工程		
1	ZJF	直接费	RGF + CLF + JXF + WCF	100.000	794.39
2	RGF	其中：人工费	STRGF + CSRGF	100.000	504.79
3	CLF	其中：材料费	STCLF + CSCLF	100.000	256.65

（续）

序号	编码	项目名称	计算基础	费率（%）	费用金额（元）
装饰装修工程					
4	JXF	其中：机械费	STJXF + CSJXF	100.000	32.95
5	WCF	其中：未计价材料费	STWCF + CSWCF	100.000	
6	QFJS	直接费中的人工费 + 机械费	RGF + JXF	100.000	537.74
7	GLF	企业管理费	QFJS	18.000	96.79
8	LR	利润	QFJS	13.000	69.91
9	GF	规费	QFJS	20.000	107.55
10	JKTZ	价款调整	JC + DLF	100.000	118.56
11	JC	其中：价差	STJC + CSJC + STJGJC + CSJGJC	100.000	118.56
12	DLF	其中：独立费	DLFHJ	100.000	
13	AQWM	安全生产、文明施工费	AQWMJB + AQWMZJ	100.000	47.01
14	AQWMJB	其中：基本费	ZJF + GLF + LR + GF + JKTZ	3.250	38.58
15	AQWMZJ	其中：增加费	ZJF + GLF + LR + GF + JKTZ	0.710	8.43
16	SJ	税金	ZJF + GLF + LR + GF + JKTZ + AQWM	3.480	42.95
17	HJ	工程造价	ZJF + GLF + LR + GF + JKTZ + AQWM + SJ	100.000	1277.16
		合　计			5340.53

（六）填写工程预算书封面

工程预算书

建设单位：______________________________

工程名称：______________________________

施工单位：______________________________

工程造价：（小写）：5340.53 元

（大写）：伍仟叁佰肆拾元伍角叁分整

负责人：____________

编制人：____________

编制时间：________年________月________日

（七）编制说明

（1）工程概况。

（2）本工程施工图预算是根据某公园混凝土方亭设计图编制的。

（3）预算定额采用《河北省建筑工程消耗量定额（2012 年版）》《河北省装饰工程消耗量定额（2012 年版）》《河北省仿古建筑工程消耗量定额（2013 年版）》、新奔腾计价软件编制。

（4）企业取费类别为三类，包工包料。

（八）按工程预算书格式的顺序装订成册，并由有关人员签字盖章

四、学习评价

学习评价标准	分值	教学评价			总评
		小组评价 40%	学生自评 20%	教师评价 40%	
收集资料情况，主要资料齐全	5				
识读图样和施工内容，基本正确	10				
工程项目划分，正确	10				
工程量的计算，正确	20				
定额套用，正确	20				
计价表格编写，完整	10				
自学能力	5				
综合运用知识能力	10				
完成任务态度	5				
出勤情况	5				
小计	100				

五、复习思考

（1）钢筋混凝土亭的施工工序是什么？

（2）钢筋混凝土构件工程工程量的计算规则有哪些？

（3）编制钢筋混凝土亭预算的步骤和内容有哪些？

六、总结

重点：（1）钢筋混凝土工程工程量的计算规则。

（2）钢筋混凝土工程预算书编制的程序。

难点：（1）对钢筋混凝土工程定额的内容及应用的认识与理解。

（2）对钢筋混凝土工程工程量计算规则的应用。

任务八　钢结构廊架工程定额计价

一、任务描述

钢结构廊架工程定额计价

（一）任务说明

（1）图2-8-1、图2-8-2所示为某公园钢结构廊架施工图，包括平面图、立面图、剖面图、基础平面图。

（2）认真阅读图样，熟悉施工内容，掌握钢结构工程量计算规则。

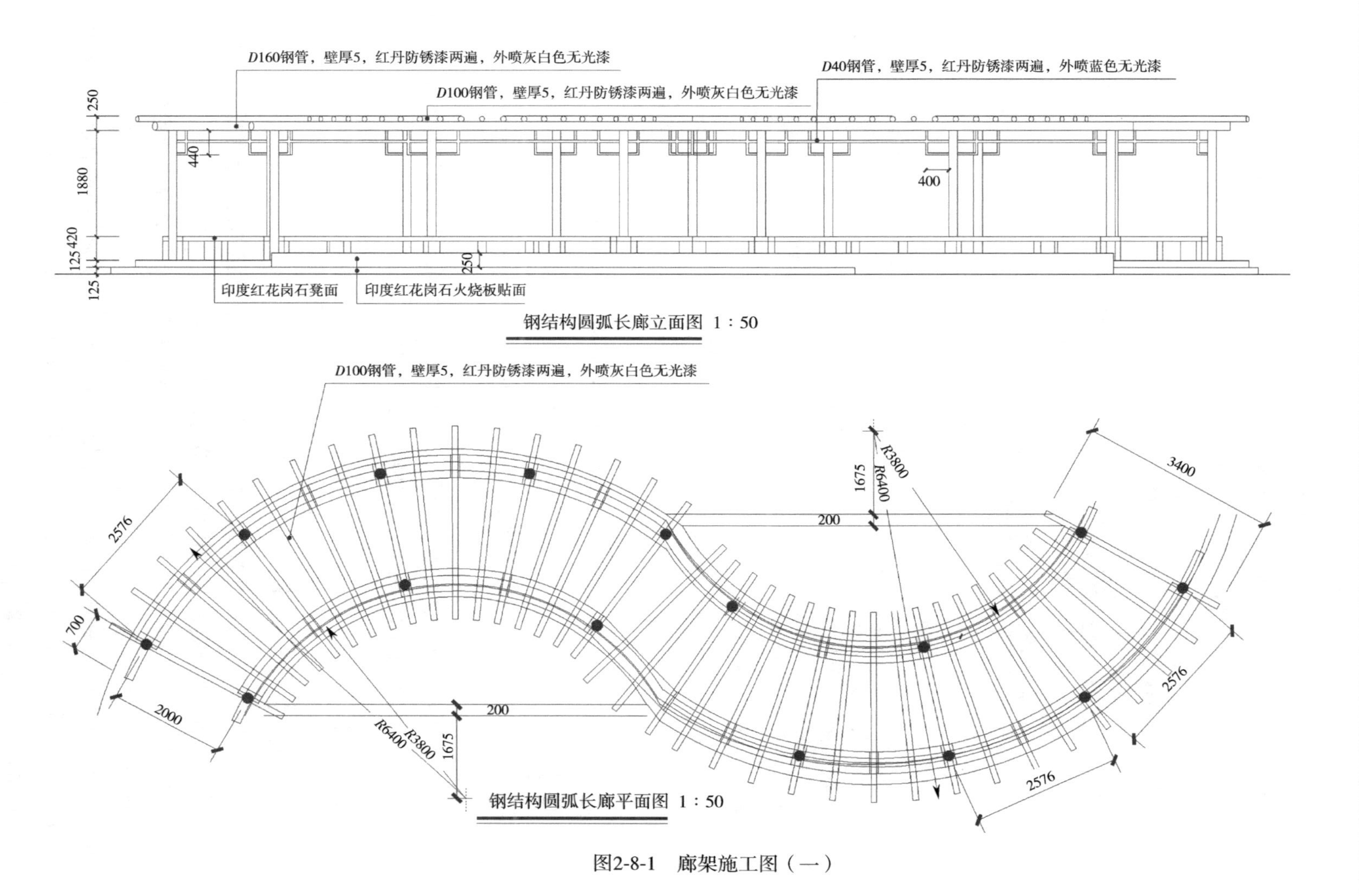
D160钢管，壁厚5，红丹防锈漆两遍，外喷灰白色无光漆
D100钢管，壁厚5，红丹防锈漆两遍，外喷灰白色无光漆
D40钢管，壁厚5，红丹防锈漆两遍，外喷蓝色无光漆
250
440
1880
125 420
125
125
400
250
印度红花岗石凳面
印度红花岗石火烧板贴面
钢结构圆弧长廊立面图 1:50
D100钢管，壁厚5，红丹防锈漆两遍，外喷灰白色无光漆
2576
700
2000
200
R6400
R3800
1675
1675
R3800
R6400
200
3400
2576
2576
钢结构圆弧长廊平面图 1:50

图2-8-1　廊架施工图（一）

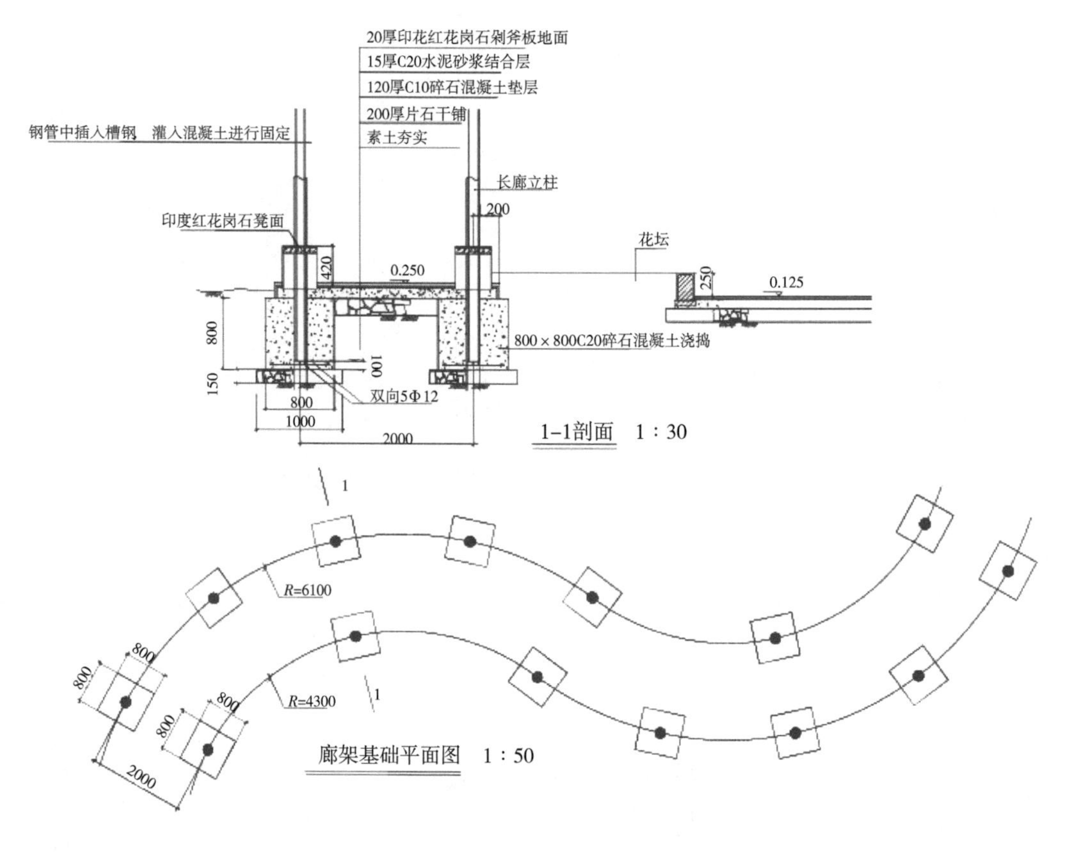

图2-8-2　廊架施工图（二）

（二）任务要求

（1）按照《河北省建筑工程消耗量定额（2012年版）》的有关内容计算钢结构花廊架工程量。

（2）套用《河北省建筑工程消耗量定额（2012年版）》《河北省装饰工程消耗量定额（2012年版）》等，利用计价软件编制钢结构廊架工程预算书。

二、相关知识

（一）一般规定

（1）构件制作是以焊接为主考虑的，对构件局部采用螺栓连接的情况已考虑在定额内，不需要再换算，但如果有铆接为主体构件时，应另行补充定额。

（2）刷油定额中一般均综合考虑了金属面调和漆刷两遍，如设计要求与定额不同时，按装饰部分油漆定额换算。

（3）定额中的钢材价格是按各种构件的常用材料规格和型号综合测算取定的，编制预算时不得调整，但如设计采用低合金钢时，允许换算定额中的钢材价格。

（二）金属结构工程工程量计算规则

（1）构件制作、安装、运输工程量。均按设计图的钢材重量计算，所需的螺栓、焊条

等的重量已包括在定额内，不另增加。

（2）钢材重量计算。按设计图的主材几何尺寸以“吨”计算重量，均不扣除孔眼、切肢、切边的重量，多边形按矩形计算。

（3）钢柱工程量。计算钢柱工程量时，依附于钢柱上的牛腿及悬臂梁的主材重量，应并入钢柱身主材重量计算，套用钢柱定额。

三、任务实施

（一）识图并熟悉定额

（二）列表计算工程量

1. 工程量计算分析过程

结合现行定额项目划分，划分工程项目；依据计量单位，写出计算过程。

（1）平整场地面积：$(2+0.3\times2)\times19.9=51.74$（$m^2$）。

廊架弧形中心线长度由 CAD 测出：$9.88+10.02=19.9$（m）。

（2）挖土方体积。按大开挖考虑，高度算至独立基础上表面。

挖土方底长：$2-0.4\times2-0.3\times2=0.6$（m）。

挖土方底宽：$2+0.4\times2+0.1\times2=3$（m）。

挖土方高度：$0.15+0.8=0.95$（m）。

挖土方体积：$3.6\times0.95\times19.9=68.06$（$m^3$）。

（3）原土夯实面积：$3.6\times19.9=71.64$（m^2）。

（4）独立基础。

150mm 厚片石干铺体积：$1\times1\times0.15\times14=2.1$（$m^3$）。

800mm×800mmC20 碎石混凝土浇捣体积：$0.8\times0.8\times0.8=0.51$（$m^3$）。

扣 $D150$ 钢管体积：$3.14\times0.075^2\times(0.8-0.1)=0.01$（$m^3$）。

碎石混凝土浇捣体积：$(0.51-0.01)\times14=7$（m^3）。

基础模板面积：$0.8\times4\times0.8\times14=35.84$（$m^2$）。

5 Φ12 钢筋单根长度：$0.8-0.025\times2+6.25\times0.012\times2=0.9$（m）。

5 Φ12 钢筋重量：$0.9\times5\times2\times14\times0.888=111.89$（kg）。

（5）廊架地面。

素土夯实体积：$(2-0.4\times2)\times(0.15+0.8-0.2)\times19.9=17.91$（$m^3$）。

扣片石体积：$0.1\times0.15\times19.9\times2=0.60$（$m^3$）。

200mm 厚片石干铺：$(2-0.4\times2)\times19.9\times2=47.76$（$m^3$）。

15mm 厚 C20 水泥砂浆结合层：$2.6\times19.9\times0.12=6.21$（$m^3$）。

20mm 厚印花红花岗石剁斧板地面：$2.6\times19.9+0.15\times19.9\times2=57.71$（$m^2$）。

（6）回填土体积：$68.06-2.1-0.51\times14-17.31-4.78=36.73$（$m^3$）。

（7）$D150$ 廊柱。壁厚按 3mm 计。

$D150$ 廊柱长度：$2.3+0.25+(0.8-0.1)\times14=12.35$（m）。

$D150$ 廊柱重量：$12.35\times10.875=134.3$（kg）。

钢管中插入型号 14b、140mm×60mm×8mm 槽钢，槽钢重量：$3.25\times16.7=54.28$（kg）。

灌入混凝土体积：$3.14\times0.075^2\times3.25\times14=0.80$（$m^3$）。

（8）D150 横梁重量：$19.9\times2\times10.875=432.8$（kg）。

（9）顶部密排钢管 D100，壁厚按 3mm 计。

钢管 D100 长度：$3.4\times36=122.4$（m）。

钢管 D100 重量：$122.4\times7.176=878.3$（kg）。

（10）D40 钢管挂落，壁厚 3mm，刷红丹防锈漆两遍，外喷普蓝色无光漆。

D40 钢管重量：$[(0.44+0.401)\times2\times6\times2+(19.9-0.15\times6)\times2]\times2.737=159.24$（kg）。

（11）凳面，凳脚（红色花岗石）。

凳面混凝土体积：$0.4\times0.06\times19.9\times2=1.00$（$m^3$）。

凳面模板面积：$(0.4+0.06\times2)\times19.9\times2=20.70$（$m^2$）。

凳面面积：$20.70m^2$。

（12）脚手架面积。

内里顶脚手架面积：$2\times19.9=39.8$（m^2）。

外侧面脚手架面积：$2.8\times19.9\times2=111.44$（$m^2$）

2. 工程量计算表

根据以上工程量计算过程分析，通过列表方式计算工程量。先填写分部分项工程名称，列出计算式，调整计量单位，得出工程数量，最后校核。廊架工程量计算表见表 2-8-1。

表 2-8-1　廊架工程量计算表

序号	分项工程名称	单位	计　算　式	数量
1	平整场地	$100m^2$	$(2+0.3\times2)\times19.9=51.74$（$m^2$）	0.517
2	挖土方	$100m^3$	$3.6\times0.95\times19.9=68.06$（$m^3$）	0.681
3	原土夯实	$100m^2$	$3.6\times19.9=71.64$（m^2）	0.716
4	独立基础			
5	150mm 厚片石干铺	$10m^3$	$1\times1\times0.15\times14=2.1$（$m^3$）	0.210
6	800mm×800mm C20 碎石混凝土	$10m^3$	$[(0.8\times0.8\times0.8)-3.14\times0.075^2\times(0.8-0.1)]\times14=7$（$m^3$）	0.700
7	基础模板	$100m^2$	$0.8\times4\times0.8\times14=35.84$（$m^2$）	0.358
8	钢筋 5Φ12	t	$(0.8-0.025\times2+6.25\times0.012\times2)\times5\times2\times0.888\times14=111.89$（kg）	0.112
	廊架地面			
9	素土夯实		$(2-0.4\times2)\times(0.15+0.8-0.2)\times19.9-0.1\times0.15\times19.9\times2=17.31$（$m^3$）	
10	200mm 厚片石干铺	$100m^3$	$(2-0.4\times2)\times19.9\times2=47.76$（$m^3$）	0.478
11	120mm 厚 C10 碎石混凝土垫层	$10m^3$	$(2+0.3\times2)\times19.9\times0.12=6.21$（$m^3$）	0.621
12	20mm 厚印花红花岗石剁斧板地面	$100m^2$	$2.6\times19.9+0.15\times19.9\times2=57.71$（$m^2$）	0.577
13	回填土	$100m^2$	$68.06-2.1-0.51\times14-17.31-4.78=36.73$（$m^3$）	0.037
14	D150 廊柱	t	$[2.3+0.25+(0.8-0.1)]\times14\times10.875=134.3$（kg）	0.495

（续）

序号	分项工程名称	单位	计　算　式	数量
15	钢管中插入槽钢 140mm × 60mm × 8mm	t	3.25 × 16.7 = 54.28（kg）	0.054
16	灌入混凝土	m^3	3.14 × 0.075² × 3.25 × 14 = 0.80（m^3）	0.800
17	*D*150 横梁		19.9 × 2 × 10.875 = 432.8（kg）	
18	顶部密排钢管 *D*100，壁厚暂按 3mm 计		3.4 × 36 × 7.176 = 878.3（kg）	0.878
19	*D*40 钢管挂落，壁厚 3mm		[（0.44 + 0.401）× 2 × 6 × 2 +（19.9 − 0.15 × 6）× 2] × 2.737 = 159.24（kg）	0.159
	凳面，凳脚			
20	凳面混凝土	m^3	0.4 × 0.06 × 19.9 × 2 = 1.00（m^3）	1.000
21	凳面模板	$100m^2$	（0.4 + 0.06 × 2）× 19.9 × 2 = 20.70（m^2）	0.207
22	凳面	$100m^2$	20.70（m^2）	0.207
23	脚手架			
24	内里顶脚手架	$100m^2$	2 × 19.9 = 39.8（m^2）	0.398
25	外侧面脚手架	$100m^2$	2.8 × 19.9 × 2 = 111.44（m^2）	1.114

（三）填写项目预算表

工程量校核后，根据地区的预算定额，套用定额基价，计算定额直接费。先抄写分项工程名称、定额编号、单位。然后计算定额直接费、人工费、机械费。实体项目预算表见表 2-8-2，措施项目预算表见表 2-8-3。

表 2-8-2　实体项目预算表

工程名称：

序号	定额编号	项目名称	单位	数量	单价（元）	其中：（元）			合价（元）	其中：（元）		
						人工费	材料费	机械费		人工费	材料费	机械费
1	A1-39	人工平整场地	$100m^2$	0.517	142.88	142.88			73.87	73.87		
2	A1-4	人工挖土方，三类土（深度 2m 以内）	$100m^3$	0.681	1620.09	1620.09			1103.28	1103.28		
3	A1-41	人工回填土，夯填	$100m^3$	0.540	1582.46	1332.45		250.01	854.53	719.52		135.01
4	A1-38	人工原土打夯	$100m^2$	0.716	81.93	64.39		17.54	58.66	46.10		12.56
5	[52] B1-11	砾石干铺垫层	$10m^3$	0.210	1245.08	334.80	902.13	8.15	261.47	70.31	189.45	1.71
6	A4-5	现浇混凝土独立基础[现浇混凝土（中砂碎石）C20-40]	$10m^3$	0.700	2843.19	619.20	2029.75	194.24	1990.24	433.44	1420.83	135.97
7	A4-331	钢筋制作、安装，现浇构件（钢筋直径 20mm 以内）	t	0.112	5357.47	483.60	4728.00	145.87	600.04	54.16	529.54	16.34
8	[52] B1-11	砾石干铺垫层	$100m^3$	0.478	1245.08	334.80	902.13	8.15	595.15	160.03	431.22	3.90
9	[52] B1-24 换	混凝土垫层[现浇混凝土（中砂碎石）C10-40]	$10m^3$	0.621	2430.74	772.80	1585.21	72.73	1509.50	479.91	984.42	45.17

（续）

序号	定额编号	项目名称	单位	数量	单价（元）	其中：（元）			合价（元）	其中：（元）		
						人工费	材料费	机械费		人工费	材料费	机械费
10	［52］B1-83	花岗石楼地面（水泥砂浆），周长3200mm以内，单色［水泥砂浆1:4（中砂），素水泥浆］	$100m^2$	0.577	13150.86	2248.40	10777.32	125.14	7588.05	1297.33	6218.51	72.21
11	［56］3-52	钢制花架，钢柱	t	0.549	7170.69	1257.00	5305.73	607.96	3936.71	690.09	2912.85	333.77
12	A4-56	现浇钢筋混凝土零星构件［现浇混凝土（中砂碎石）C20-20］	$10m^3$	0.084	5484.84	3101.40	2228.86	154.58	460.72	260.52	187.22	12.98
13	［56］3-53	钢制花架，钢梁	t	1.470	6953.27	1275.60	5191.85	485.82	10221.31	1875.13	7632.02	714.16
14	［52］B5-245	其他金属面刷防锈漆一遍	t	1.179	144.14	72.10	72.04		169.95	85.01	84.94	
15	［52］B5-248换	外喷普蓝色无光漆	t	1.179	206.63	131.60	75.03		243.62	155.16	88.46	
16	［56］3-57	混凝土桌凳，预制［现浇混凝土（中砂碎石）C20-10］	m^3	1.000	510.02	249.83	237.05	23.14	510.02	249.83	237.05	23.14
17	［52］B1-387	花岗石零星项目，水泥砂浆［水泥砂浆1∶3（中砂），素水泥浆］	$100m^2$	0.207	16572.67	3964.10	12192.86	415.71	3430.54	820.57	2523.92	86.05
		合　计							33607.66	8574.26	23440.43	1592.97

表2-8-3　措施项目预算表

工程名称：

项目编号	项目名称	单位	数量	单价（元）	合价（元）	其中：（元）		
						人工费	材料费	机械费
A12-6	现浇混凝土独立基础组合式钢模板［水泥砂浆1:2（中砂）］	$100m^2$	0.358	4218.87	1510.36	480.29	966.69	63.38
A12-101	现浇零星构件木模板（凳面模板）	$100m^2$	0.207	5066.77	1048.82	554.49	467.68	26.65
［52］B7-20	简易脚手架，顶棚	$100m^2$	0.398	119.92	47.73	21.73	22.21	3.79
［52］B7-21	简易脚手架，墙面	$100m^2$	1.114	36.09	40.20	21.39	13.51	5.30
A15-59	冬季施工增加费（一般土建）	项	1.000	13.05	13.05	2.65	7.75	2.65
A15-59	冬季施工增加费（土石方）	项	1.000	13.38	13.38	2.72	7.94	2.72
B9-1	冬季施工增加费（装饰装修工程）	项	1.000	9.32	9.32	4.99	4.33	
5-1	冬季施工增加费（园林工程）	项	1.000	16.32	16.32	8.94	5.44	1.94
A15-60	雨季施工增加费（一般土建）	项	1.000	30.16	30.16	6.11	17.94	6.11
A15-60	雨季施工增加费（土石方）	项	1.000	30.94	30.94	6.27	18.40	6.27
B9-2	雨季施工增加费（装饰装修工程）	项	1.000	21.31	21.31	11.65	9.66	

（续）

项目编号	项 目 名 称	单位	数量	单价（元）	合价（元）	其中：（元）		
						人工费	材料费	机械费
5-2	雨季施工增加费（园林工程）	项	1.000	37.69	37.69	20.60	12.82	4.27
A15-61	夜间施工增加费（一般土建）	项	1.000	15.29	15.29	9.17	3.06	3.06
A15-61	夜间施工增加费（土石方）	项	1.000	15.69	15.69	9.41	3.14	3.14
B9-3	夜间施工增加费（装饰装修工程）	项	1.000	19.97	19.97	14.98	4.99	
5-3	夜间施工增加费（园林工程）	项	1.000	10.49	10.49	6.22	2.33	1.94
A15-62	生产工具用具使用费（一般土建）	项	1.000	28.74	28.74	8.56	14.47	5.71
A15-62	生产工具用具使用费（土石方）	项	1.000	29.47	29.47	8.78	14.84	5.85
B9-4	生产工具用具使用费（装饰装修工程）	项	1.000	36.63	36.63		36.63	
5-6	生产工具用具使用费（园林工程）	项	1.000	62.95	62.95		50.13	12.82
A15-63	检验试验配合费（一般土建）	项	1.000	11.62	11.62	3.26	6.32	2.04
A15-63	检验试验配合费（土石方）	项	1.000	11.91	11.91	3.34	6.48	2.09
B9-5	检验试验配合费（装饰装修工程）	项	1.000	16.65	16.65	6.66	9.99	
5-7	检验试验配合费（园林工程）	项	1.000	4.28	4.28	0.78	2.72	0.78
A15-64	工程定位复测及场地清理费（一般土建）	项	1.000	13.25	13.25	6.52	4.69	2.04
A15-64	工程定位复测及场地清理费（土石方）	项	1.000	13.59	13.59	6.69	4.81	2.09
B9-9	工程定位复测及场地清理费（装饰装修工程）	项	1.000	33.29	33.29	28.30	4.99	
5-8	工程定位复测及场地清理费（园林工程）	项	1.000	16.71	16.71	8.55	5.83	2.33
A15-65	成品保护费（一般土建）	项	1.000	14.68	14.68	7.34	5.91	1.43
A15-65	成品保护费（土石方）	项	1.000	15.05	15.05	7.53	6.06	1.46
B9-6	成品保护费（装饰装修工程）	项	1.000	22.31	22.31	11.32	8.99	2.00
5-9	成品保护费（园林工程）	项	1.000	18.65	18.65	8.16	8.16	2.33
A15-66	二次搬运费（一般土建）	项	1.000	24.46	24.46	7.54		16.92
A15-66	二次搬运费（土石方）	项	1.000	25.08	25.08	7.73		17.35
B9-7	二次搬运费（装饰装修工程）	项	1.000	50.28	50.28	26.97	23.31	
5-5	二次搬运费（园林工程）	项	1.000	29.92	29.92	25.26		4.66
A15-67	临时停水、停电费（一般土建）	项	1.000	8.96	8.96	4.48		4.48
A15-67	临时停水、停电费（土石方）	项	1.000	9.20	9.20	4.60		4.60
B9-8	临时停水、停电费（装饰装修工程）	项	1.000	13.32	13.32	6.66	6.66	
5-4	临时停水、停电费（园林工程）	项	1.000	10.88	10.88	8.16		2.72
5-10	繁华地段交叉施工增加费（园林工程）	项	1.000	17.88	17.88	8.16	9.72	
	合　计				3420.48	1396.96	1798.6	224.92

（四）工料分析

工料分析的编制采用表格形式。工料分析将每个分项工程的定额消耗量查到，乘以工程数量得出用量，再将用工种类相同、材料相同的分别汇总，填入表2-8-4人工、材料、机械台班（用量、单价）汇总表中，查找预算价和市场价，计算人工价差、材料价差以及价差合计。

表2-8-4　人工、材料、机械台班（用量、单价）汇总表

工程名称：

编　码	名称及型号规格	单位	数　量	预算价（元）	市场价（元）	市场价合计（元）	价差合计（元）
			人工				
10000001	综合用工一类	工日	37.2555	70.00	70.00	2607.89	
10000002	综合用工二类	工日	85.0251	60.00	60.00	5101.51	
10000003	综合用工三类	工日	41.3357	47.00	47.00	1942.78	
CSRGF	措施费中的人工费	元	319.0716	1.00	1.00	319.07	
			材料				
AA1C0002	钢筋 ϕ20mm 以内	t	0.1165	4500.00	3350.00	390.28	-133.98
AC9C0001	型钢	t	2.1401	4450.00	4400.00	9416.44	-107.01
BA2-1040	锯屑	m^3	0.4849	14.50	14.50	7.03	
BA2C1016	木模板	m^3	0.2141	2300.00	2300.00	492.43	
BA2C1018	木脚手板	m^3	0.0148	2200.00	2500.00	37	4.44
BA2C1023	支撑方木	m^3	0.2309	2300.00	2500.00	577.25	46.18
BB1-0101	水泥 32.5	t	5.0811	360.00	300.00	1524.33	-304.87
BB3-0129	白水泥	kg	8.2822	0.66	0.78	6.46	0.99
BC3-0027	砾石 20~40mm	t	11.3444	46.00	43.00	487.81	-34.03
BC3-0030	碎石	t	20.4155	42.00	45.00	918.70	61.25
BC4-0013	中砂	t	17.9517	30.00	70.00	1256.62	718.07
BK1-0005	塑料薄膜	m^2	16.5838	0.80	0.80	13.27	
CA1C0007	焊条 结422	kg	0.7133	4.14	6.20	4.42	1.47
CSCLF	措施费中的材料费	元	328.4885	1.00	1.00	328.49	
CZB11-002	直角扣件 ≥1.1kg/套	百套·d	18.8609	1.00	1.00	18.87	
CZB11-003	对接扣件 ≥1.25kg/套	百套·d	4.0780	1.00	1.00	4.08	
CZB11-004	旋转扣件 ≥1.25kg/套	百套·d	2.5486	1.00	1.00	2.55	
CZB12-002	组合钢模板	t·d	9.9753	11.00	11.00	109.73	
CZB12-004	零星卡具	t·d	1.4828	11.00	11.00	16.31	
CZB12-111	支撑钢管 ϕ48.3×3.6	百米·d	38.6332	1.60	1.60	61.81	
DA1-0028	油漆溶剂油	kg	0.6721	7.00	7.00	4.7	
DA1-0050	稀释剂	kg	5.2494	8.10	8.10	42.52	
DE1-2000	醇酸防锈漆	kg	18.5748	13.50	13.50	250.76	

（续）

编 码	名称及型号规格	单位	数 量	预算价（元）	市场价（元）	市场价合计（元）	价差合计（元）
			材料				
DQ1C0005	普蓝色无光漆	kg	7.4513	10.50	14.50	108.04	29.81
DQ1C0008	防锈漆	kg	5.4824	13.70	9.50	52.08	-23.03
EB1-0109	氧气	m^3	13.7610	4.67	3.50	48.16	-16.1
EB1-0112	乙炔气	m^3	6.2199	42.00	18.00	111.96	-149.28
EF1-0009	隔离剂	kg	3.5800	0.98	0.98	3.5	
IA1-0055	螺栓	个	0.5685	0.40	0.40	0.23	
IA2C0071	铁钉	kg	10.1917	5.50	5.50	56.05	
IE2-0016	砂纸	张	14.1480	0.50	0.50	7.07	
IE2-0026	砂布	张	9.4320	0.80	0.80	7.55	
IF2-0101	镀锌铁丝 8#	kg	18.6124	5.00	5.50	102.37	9.31
IF2-0108	镀锌铁丝 22#	kg	0.4138	6.70	6.50	2.69	-0.08
LY1-0173	焊条（综合）	kg	44.7720	4.65	4.65	208.19	
ZA1-0002	水	m^3	18.9275	5.00	4.80	90.85	-3.79
ZD1-0009	棉纱头	kg	0.9910	5.83	5.83	5.78	
ZE1-0018	石料切割锯片	片	0.6356	18.89	18.89	12.01	
ZG1-0001	其他材料费	元	250.9833	1.00	1.00	250.98	
ZS1-0230	花岗石板 800mm×800mm	m^2	58.8540	100.00	100.00	5885.4	
ZS2-0017	花岗石板（综合）	m^2	21.9420	110.00	110.00	2413.62	
			机械				
00006016-1	灰浆搅拌机 200L	台班	0.2711	103.45	103.45	28.045	
90000002	机械费	元	1071.0654	1.00	1.00	1071.07	
CSJXF	措施费中的机械费	元	125.8094	1.00	1.00	125.81	
JX001	折旧费（机械台班）	元	90.2199	1.00	1.00	90.22	
JX002	大修理费（机械台班）	元	13.6487	1.00	1.00	13.65	
JX003	经常修理费（机械台班）	元	48.7576	1.00	1.00	48.76	
JX004	安拆费及场外运费（机械台班）	元	39.0483	1.00	1.00	39.05	
JX005	人工（机械台班）	工日	1.3403	60.00	60.00	80.42	
JX007	柴油（机械台班）	kg	7.8466	9.80	8.77	68.81	-8.08
JX009	电（机械台班）	kW·h	219.7391	1.00	1.50	329.61	109.87
JX013	人工费（机械台班）	元	17.0540	1.00	1.00	17.05	
JX014	其他费用（机械台班）	元	7.1278	1.00	1.00	7.13	

（五）计算总造价

根据本地区的预算定额取费标准和单位工程费汇总表，计算各项费用，汇总得出工程总造价。计算结果见表2-8-5。

表2-8-5　单位工程费汇总表

工程名称：

序号	编码	项目名称	计算基础	费率（%）	费用金额（元）
一般建筑工程、三类工程					
1	ZJF	直接费	RGF + CLF + JXF + WCF	100.000	5770.39
2	RGF	其中：人工费	STRGF + CSRGF	100.000	1838.53
3	CLF	其中：材料费	STCLF + CSCLF	100.000	3632.10
4	JXF	其中：机械费	STJXF + CSJXF	100.000	299.76
5	WCF	其中：未计价材料费	STWCF + CSWCF	100.000	
6	QFJS	直接费中的人工费 + 机械费	RGF + JXF	100.000	2138.29
7	GLF	企业管理费	QFJS	17.000	363.51
8	LR	利润	QFJS	10.000	213.83
9	GF	规费	QFJS	25.000	534.57
10	JKTZ	价款调整	JC + DLF	100.000	21.76
11	JC	其中：价差	STJC + CSJC + STJGJC + CSJGJC	100.000	21.76
12	DLF	其中：独立费	DLFHJ	100.000	
13	AQWM	安全生产、文明施工费	AQWMJB + AQWMZJ	100.000	334.85
14	AQWMJB	其中：基本费	ZJF + GLF + LR + GF + JKTZ	3.850	265.81
15	AQWMZJ	其中：增加费	ZJF + GLF + LR + GF + JKTZ	1.000	69.04
16	SJ	税金	ZJF + GLF + LR + GF + JKTZ + AQWM	3.480	251.91
17	HJ	工程造价	ZJF + GLF + LR + GF + JKTZ + AQWM + SJ	100.000	7490.82
建筑工程土石方、建筑物超高、垂直运输、特大型机械场外运输及一次安拆					
1	ZJF	直接费	RGF + CLF + JXF + WCF	100.000	2254.65
2	RGF	其中：人工费	STRGF + CSRGF	100.000	1999.84
3	CLF	其中：材料费	STCLF + CSCLF	100.000	61.67
4	JXF	其中：机械费	STJXF + CSJXF	100.000	193.14
5	WCF	其中：未计价材料费	STWCF + CSWCF	100.000	
6	QFJS	直接费中的人工费 + 机械费	RGF + JXF	100.000	2192.98
7	GLF	企业管理费	QFJS	4.000	87.72
8	LR	利润	QFJS	4.000	87.72
9	GF	规费	QFJS	7.000	153.51
10	JKTZ	价款调整	JC + DLF	100.000	39.09
11	JC	其中：价差	STJC + CSJC + STJGJC + CSJGJC	100.000	39.09
12	DLF	其中：独立费	DLFHJ	100.000	
13	AQWM	安全生产、文明施工费	AQWMJB + AQWMZJ	100.000	127.20
14	AQWMJB	其中：基本费	ZJF + GLF + LR + GF + JKTZ	3.850	100.97
15	AQWMZJ	其中：增加费	ZJF + GLF + LR + GF + JKTZ	1.000	26.23
16	SJ	税金	ZJF + GLF + LR + GF + JKTZ + AQWM	3.480	95.70
17	HJ	工程造价	ZJF + GLF + LR + GF + JKTZ + AQWM + SJ	100.000	2845.59

（续）

序号	编码	项目名称	计算基础	费率（%）	费用金额（元）
			装饰装修工程		
1	ZJF	直接费	RGF + CLF + JXF + WCF	100.000	14109.29
2	RGF	其中：人工费	STRGF + CSRGF	100.000	3222.97
3	CLF	其中：材料费	STCLF + CSCLF	100.000	10666.19
4	JXF	其中：机械费	STJXF + CSJXF	100.000	220.13
5	WCF	其中：未计价材料费	STWCF + CSWCF	100.000	
6	QFJS	直接费中的人工费 + 机械费	RGF + JXF	100.000	3443.10
7	GLF	企业管理费	QFJS	18.000	619.76
8	LR	利润	QFJS	13.000	447.60
9	GF	规费	QFJS	20.000	688.62
10	JKTZ	价款调整	JC + DLF	100.000	403.98
11	JC	其中：价差	STJC + CSJC + STJGJC + CSJGJC	100.000	403.98
12	DLF	其中：独立费	DLFHJ	100.000	
13	AQWM	安全生产、文明施工费	AQWMJB + AQWMZJ	100.000	644.26
14	AQWMJB	其中：基本费	ZJF + GLF + LR + GF + JKTZ	3.250	528.75
15	AQWMZJ	其中：增加费	ZJF + GLF + LR + GF + JKTZ	0.710	115.51
16	SJ	税金	ZJF + GLF + LR + GF + JKTZ + AQWM	3.480	588.59
17	HJ	工程造价	ZJF + GLF + LR + GF + JKTZ + AQWM + SJ	100.000	17502.10
			园林工程		
1	ZJF	直接费	RGF + CLF + JXF + WCF	100.000	14893.81
2	RGF	其中：人工费	STRGF + CSRGF	100.000	2909.88
3	CLF	其中：材料费	STCLF + CSCLF	100.000	10879.07
4	JXF	其中：机械费	STJXF + CSJXF	100.000	1104.86
5	WCF	其中：未计价材料费	STWCF + CSWCF	100.000	
6	QFJS	直接费中的人工费 + 机械费	RGF + JXF	100.000	4014.74
7	GLF	企业管理费	QFJS	10.000	401.47
8	LR	利润	QFJS	6.000	240.88
9	GF	规费	QFJS	12.000	481.77
10	JKTZ	价款调整	JC + DLF	100.000	-263.70
11	JC	其中：价差	STJC + CSJC + STJGJC + CSJGJC	100.000	-263.70
12	DLF	其中：独立费	DLFHJ	100.000	
13	AQWM	安全生产、文明施工费	ZJF + GLF + LR + GF + JKTZ	2.850	449.00
14	SJ	税金	ZJF + GLF + LR + GF + JKTZ + AQWM	3.480	563.87
15	HJ	工程造价	ZJF + GLF + LR + GF + JKTZ + AQWM + SJ	100.000	16767.10
		合　计			44605.61

（六）填写工程预算书封面

工程预算书

建设单位：________________

工程名称：________________

施工单位：________________

工程造价：（小写）：44605.61元

（大写）：肆万肆仟陆佰零伍元陆角壹分整

负责人：________

编制人：________

编制时间：______年______月______日

（七）编制说明

（1）工程概况。

（2）本工程施工图预算是根据某公园钢结构廊架施工图编制的。

（3）预算定额采用《河北省建筑消耗量定额（2012年版）》《河北省装饰工程消耗量定额（2012年版）》《河北省仿古建筑工程消耗量定额（2013年版）》、新奔腾计价软件编制。

（4）企业取费类别为三类，包工包料。

（八）按工程预算书格式的顺序装订成册，并由有关人员签字盖章

四、学习评价

学习评价标准	分值	教学评价			总评
		小组评价 40%	学生自评 20%	教师评价 40%	
收集资料情况，主要资料齐全	5				
识读图样和施工内容，基本正确	10				
工程项目划分，正确	10				
工程量的计算，正确	20				
定额套用，正确	20				
计价表格编写，完整	10				
自学能力	5				
综合运用知识能力	10				
完成任务态度	5				
出勤情况	5				
小计	100				

五、复习思考

（1）钢结构廊架的施工工序是什么？

（2）钢构件工程量的计算规则有哪些？

（3）编制钢结构廊架预算的步骤和内容有哪些？

六、总结

重点：（1）钢结构工程工程量的计算规则。

（2）钢结构工程预算书编制的程序。

难点：（1）对钢结构定额的内容及应用的认识与理解。

（2）对钢结构工程工程量计算规则的应用。

任务九 园林给水排水工程定额计价

一、任务描述

园林给水排水工程定额计价

（一）任务说明

现有某县城兴泉路、府后街、宗畅寺街、祥宁街健康步道绿化给水工程。该工程项目有 De63、De50、De40、De32 管，设有水表 De32、De50 各 1 组、分水栓 De20 共 32 套。

（二）任务要求

（1）按照《河北省安装工程消耗量定额（2012 年版）》的有关内容计算健康步道给水排水工程工程量。

（2）套用《河北省园林工程价目表》《河北省安装工程消耗量定额（2012 年版）》等，利用计价软件编制健康步道给水排水工程预算书。

二、相关知识

1. 给水管道的计算

（1）首先看懂图样。包括图中的管道及阀门等附件。

（2）管道工程量的计算是安装工程计算的主要内容，平面尺寸在平面图中量取，量取时注意图样比例尺，垂直管道的长度数值按系统图标高推算。

（3）注意管道的管径变化，在施工图中管径的变化节点有时标注不会很清楚，需要在计算中自行判断，基本原则为只有在出现支管的情况下才会有管径变化。

（4）计算顺序。管道计算要有一定的层次划分，只有按次序计算才能保证不重算、不漏算。通常计算时同一系统的计算顺序有两种：一种是先计算平面长度然后再计算垂直长度，另一种是按照管道的介质走向计算。

（5）工程量预算书的书写。预算书无规定的格式但必须要让别人容易看懂，以便于交流。

2. 排水管道的计算

排水管道的计算基本要求同给水管道。

3. 给水排水附件数量的计算

给水排水设备及附件数量的计算无一定的规则，以计数准确为基本要求。

三、任务实施

（一）识图并熟悉定额

（二）列表计算工程量

1. 工程量计算分析过程

结合现行定额项目划分，划分工程项目；依据计量单位，写出计算过程。

（1）按不同管径计算管道长度：

De63 = 8（m）

De50 = 482.4（m）

De40 = 250.8（m）

De32 = 413.1（m）

（2）结合图例，按不同管径分别计算水表及分水栓数量，水表以“组”为单位统计、分水栓以“套”为单位统计。其中水表De32、De50各1组，分水栓De20共32套。

2. 列表计算工程量

根据施工图和工程量计算规则，按照工程量计算步骤和顺序填写工程量计算表，见表2-9-1。

表2-9-1　园林健康步道给水工程量计算表

序号	分项工程名称	单位	计算式	工程数量	备注
1	塑料给水管1（热熔），管道外径（32mm内）	10m		41.31	
2	塑料给水管2（热熔），管道外径（32mm内）	10m		23.64	
3	塑料给水管（热熔），管道外径（40mm内）	10m		25.08	
4	塑料给水管（热熔），管道外径（50mm内）	10m		48.24	
5	塑料给水管（热熔），管道外径（63mm内）	10m		0.80	
6	水表，螺纹连接，公称尺寸（32mm以内）	组		1.00	
7	水表，螺纹连接，公称尺寸（50mm以内）	组		1.00	
8	分水栓安装，公称尺寸20mm以内	套		32.00	

（三）根据预算定额，计算定额直接费

工程量校核后，根据地区的预算定额，按措施费单列模式，套用计价软件。实体项目预算表见表2-9-2，措施项目预算表见表2-9-3。参照项目实施的具体情况编制措施项目预算表。

表2-9-2　实体项目预算表

工程名称：

序号	定额编号	项目名称	单位	数量	基价（元）	合价（元）	其中：（元）		
							人工费	材料费	机械费
1	1-334	塑料给水管（热熔连接），管道外径（32mm内）	10m	41.310	22.14	914.60	599.82	282.15	32.63

（续）

序号	定额编号	项目名称	单位	数量	基价（元）	合价（元）	其中：（元）		
							人工费	材料费	机械费
		主材：聚乙烯（PE）塑料管De25	m	419.297	4.27	1790.40		1790.40	
2	1-334	塑料给水管（热熔连接），管道外径（32mm内）	10m	23.640	22.14	523.39	343.25	161.46	18.68
		主材：聚乙烯（PE）塑料管De32	m	239.946	6.71	1610.04		1610.04	
3	1-335	塑料给水管（热熔连接），管道外径（40mm内）	10m	25.080	29.15	731.08	397.27	299.20	34.61
		主材：聚乙烯（PE）塑料管De40	m	254.562	10.68	2718.72		2718.72	
4	1-336	塑料给水管（热熔连接），管道外径（50mm内）	10m	48.240	45.52	2195.89	1082.51	1046.81	66.57
		主材：聚乙烯（PE）塑料管De50	m	489.636	16.17	7917.41		7917.41	
5	1-337	塑料给水管（热熔连接），管道外径（63mm内）	10m	0.800	63.52	50.81	20.06	29.02	1.73
		主材：聚乙烯（PE）塑料管De63	m	8.120	25.62	208.03		208.03	
6	1-379	水表组成与安装，螺纹连接，公称尺寸（32mm以内）	组	1.000	18.53	18.53	16.50	2.03	
		主材：水表连接件DN32	个	2.020	6.91	13.96		13.96	
		主材：铜闸阀DN32	个	1.010	50.35	50.85		50.85	
		主材：翼轮湿式水表DN32 LXS-32型	个	1.000	104.00	104.00		104.00	
7	1-381	水表组成与安装，螺纹连接，公称尺寸（50mm以内）	组	1.000	30.70	30.70	27.72	2.98	
		主材：水表连接件DN50	个	2.020	13.95	28.18		28.18	
		主材：铜闸阀DN50	个	1.010	98.80	99.79		99.79	
		主材：翼轮湿式水表DN50 LXS-50型	个	1.000	165.00	165.00		165.00	
8	[54] 5-405	分水栓安装，公称尺寸20mm以内	套	32.000	116.98	3743.36	3398.40	344.96	
		主材：防冻给水栓DN20	套	32.000	135.00	4320.00		4320.00	
		合　计				27234.74	5885.53	21194.99	154.22

表 2-9-3 措施项目预算表

工程名称：

项目编号	项 目 名 称	单位	数量	单价（元）	合价（元）	其中：（元）		
						人工费	材料费	机械费
5-1	冬季施工增加费（园林工程）	项	1.000	25.37	25.37	13.89	8.46	3.02
5-1	冬季施工增加费（绿化工程）	项	1.000	25.37	25.37	13.89	8.46	3.02
5-2	雨季施工增加费（园林工程）	项	1.000	58.58	58.58	32.01	19.93	6.64
5-2	雨季施工增加费（绿化工程）	项	1.000	58.58	58.58	32.01	19.93	6.64
5-3	夜间施工增加费（园林工程）	项	1.000	16.30	16.30	9.66	3.62	3.02
5-3	夜间施工增加费（绿化工程）	项	1.000	16.30	16.30	9.66	3.62	3.02
5-4	临时停水、停电费（园林工程）	项	1.000	16.91	16.91	12.68		4.23
5-4	临时停水、停电费（绿化工程）	项	1.000	16.91	16.91	12.68		4.23
5-5	二次搬运费（园林工程）	项	1.000	46.51	46.51	39.26		7.25
5-5	二次搬运费（绿化工程）	项	1.000	46.51	46.51	39.26		7.25
5-6	生产工具用具使用费（园林工程）	项	1.000	97.84	97.84		77.91	19.93
5-6	生产工具用具使用费（绿化工程）	项	1.000	97.84	97.84		77.91	19.93
5-7	检验试验配合费（园林工程）	项	1.000	6.65	6.65	1.21	4.23	1.21
5-7	检验试验配合费（绿化工程）	项	1.000	6.65	6.65	1.21	4.23	1.21
5-8	工程定位复测及场地清理费（园林工程）	项	1.000	25.97	25.97	13.29	9.06	3.62
5-8	工程定位复测及场地清理费（绿化工程）	项	1.000	25.97	25.97	13.29	9.06	3.62
5-9	成品保护费（园林工程）	项	1.000	28.98	28.98	12.68	12.68	3.62
5-9	成品保护费（绿化工程）	项	1.000	28.98	28.98	12.68	12.68	3.62
5-10	繁华地段交叉施工增加费（园林工程）	项	1.000	27.78	27.78	12.68	15.10	
5-10	繁华地段交叉施工增加费（绿化工程）	项	1.000	27.78	27.78	12.68	15.10	
	合 计				701.78	294.72	301.98	105.08

（四）工料分析

工料分析的编制采用表格形式。工料分析先将每个分项工程的定额消耗量查到，乘以工程数量得出用量，再将用工种类相同、材料相同的分别汇总，填入表 2-9-4 人工、材料、机械台班（用量、单价）汇总表中，查找预算价和市场价，计算人工价差、材料价差以及价差合计。

表 2-9-4 人工、材料、机械台班（用量、单价）汇总表

工程名称：

编码	名称及型号规格	单位	数量	预算价（元）	市场价（元）	市场价合计（元）	价差合计（元）
			人工				
10000002	综合用工二类	工日	98.0922	60.00	60.00	5885.53	
CSRGF	措施费中的人工费	元	294.7402	1.00	1.00	294.74	
			材料				
BM1-3001	橡胶板 δ1～3	kg	0.2500	2.00	2.00	0.5	
CSCLF	措施费中的材料费	元	301.9878	1.00	1.00	301.99	
EA1-0076	机油	kg	0.0220	11.20	11.20	0.25	
ED1-0172	聚四氟乙烯生料带	m	2.5600	1.60	1.60	4.09	
OG5-3111	聚丙烯管件 ϕ32mm（室外）	个	124.7040	3.06	3.06	381.59	
OG5-3112	聚丙烯管件 ϕ40mm（室外）	个	46.6488	5.74	5.74	267.76	
OG5-3113	聚丙烯管件 ϕ50mm（室外）	个	89.2440	10.92	10.92	974.54	
OG5-3114	聚丙烯管件 ϕ63mm（室外）	个	1.4080	19.64	19.64	27.65	
OL1-0013	镀锌活接头 DN20	个	32.3200	3.42	3.42	110.53	
OL1-0024	镀锌内接头 DN20	个	64.6400	1.07	1.07	69.16	
OL1-0046	镀锌弯头 DN20	个	32.3200	1.55	1.55	50.10	
OL1-0090	镀锌月弯 DN20	个	32.3200	2.74	2.74	88.56	
OL1-0112	镀锌管堵 DN20	个	32.3200	0.76	0.76	24.56	
ZA1-0002	水	m^3	17.0648	5.00	5.00	85.32	
ZG1-0001	其他材料费	元	83.5466	1.00	1.00	83.55	
			机械				
90000002	机械费	元	154.2201	1.00	1.00	154.22	
CSJXF	措施费中的机械费	元	105.0920	1.00	1.00	105.09	
			未计价材				
AZZW0147	水表连接件 DN32	个	2.0200	6.91	6.91	13.96	
AZZW0147	水表连接件 DN50	个	2.0200	13.95	13.95	28.18	
CD1Y0080	聚乙烯（PE）塑料管 De25	m	419.2965	4.27	4.27	1790.39	
CD1Y0080	聚乙烯（PE）塑料管 De32	m	239.9460	6.71	6.71	1610.04	
CD1Y0080	聚乙烯（PE）塑料管 De40	m	254.5620	10.68	10.68	2718.72	
CD1Y0080	聚乙烯（PE）塑料管 De50	m	489.6360	16.17	16.17	7917.41	
CD1Y0080	聚乙烯（PE）塑料管 De63	m	8.1200	25.62	25.62	208.03	
PA1W0080	铜闸阀 DN32	个	1.0100	50.35	50.35	50.85	
PA1W0080	铜闸阀 DN50	个	1.0100	98.80	98.80	99.79	
QC1W3051	翼轮湿式水表 DN32 LXS-32 型	个	1.0000	104.00	104.00	104	
QC1W3051	翼轮湿式水表 DN50 LXS-50 型	个	1.0000	165.00	165.00	165	
主材	防冻给水栓 DN20	套	32.0000	135.00	135.00	4320	

（五）计算总造价

根据本地区的预算定额取费标准和单位工程费汇总表，计算各项费用，汇总得出工程总造价。计算结果见表2-9-5。

表2-9-5　单位工程费汇总表

工程名称：

序号	编码	项目名称	计算基础	费率（%）	费用金额（元）
园林工程					
1	ZJF	直接费	RGF + CLF + JXF + WCF	100.000	27936.75
2	RGF	其中：人工费	STRGF + CSRGF	100.000	6180.25
3	CLF	其中：材料费	STCLF + CSCLF	100.000	2470.59
4	JXF	其中：机械费	STJXF + CSJXF	100.000	259.30
5	WCF	其中：未计价材料费	STWCF + CSWCF	100.000	19026.61
6	QFJS	直接费中的人工费 + 机械费	RGF + JXF	100.000	6439.55
7	GLF	企业管理费	QFJS	10.000	643.96
8	LR	利润	QFJS	6.000	386.37
9	GF	规费	QFJS	12.000	772.75
10	JKTZ	价款调整	JC + DLF	100.000	
11	JC	其中：价差	STJC + CSJC + STJGJC + CSJGJC	100.000	
12	DLF	其中：独立费	DLFHJ	100.000	
13	AQWM	安全生产、文明施工费	ZJF + GLF + LR + GF + JKTZ	2.850	847.59
14	SJ	税金	ZJF + GLF + LR + GF + JKTZ + AQWM	3.410	1043.03
15	HJ	工程造价	ZJF + GLF + LR + GF + JKTZ + AQWM + SJ	100.000	31630.45
		合　计			31630.45

（六）填写工程预算书封面

工程预算书

建设单位：____________________

工程名称：____________________

施工单位：____________________

工程造价：（小写）：31630.45元

（大写）：叁万壹仟陆佰叁拾元肆角伍分整

负责人：__________

编制人：__________

编制时间：______年______月______日

（七）编制说明

（1）工程概况。

（2）本工程施工图预算是根据某县北城新区健康步道绿化给水工程编制。

（3）预算定额采用《河北省安装工程消耗量定额（2012年版）》、新奔腾计价软件。

（4）企业取费类别为三类，包工包料。

（八）按工程预算书格式的顺序装订成册，并由有关人员签字盖章

四、学习评价

学习评价标准	分值	教学评价			总评
		小组评价 40%	学生自评 20%	教师评价 40%	
收集资料情况，主要资料齐全	5				
识读图样和施工内容，基本正确	10				
工程项目划分，正确	10				
工程量的计算，正确	20				
定额套用，正确	20				
计价表格编写，完整	10				
自学能力	5				
综合运用知识能力	10				
完成任务态度	5				
出勤情况	5				
小计	100				

五、复习思考

（1）给水排水工程工程量的计算规则有哪些？

（2）简述给水工程工程量的计算方法。

（3）编制给水排水工程预算书的步骤和内容有哪些？

六、总结

重点：（1）给水排水工程工程量的计算规则。

（2）给水排水工程预算书编制的程序。

难点：（1）对给水排水工程定额的内容及应用的认识与理解。

（2）对给水排水工程工程量计算规则的应用。

任务十　园林电气工程定额计价

一、任务描述

园林电气工程定额计价

（一）任务说明

本工程为某幼儿园园林景观照明部分，所有负荷均为三级负荷。220/380V 景观照明配电系统。园林配电箱主电源进线电缆由就近建筑内配电箱引来电缆直接接入开关。园林配电箱为室外非标防雨型，位置暂定于平面图位

置。室外电缆均采用 YJV22-1kV 的塑料铜芯电缆绿地埋设，电缆埋设深度 0.8m。电缆管线敷设尽量减少穿越各种管线及道路，以避免电缆遭受破损并便于维护，满足线路电压损失。配电箱安装高度距地 0.2m。草坪灯依小径布置，间距 8～15m，距铺装及道路边界 0.5m，具体如图 2-10-1 所示。

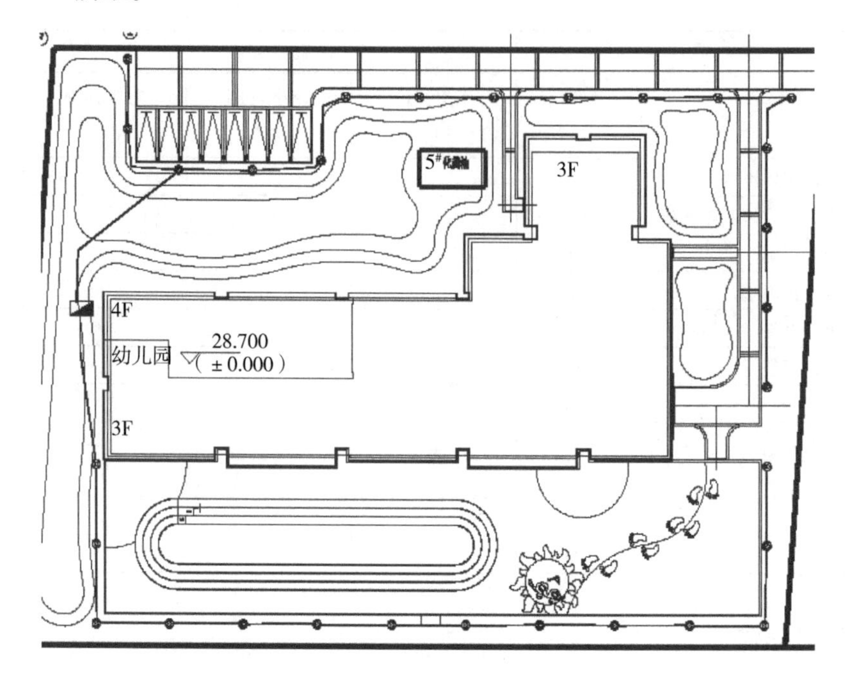

图 2-10-1　某幼儿园园林景观照明平面图

（二）任务要求

（1）按照《河北省安装工程消耗量定额（2012 版）》《通用安装工程工程量计算规范》（GB 50856—2013）等资料计算该幼儿园园林景观照明工程量。

（2）套用《河北省园林工程价目表》《河北省安装工程消耗量定额（2012 版）》等，利用计价软件编制该幼儿园园林景观照明工程预算书。

二、相关知识

（一）电缆的计算规则

（1）直埋电缆的挖、填土（石）方除特殊要求外，可按表 2-10-1 计算土方量。

表 2-10-1　直埋电缆的挖、填土（石）方量

项目	电缆根数	
	1～2 根	每增 1 根
每米沟长挖方量/m^3	0.45	0.153

注：1. 2 根以内的电缆沟，是按上口宽度 600mm、下口宽度 400mm、深度 900mm 计算的常规土方量（深度按规范的最低标准）。

2. 每增加 1 根电缆，其宽度增加 170mm。

3. 以上土方量是按埋深从自然地坪起算，如设计埋深超过 900mm 时，多挖的土方量应另行计算。

（2）电缆保护管长度。除按设计规定长度计算外，遇有下列情况，应按以下规定增加保护管长度。

1）横穿道路按路基宽度两端各增加 2m。

2）垂直敷设时，管口距地面增加 2m。

3）穿过建筑物外墙时，按外墙外缘以外增加 1.5m。

4）穿过排水沟时，按沟壁外缘以外增加 1m。

（3）电缆保护管埋地敷设，其土方量凡有施工图注明的，按施工图计算；无施工图的，一般按沟深 0.9m，沟宽按最外边的保护管两侧边缘外各增加 0.3m 工作面计算。

（4）电缆敷设按单根以“100m”为计量单位计算。

（5）电缆终端头及中间头均按设计图示数量以“个”为计量单位计算。电力电缆和控制电缆均按一根电缆有两个终端头考虑。中间电缆头设计有图示的，按设计确定，设计没有规定的，按实际情况计算（或按平均 250m 一个中间头考虑）。

（二）照明灯具计算规则

（1）草坪灯具安装的工程量，应根据装饰灯具示意图集所示，区别不同安装形式以“10 套”为计量单位计算。

（2）路灯安装工程量，应区别不同臂长、不同灯数以“10 套”为计量单位计算。

（三）配电箱计算规则

配电箱按设计图示数量以“台”为计量单位。

三、任务实施

（一）识图并熟悉定额

（二）列表计算工程量

根据施工图和工程量计算规则，按照工程量计算步骤和顺序填写工程量计算表，见表 2-10-2。

表 2-10-2　某幼儿园园林景观照明工程量计算表

序号	分项工程名称	单位	计算方法	工程数量	备注
1	电缆，电缆沟挖填土，普通土	m^3	每米挖方量乘以线路长度	116.05	
2	电缆沟铺砂盖砖	100m	图样测量确定线路长度	2.58	
3	落地式成套配电箱安装 700mm×400mm×700mm	台	根据实际数量确定	1	
4	FPC 半硬聚氯乙烯 PVC 管电缆保护管	10m	路基宽度每侧增加 2m 计算	1.2	
5	YJV22-3×4 塑料铜芯电缆绿地埋设	100m	线路长度加上预留长度	3.22	每盏灯预留 2m，配电箱预留箱体周长的一半

（续）

序号	分项工程名称	单位	计算方法	工程数量	备注
6	户外干包式电力电缆终端头制作、安装，1kV 以下干包式，截面面积 35mm² 以下	个	根据实际数量确定	60	
7	草坪灯，220V　20W；节能灯，灯高 0.5m，IP65	10 套	根据实际数量确定	3	
8	独立接地装置调试，6 根接地极以内	组		1.00	
9	1kV 以下交流供电（综合）装置系统调试	系统		1	

（三）根据预算定额，计算定额直接费

工程量校核后，根据地区的预算定额，按措施费单列模式，套用计价软件。实体项目预算表见表 2-10-3，措施项目预算表见表 2-10-4。

表 2-10-3　实体项目预算表

工程名称：幼儿园园林景观照明工程

序号	定额编号	项目名称	单位	数量	单价	合价	其中：（元）		
							人工费	材料费	机械费
1	2-519	电缆沟挖填，一般土沟	m³	116.050	22.09	2563.54	2563.54		
2	2-529	电缆沟铺砂盖砖 1～2 根	100m	2.580	962.36	2482.89	744.54	1738.35	
3	［54］8-218	FPC 半硬聚氯乙烯 PVC 管电缆保护管	10m	1.200	110.95	133.14	96.48	36.66	
		主材：管材	m	12.360	18.80	232.37		232.37	
4	2-261	落地式成套配电箱安装	台	1.000	376.98	376.98	208.20	42.37	126.41
		主材：落地式成套配电箱 700mm×400mm×700mm	台	1.000	630.00	630.00		630.00	
5	2-355	基础槽钢制作、安装	10m		192.66				
		主材：槽钢［10#］	m		44.53				
6	2-618	YJV22-3×4 塑料铜芯电缆绿地埋设	100m	3.220	539.77	1738.07	1039.42	276.86	421.79
		主材：电力电缆截面面积 25mm² VV22-0.6/1kV 三芯	m	325.220	95.00	30895.90		30895.90	
7	2-674	户外干包式电力电缆终端头制作、安装，1kV 以下干包式，截面面积 35mm² 以下	个	60.000	155.91	9354.60	7920.00	1434.60	
		主材：塑料雨罩 YS	个	243.000	3.00	729.00		729.00	
8	2-1635	草坪灯，220V 20W；节能灯，灯高 0.5m，IP65	10 套	3.000	837.15	2511.45	1614.60	896.85	
		主材：立柱式草坪灯 IP65，0.5m	套	30.300	243.00	7362.90		7362.90	

（续）

序号	定额编号	项 目 名 称	单位	数量	单价	合价	其中：（元）		
							人工费	材料费	机械费
9	2-934	独立接地装置调试，6 根接地极以内	组	1.000	193.54	193.54	148.80	1.86	42.88
10	2-898	1kV 以下交流供电（综合）装置系统调试	系统	1.000	441.74	441.74	370.80	4.64	66.30
		合　计				59646.12	14706.38	44282.36	657.38

表 2-10-4　措施项目预算表

工程名称：幼儿园园林景观照明工程

项目编号	项 目 名 称	单位	数量	单价（元）	合价（元）	其中：（元）		
						人工费	材料费	机械费
1-1524	生产工具用具使用费（安装）	项	1.000	535.88	535.88		535.88	
8-632	生产工具用具使用费（路灯工程）	项	1.000	1.15	1.15			1.15
1-1525	检验试验配合费（安装）	项	1.000	163.36	163.36	65.65	97.71	
8-633	检验试验配合费（路灯工程）	项	1.000	1.01	1.01	0.20	0.81	
1-1526	冬季施工增加费（安装）	项	1.000	68.70	68.70	37.40	31.30	
8-634	冬季施工增加费（路灯工程）	项	1.000	0.26	0.26	0.18	0.08	
1-1527	雨季施工增加费（安装）	项	1.000	160.31	160.31	86.26	74.05	
8-635	雨季施工增加费（路灯工程）	项	1.000	0.59	0.59	0.41	0.18	
1-1528	夜间施工增加费（安装）	项	1.000	160.30	160.30	96.18	64.12	
8-636	夜间施工增加费（路灯工程）	项	1.000	0.81	0.81	0.57	0.24	
1-1529	已完工程及设备保护费（安装）	项	1.000	96.19	96.19	29.01	67.18	
8-640	已完工程及设备保护费（路灯工程）	项	1.000	0.48	0.48	0.24		0.24
1-1530	二次搬运费（安装）	项	1.000	422.90	422.90	229.01	193.89	
8-637	二次搬运费（路灯工程）	项	1.000	1.16	1.16	0.93	0.23	
1-1531	工程定位、复测配合费及场地清理费（安装）	项	1.000	148.10	148.10	90.08	58.02	
8-639	工程定位、复测配合费及场地清理费（路灯工程）	项	1.000	0.62	0.62	0.31		0.31
1-1532	停水、停电增加费（安装）	项	1.000	415.27	415.27	224.43	190.84	
8-638	停水、停电增加费（路灯工程）	项	1.000	0.68	0.68	0.14		0.54
1-1533	安装与生产同时进行增加费（安装）	项	1.000	941.99	941.99	941.99		
	合　计				3119.67	1802.97	1314.53	2.24

（四）工料分析

工料分析的编制采用表格形式。工料分析先将每个分项工程的定额消耗量查到，乘以工程数量得出用量，再将用工种类相同、材料相同的分别汇总，填入表 2-10-5 人材机汇总表中，查找预算价和市场价，计算人工价差、材料价差以及价差合计。

表 2-10-5　人工、材料、机械台班（用量、单价）汇总表

工程名称：幼儿园园林景观照明工程

编码	名称及型号规格	单位	数量	预算价（元）	市场价（元）	市场价合计（元）	价差合计（元）
			人工				
10000002	综合用工二类	工日	189.9716	60.00	60.00	11398.3	
10000003	综合用工三类	工日	70.3847	47.00	47.00	3308.08	
CSRGF	措施费中的人工费	元	1802.9887	1.00	1.00	1802.99	
			材料				
AA1C3006	圆钢 ϕ5.5～9mm	kg		4.31	4.31		
AB1-3042	普通钢板 δ2.0～2.5mm	kg		4.54	4.54		
AC1-0024	镀锌扁钢—25×4	kg	1.5000	5.40	5.40	8.1	
AC1-0026	镀锌扁钢—40×4	kg		5.40	5.40		
BC4-0008	砂子	m^3	25.0776	34.00	34.00	852.64	
BD1-1001	标准砖 240mm×115mm×53mm	千块	2.2343	380.00	380.00	849.03	
BK5-0027	塑料带 20mm×40m	卷	33.6000	4.00	4.00	134.4	
BK5-0058	塑料手套 ST 型	个	63.0000	4.00	4.00	252	
BK5-0094	绑扎线 ϕ1.0mm	m	18.0320	2.10	2.10	37.87	
CA1-0004	电焊条结 422ϕ3.2mm	kg	0.1500	4.85	4.85	0.73	
CSCLF	措施费中的材料费	元	1314.5250	1.00	1.00	1314.53	
CZ1-0011	焊锡丝	kg	0.1500	55.00	55.00	8.25	
DC1C0001	酚醛磁漆（各种颜色）	kg	0.0200	16.50	16.50	0.33	
DQ061	汽油	kg	18.0000	8.30	8.30	149.4	
DQ1C0005	调和漆	kg	0.0500	10.50	10.50	0.53	
DR1-0014	滑石粉	kg	0.8855	0.50	0.50	0.44	
EA1-0070	电力复合脂一级	kg	0.0500	252.00	252.00	12.6	
EB1-0031	凡士林	kg	0.3220	9.50	9.50	3.06	
FG1-0002	塑料软管	kg	0.3000	13.70	13.70	4.11	
IA1-0142	镀锌精制带帽螺栓 M10×100 以内 2 平 1 弹垫	10 套	0.6100	8.00	8.00	4.88	
IE1-0215	钢锯条	根		0.40	0.40		
IE1-0261	钢锯条	根	0.1800	0.80	0.80	0.14	
IE2-0043	铁砂布 0#～2#	张	1.0000	0.90	0.90	0.9	
IF2-2001	镀锌铁丝 8#～12#	kg	1.3200	5.90	5.90	7.79	
IF2-2007	镀锌铁丝 8#～12#	kg	2.0544	6.00	6.00	12.33	
KZ7-2004	塑料管接头 *D*100	个	19.1520	1.50	1.50	28.73	
QD9-0066	钢板垫板	kg	0.3000	3.14	3.14	0.94	
RA1U3032	橡胶绝缘线 BX-4mm²	m	122.1600	3.63	3.63	443.44	

（续）

编码	名称及型号规格	单位	数量	预算价（元）	市场价（元）	市场价合计（元）	价差合计（元）
			材料				
RF1P0016	铜接线端子 DT-25mm²	个	243.6000	2.19	2.19	533.48	
SC1-0488	地脚螺栓 M12×160 以下	套	122.4000	2.70	2.70	330.48	
SG1-0008	瓷接头（双）	个	30.9000	0.63	0.63	19.47	
SG1-0082	标志牌塑料扁形	个	19.3200	10.88	10.88	210.2	
SG1-0094	塑料胶黏带 20mm×50m	卷	48.0000	7.48	7.48	359.04	
SZ1-0021	飞保险（羊角熔断器）5A	个	30.9000	2.72	2.72	84.05	
ZE1-0047	破布	kg	2.1930	3.02	3.02	6.62	
ZE1-0067	尼龙扎带	根	7.7280	0.70	0.70	5.41	
ZE1-0571	自黏性橡胶带 20mm×5m	卷	0.2000	3.50	3.50	0.7	
ZF2-0004	混凝土标桩 100mm×100mm×1200mm	个	10.4232	3.52	3.52	36.69	
ZG1-0001	其他材料费	元	26.6336	1.00	1.00	26.63	
ZG1-0008	校验材料费	元	6.5020	1.00	1.00	6.5	
			机械				
00836096	接地电阻测试仪 DET-3/2	台班	1.4000	30.63	30.63	42.88	
00836150	电能校验仪 ST9040	台班	0.7000	43.66	43.66	30.56	
CSJXF	措施费中的机械费	元	2.2383	1.00	1.00	2.24	
JX001	折旧费（机械台班）	元	113.2532	1.00	1.00	113.25	
JX002	大修理费（机械台班）	元	29.9516	1.00	1.00	29.95	
JX003	经常修理费（机械台班）	元	71.1197	1.00	1.00	71.12	
JX004	安拆费及场外运费（机械台班）	元	0.6560	1.00	1.00	0.66	
JX005	人工（机械台班）	工日	1.3260	60.00	60.00	79.56	
JX007	柴油（机械台班）	kg	24.6322	9.80	9.80	241.4	
JX009	电（机械台班）	kW·h	15.8270	1.00	1.00	15.83	
JX013	人工费（机械台班）	元	18.0037	1.00	1.00	18	
JX014	其他费用（机械台班）	元	14.1824	1.00	1.00	14.18	
			未计价材				
	落地式成套配电箱 700mm×400mm×700mm	台	1.0000	630.00	630.00	630	
	立柱式草坪灯 IP65 0.5m	套	30.3000	243.00	243.00	7362.9	
OP1W0220	塑料雨罩 YS	个	243.0000	3.00	3.00	729	
RB3-0128	电力电缆截面面积 25mm² VV22-0.6/1kV 三芯	m	325.2200	95.00	95.00	30895.9	
SZ1W0025	管材	m	12.3600	18.80	18.80	232.37	
W#900001	槽钢［10#］	m		44.53	44.53		

（五）计算总造价

根据本地区的预算定额取费标准和单位工程费汇总表，计算各项费用，汇总出工程总造价。计算结果见表2-10-6。

表2-10-6　单位工程费汇总表

序号	编码	项目名称	计算基础	费率（%）	费用金额（元）
			安装工程，三类工程		
1	ZJF	直接费	RGF + CLF + JXF + WCF	100.000	62393.61
2	RGF	其中：人工费	STRGF + CSRGF	100.000	16409.91
3	CLF	其中：材料费	STCLF + CSCLF	100.000	5708.52
4	JXF	其中：机械费	STJXF + CSJXF	100.000	657.38
5	WCF	其中：未计价材料费	STWCF + CSWCF	100.000	39617.80
6	SBF	其中：设备费	STSBF + CSSBF	100.000	
7	QFJS	直接费中的人工费 + 机械费	RGF + JXF	100.000	17067.29
8	GLF	企业管理费	QFJS	15.000	2560.09
9	LR	利润	QFJS	10.000	1706.73
10	GF	规费	QFJS	23.500	4010.81
11	JKTZ	价款调整	JC + DLF	100.000	
12	JC	其中：价差	STJC + CSJC + STJGJC + CSJGJC	100.000	
13	DLF	其中：独立费	DLFHJ	100.000	
14	AQWM	安全生产、文明施工费	ZJF + GLF + LR + GF + JKTZ	4.370	3088.33
15	SQZJ	税前工程造价	ZJF + GLF + LR + GF + JKTZ + AQWM +（STSBF + CSSBF + STSBFJC + CSSBFJC）	100.000	73759.57
			路灯工程		
1	ZJF	直接费	RGF + CLF + JXF + WCF	100.000	372.27
2	RGF	其中：人工费	STRGF + CSRGF	100.000	99.46
3	CLF	其中：材料费	STCLF + CSCLF	100.000	38.20
4	JXF	其中：机械费	STJXF + CSJXF	100.000	2.24
5	WCF	其中：未计价材料费	STWCF + CSWCF	100.000	232.37
6	SBF	其中：设备费	STSBF + CSSBF	100.000	
7	QFJS	直接费中的人工费 + 机械费	RGF + JXF	100.000	101.70
8	GLF	企业管理费	QFJS	14.000	14.24
9	GF	规费	QFJS	16.600	16.88
10	LR	利润	QFJS	9.000	9.15
11	JKTZ	价款调整	JC + DLF	100.000	
12	JC	其中：价差	STJC + CSJC + STJGJC + CSJGJC	100.000	
13	DLF	其中：独立费	DLFHJ	100.000	
14	AQWM	安全生产、文明施工费	ZJF + GLF + LR + GF + JKTZ	3.500	14.44
15	SQZJ	税前工程造价	ZJF + GLF + LR + GF + JKTZ + AQWM +（STSBF + CSSBF + STSBFJC + CSSBFJC）	100.000	426.98

（续）

序号	编码	项 目 名 称	计 算 基 础	费率（%）	费用金额（元）
税前工程造价合计					74186.55
其中：进项税额					5203.76
销项税额					6208.46
增值税应纳税额					1004.7
附加税费					132.82
税金					1137.52
工程造价					75324.07

（六）填写工程预算书封面

工程预算书

建设单位：________________________________

工程名称：________________________________

施工单位：________________________________

工程造价：（小写）：75324.07 元

（大写）：柒万伍仟叁佰贰拾肆元零柒分整

负责人：____________

编制人：____________

编制时间：________年________月________日

（七）编制说明

（1）工程概况。

（2）本工程施工图预算是根据某幼儿园园林景观照明工程施工图编制。

（3）预算定额采用《河北省安装工程定额》、新奔腾计价软件。

（4）企业取费类别为三类，包工包料。

（八）按工程预算书格式的顺序装订成册，并由有关人员签字盖章

四、学习评价

学习评价标准	分值	教学评价			总评
		小组评价 40%	学生自评 20%	教师评价 40%	
收集资料情况，主要资料齐全	5				
识读图样和施工内容，基本正确	10				
工程项目划分，正确	10				
工程量的计算，正确	20				

（续）

学习评价标准	分值	教学评价			总评
		小组评价 40%	学生自评 20%	教师评价 40%	
定额套用，正确	20				
计价表格编写，完整	10				
自学能力	5				
综合运用知识能力	10				
完成任务态度	5				
出勤情况	5				
小计	100				

五、复习思考

（1）照明工程计算规则有哪些？

（2）照明工程编制预算书的程序有哪些？

六、总结

重点：（1）照明工程工程量的计算规则。

（2）照明工程预算书编制的程序。

难点：（1）对照明工程的内容及应用的认识与理解。

（2）对照明工程工程量计算规则的应用。

项目二总结

本项目是通过完成一个一个的典型任务介绍了园林土建工程定额计价步骤、过程，包括园路工程、木结构工程、假山工程、砌体工程、钢筋混凝土工程、钢结构工程、给水排水工程及电气照明工程等工程量的计算，套用定额及费用计取等主要环节相关知识与技能。

综合实训二　某综合工程定额计价

【实训内容】

根据本项目的任务六提供的图2-6-1～图2-6-3某公园“邀月问天”工程效果图和施工图，依据《河北省建设工程定额》编制该综合工程定额计价。

【实训目的】

（1）了解园林工程工程量的计算规则和相关规定。

（2）掌握园林工程工程量计算的方法。

（3）会用国家相关定额或企业内部定额套价。

（4）能够熟练利用计价软件编制园林工程预算表。

【实训步骤】

（1）收集基础资料，包括定额、取费标准等。

（2）熟读施工图。

（3）列表计算工程量。

（4）套定额填写园林绿化工程预算表，计算直接费。

（5）取费计算单位工程造价。

（6）工料分析。

（7）填写编制说明。

（8）填写园林工程预算封面。

（9）校核、装订成册。

【考核评价】

序号	检 测 项 目	分值	自评分数
1	收集资料情况和熟悉施工内容	20	
2	工程量计算是否准确	20	
3	套用预算定额情况	20	
4	计算各项费用，算出总造价	20	
5	相关表格的正确编制和填写	20	

项目三 园林工程工程量清单计价

项目引言

定额计价是传统计价模式，工程量清单计价是一种市场定价模式，是在建设工程招标投标中，招标人或委托具有资质的招标代理机构编制反映工程实体消耗和措施性消耗的工程量清单，并作为招标文件的一部分提供给投标人，由投标人自主报价，最终签订工程合同价格的方法。工程量清单计价充分体现了市场竞争性，随着我国建设市场经济的不断发展，工程量清单计价方法将是工程投标的主要方式，也将必然会越来越成熟和规范。

本项目的清单工程量计算规则依据是《建设工程工程量清单计价规范》（GB 50500—2013），《园林绿化工程工程量计算规范》（GB 50858—2013），《房屋建筑与装饰工程工程量计算规范》（GB 50854—2013），定额工程量计算依据是《江苏省建设工程费用定额》。任务二园林绿化工程工程量清单计价采用的是江苏国泰新点造价软件，任务三及以后的任务涉及园林土建工程工程量清单计价采用的是正元计价软件。

学习目标

了解：工程量清单计价中有关基本概念、工程量计算原则和方法。

熟悉：现行规范中关于园林工程工程量清单编制有关规定。

熟悉：工程量清单的格式、组成。

掌握：园林工程工程量计算规则。

能够：根据现行规范进行园林工程工程量清单编制，根据招标文件提供的园林工程图及工程量清单进行工程量清单报价。

思政目标

1. 培养学生的公平竞争意识。
2. 培养学生树立正确的人生观、价值观。
3. 培养学生的艺术审美能力。
4. 培养学生保护生态环境的意识。
5. 培养学生严谨的工作态度。
6. 培养学生的爱国主义情怀。

任务一　园林工程工程量清单计价解读

一、任务描述

（一）任务说明

（1）教师提供园林工程实例的工程量清单表及计价表。

（2）学生分组讨论学习。

（二）任务要求

（1）以某一园林分部分项工程为例，简述分部分项工程工程量清单的编制程序。

（2）绘制园林工程工程量清单计价表格。

实例分析

二、相关知识

（一）工程量清单解读

1. 工程量清单概念

工程量
清单解读

工程量清单是表现拟建工程的分部分项工程项目、措施项目、其他项目名称和相应数量以及规费、税金项目等内容的明细清单，由具有编制能力的招标人或受其委托、具有相应资质的工程造价咨询人，按照招标要求和施工设计图要求，将拟建招标工程的全部项目和内容依据《建设工程工程量清单计价规范》（GB 50500—2013）中统一的工程量计算规则、统一的工程量清单项目编制规则，计算拟建招标工程的工程数量的表格。

工程量清单是工程量清单计价的基础，应作为招标控制价、投标报价、计算工程量，支付工程款、调整合同价款、办理竣工结算以及工程索赔等的依据。

2. 工程量清单的内容

工程量清单是招标文件的组成部分，同时也是承包人进行投标报价的主要参考依据之一。主要包括工程量清单说明和工程量清单表两部分。

（1）工程量清单说明。工程量清单说明主要指招标人对拟招标工程的工程量清单的编制依据以及重要作用进行解释，并明确清单中的工程量是招标人估算出来的，仅仅作为投标报价的基础，结算时的工程量应以招标人或由其授权委托的监理工程师核准的实际完成量为依据，提示投标人重视工程量清单以及如何使用工程量清单。

（2）工程量清单表。工程量清单表作为清单项目和工程数量的载体，是工程量清单的重要组成部分，表格形式见本项目的各个任务。

合理的清单项目设置和准确的工程数量，是清单计价的前提和基础。对于招标人来说，工程量清单是进行投资控制的前提和基础，工程量清单表编制的质量直接关系和影响到工程建设的最终结果。

3. 工程量清单的组成

工程量清单由分部分项工程工程量清单、措施项目清单、其他项目清单、规费项目清单和税金项目清单五部分组成。

（1）分部分项工程工程量清单。分部分项工程工程量清单是表明拟建工程的全部分项实体工程名称和相应工程数量的清单。包括拟建工程全部工作及为实现这些工作内容而进行的其他工作。内容包括项目编码、项目名称、项目特征、计量单位和工程量。

（2）措施项目清单。措施项目清单指为完成工程项目施工，发生于该工程施工前和施工过程中技术、生活、安全等方面的非工程实体项目，包括施工技术和施工组织两方面。措施项目的计量单位为“项”，相应数量为1。计价时，应详细分析其所含的工作内容，然后确定其综合单价。

措施项目中的安全文明施工费必须按照国家或省级、行业建设主管部门的规定计算，不得作为竞争性费用。

（3）其他项目清单。其他项目清单包括暂列金额、暂估价、计日工、总承包服务费以及根据工程实际情况补充的项目。

暂列金额：发包人在工程量清单中暂定并包含在工程合同价款中的一笔款项。用于施工合同签订时尚未确定或者不可预见的所需材料、工程设备、服务的采购，施工中可能发生的工程变更、合同约定调整因素出现时的工程价款调整以及发生的索赔、现场签证确认等的费用。

计日工：在施工过程中，承包人完成发包人提出的工程合同范围以外的零星项目或工作，按合同中约定的单价计价的一种方式。

总承包服务费：总承包人为配合、协调发包人进行的专业工程发包，对发包人自行采购的材料、工程设备等进行保管以及施工现场管理、竣工资料汇总整理等服务所需的费用。

（4）规费项目清单。规费是政府和有关管理部门规定必须缴纳的费用，包括工程排污费、社会保障费（包括养老保险费、失业保险费、医疗保险费、工伤保险费、生育保险费）、住房公积金。

（5）税金项目清单。税金项目清单应包括营业税、城市建设维护税、教育费附加、地方教育费附加。

规费和税金必须按照国家或省级、行业建设主管部门的规定计算，不得作为竞争性费用。

4. 工程量清单的编制程序

（1）工程量清单编制准备工作。

（2）按图样和计算规则计算工程量。

（3）编制分部分项工程工程量清单。

（4）编制措施项目清单。

（5）编制其他项目清单。

（6）编制规费、税金项目清单。

（7）复核校对打印。

5. 工程量清单的编制

以《园林绿化工程工程量计算规范》（GB 50858—2013）为例，它规定了构成一个分部分项工程工程量清单的五个要件——项目编码、项目名称、项目特征、计量单位和工程量，这五个要件在分部分项工程工程量清单的组成中缺一不可。

（1）分部分项工程工程量清单编码。工程量清单项目编码分为五级，用十二位阿拉伯数字表示。

一、二位为专业工程代码（01—房屋建筑与装饰工程，02—仿古建筑工程，03—通用安装工程，04—市政工程，05—园林绿化工程，06—矿山工程，07—构筑物工程，08—城市轨道交通工程，09—爆破工程）。三、四位为附录分类顺序码；五、六位为分部工程顺序码；七、八、九位为分项工程项目名称顺序码；十至十二位为清单项目名称顺序码。

如园林绿化工程中，用01 表示绿化工程，02 表示园路、园桥工程，03 表示园林景观工程，04 表示措施项目。第三级即用第五、第六两位代码作为分部分项或工种顺序代码，如园林绿化工程中有绿地整理、栽植花木、绿地喷灌三类工程，其代码分别是 01、02、03，加上前面的代码分别为050101、050102、050103。再如园路、园桥工程中，有园路、园桥和驳岸、护岸工程二类工程，其代码分别是01、02，加上前面的代码分别为050201、050202。园林景观工程中，有堆塑假山、原木和竹构件、亭廊屋面、花架、园林桌椅、喷泉安装、杂项七类工程，其代码分别是01、02、03、04、05、06、07，加上前面的代码分别为050301，050302，050303，050304，050305，050306，050307。第四级为第七、八、九三位数代码，是分项工程项目名称的顺序码。第五级为第十、十一、十二三位数代码，是清单编制人根据工程量清单编制的需要而自行设置的。

（2）项目名称。项目名称应按照规范中附录的项目名称并结合拟建工程的实际确定。项目名称如有缺项，招标人可按照相应的原则进行补充，并报当地工程造价管理部门备案。

（3）项目特征。项目特征应结合拟建工程项目的实际予以描述。项目特征的描述对编制分部分项工程工程量清单十分重要，因为即便是一个同名称项目，由于材料、型号、规格、材质要求不同，反映在综合单价上的差别甚大。通过对项目特征的描述，使清单项目名称清晰化、具体化，这样更能够反映影响造价的主要因素。

例如：园路项目路面材料有混凝土路面、沥青路面、石材路面、卵石路面、片石路面等，石材应分块石、石板，砖砌应分为平砌、侧砌，卵石应分选石、选色、拼花、不拼花等，这些都应该在工程量清单里进行描述。

（4）分部分项工程工程量清单计量单位。工程量是指以物理计量单位或自然计量单位所表示的各分项工程或结构构件的具体数量。计量单位应采用基本单位，除各专业另有特殊规定外，均按以下单位计量：

1）以重量计算的项目以“t”或“kg”计算。

2）以体积计算的项目以“m^3”计算。

3）以面积计算的项目以“m^2”计算。

4）以长度计算的项目以“m”计算。

5）以自然计量单位计算的项目以“个”“套”“块”“组”计算。

6）没有具体数量的项目以“项”计算。

计算工程量的有效位数应遵守下列规定：

1）以“t”为单位，应保留小数点后三位数字，第四位小数四舍五入。

2）以“m”“m^2”“m^3”为单位，应保留小数点后两位数字，第三位小数四舍五入。

3）以“株”“丛”“个”“根”“座”“块”等为单位，应取整数。

（5）工程量的计算。工程量计算必须按照相关工程现行国家计量规范规定的工程量计算规则计算。工程量必须以承包人完成工程合同应予计量的工程量确定。除另有说明外，所有清单项目的工程量应以实际工程量为准，并以完成后的净值计算。投标人在报价时，应在单价中考虑施工中的各种损耗和需要增加的工程量。

（6）其他工程量清单的编制。编制工程量清单出现附录中未包括的项目，编制人应做补充，补充项目的编码由本规范的代码05与B和三位阿拉伯数字组成，并从05B001起顺序编码，同一招标项目的编码不得重码。补充的工程量清单需附有补充项目的名称、项目特征、计量单位、工程量计算规则、工作内容。不能计量的措施项目，需附有补充项目的名称、工作内容及包含范围。

（二）工程量清单计价解读

工程量清单计价解读

1. 工程量清单计价的概念

工程量清单计价是指在建设工程招标投标中，招标人或委托具有相应资质的中介机构编制反映工程实体消耗和措施性消耗的工程量清单，并作为招标文件的一部分提供给投标人，由投标人依据工程量清单自主报价的一种计价方式。

2. 工程量清单计价费用项目组成

工程量清单报价应采用综合单价计价，综合单价中综合了工程直接费、间接费、利润等其他费用。工程量清单报价应包括清单所列项目的全部费用，分部分项工程费、措施项目费、其他项目费和规费以及税金等五项内容。

工程量清单计价应包括按招标文件及技术规范、设计图等规定，实施和完成合同工程所需的人工、材料、材料检验试验、机械、措施、规费、管理、保险、利润、税金等全部费用，以及合同文件规定的应由承包人承担的所有责任、义务和一定的风险。这些费用应包括在分部分项工程费、措施项目费、其他项目费和规费、税金等组成部分中。

3. 工程量清单报价的格式

（1）工程量清单计价应采用统一格式。工程量清单计价格式要随招标文件发至投标人，由投标人填写。计价格式见本项目各个任务。

（2）填表须知。

1）工程量清单与计价格式中所有要求签字、盖章的地方，必须由规定的单位和人员签字、盖章。

2）工程量清单与计价格式中除另有规定外，任何内容不得修改。

3）工程量清单与计价格式中要求填报的单价和合价，投标人均应填报，未填报的单价与合价，视为此项费用已包含在工程量清单的其他单价与合价中。

4）金额（价格）以招标文件规定的币种表示。

（3）编制总说明。

（4）投标总价。

（5）分部分项工程量清单计价表。

（6）单位工程费汇总表。

（7）单位工程费汇总表（含主材、管理费和利润）。

（8）措施项目清单与计价。

（9）其他项目清单与计价表。

（10）暂列金额明细表。

（11）暂估价表。

（12）总承包服务费计价表。

（13）计日工表。

（14）招标人供应材料、设备明细表。

（15）主要材料、设备明细表。

（16）分部分项工程工程量清单综合单价分析表。

（17）措施项目费分析表。

（18）签证及索赔计价表。

（19）规费明细表。

以上表格形式参见本项目的各个任务。

4. 工程量清单计价过程

工程量清单计价过程可以分为两个阶段：工程量清单编制阶段和工程量清单报价阶段。

工程量清单编制阶段主要是招标单位在统一的工程量计算规则的基础上制定工程量清单项目，并根据具体工程的施工图统一计算出各个清单项目的工程量。报价阶段是投标单位综合工程造价信息和经验数据，结合工程量清单计算得到工程造价。工程量清单计价过程如图 3-1-1 所示。

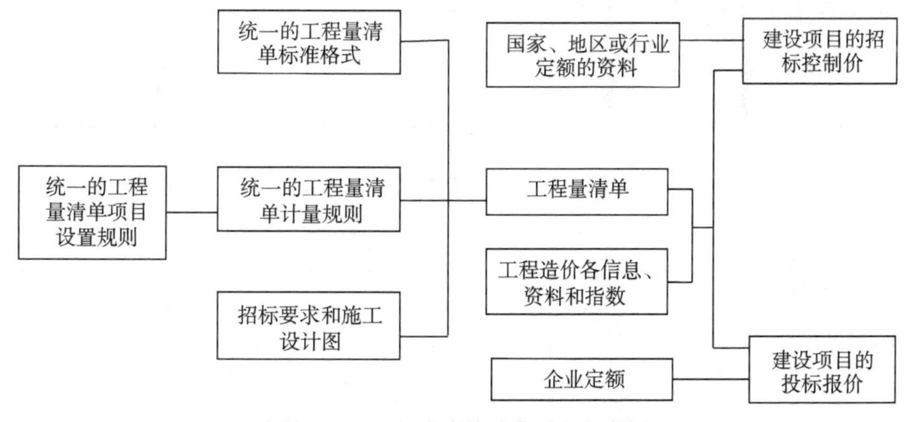

图 3-1-1　工程量清单计价过程示意图

5. 熟悉工程量清单编制及清单计价方法

根据以上清单计价流程，结合实际，介绍一下分部分项工程工程量清单综合单价计算方法，其他步骤不多做介绍。

综合单价是报价人在保持企业最低成本的基础上，所提出的分部分项工程的竞争单价。所谓最低成本，一是完成分部分项工程所需的人工费、机械费、材料费，这三者应是在保证工程质量的前提下，使所用人工最少，材料价格最低；二是精简机构减少管理费用，采取薄利多销策略，使管理费和利润率降低，只有这样形成的单价才具有竞争力。

这里注意，编制标底与投标报价在计算工程量清单综合单价时稍有区别。

编制标底是指招标人或委托制标机构，根据招标项目所需的工程费用，预算出其工程总造价的费用文件。招标标底的计价标准，是根据政府主管部门颁发的统一基价表及费用文件。

综合单价是指完成一个规定清单项目所需的人工费、材料费、机械费、管理费、利润以及一定范围内的风险费用。这些费用的计算方法如下：

（1）综合单价中的人工费、材料费、机械费的计算。可根据定额按下式计算：

人工费 = Σ（分部分项工程工程量 ×定额人工费）

材料费 = Σ（分部分项工程工程量 × 定额材料费）

机械费 = Σ（分部分项工程工程量 ×定额机械费）

（2）综合单价中管理费和利润的计算。应按照当地计价管理办法，计费方法如下：

管理费 = （人工费 + 机械费） ×管理费率

利润 = （人工费 + 机械费） ×利润率

（3）综合单价中风险因素的计算。应根据工程费大小、施工现场条件等，由施工企业自行确定。如果考虑风险因素，应根据风险大小制定一个风险因素费率，可按下式计算：

风险因素费 = （人工费 + 材料费 + 机械费） ×风险因素费率

（4）综合单价的计算。综合单价是上述费用的合价：

综合单价 = 人工费 + 材料费 + 机械费 + 管理费 + 利润 + 风险因素费

三、任务实施

（1）师生共同分析园林工程实例的工程量清单及计价表。

（2）教师设置若干问题，学生分组讨论。

四、学习评价

学习评价标准	分值	教学评价			总评
		小组评价 40%	学生自评 20%	教师评价 40%	
理论知识学习，正确掌握	20				
回答教师提问，正确	20				
自学能力	20				
完成任务态度	20				
出勤情况	20				
小计	100				

五、复习思考

（1）什么是工程量清单？工程量清单主要包括哪些内容？

（2）什么是工程量清单计价？工程量清单计价的格式有哪些？

（3）以某一园林分部分项工程为例，简述分部分项工程工程量清单的编制程序。

（4）绘制园林工程工程量清单计价表格样式。

六、总结

重点：（1）工程量清单表格。

（2）工程量清单计价表格。

难点：（1）工程量清单表格的编制。

（2）工程量清单计价表格的编制。

任务二　园林绿化工程工程量清单计价

一、任务描述

任务描述及相关知识

（一）任务说明

（1）项目简介。根据园林绿化种植工程平面图（图2-2-1）和绿化种植工程植物配置表，结合《园林绿化工程工程量清单计算规范》（GB 50858—2013）编制该项目工程量清单，并利用《河北省园林绿化工程消耗量定额（2013版）》进行报价。绿化种植工程工程量计算表见表3-2-1。

（2）掌握绿化工程清单的编制方法，并能依据工程量清单进行自主报价。

表3-2-1　绿化种植工程工程量计算表

序号	分项工程名称	单位	规格	数量	备　注
1	整理绿化地	m^2		5000	
2	栽植油松	株	胸径＝8cm	52	
3	栽植水蜡球	株	$H=1.5$m	72	
4	大叶黄杨篱	m	$H=1.2$m	49	单排种植5株/m
5	玫瑰	m^2		300	16株/m^2
6	铺种野牛草	m^2		600	满铺

（二）任务要求

（1）结合《园林绿化工程工程量清单计算规范》（GB 50858—2013）编制该项目工程量清单。

（2）根据已完成工程量清单，结合《河北省园林绿化工程消耗量定额（2013版）》，进行自主报价。

二、相关知识

（1）绿地整理工程工程量清单项目设置及工程量计算规则，见表3-2-2。

表3-2-2　绿地整理工程工程量清单项目设置及工程量计算规则

项目编码	项目名称		计量单位	工程量计算规则	工作内容
050101001	砍伐乔木	树干胸径	株	按数量计算	（1）砍伐 （2）废弃物运输 （3）场地清理
050101002	挖树根	地径			（1）挖树根 （2）废弃物运输 （3）场地清理
050101003	砍挖灌木丛及根	丛高或蓬径	（1）株（丛） （2）m^2	（1）以株计量，按数量计算 （2）以平方米计算，按面积计算	（1）砍挖 （2）废弃物运输 （3）场地清理
050101004	砍挖竹及根	盘直径	株（丛）	按数量计算	
050101005	砍挖芦苇（或其他水生植物）及根	根盘丛径	m^2	按面积计算	
050101006	清除草皮	草皮种类			（1）除草 （2）废弃物处理 （3）场地清理
050101007	清除地被植物	植物种类			（1）清除植物 （2）废弃物处理 （3）场地清理
050101008	屋面清理	（1）屋面做法 （2）屋面高度		按设计图示尺寸以面积计算	（1）原屋面清扫 （2）废弃物处理 （3）场地清理
050101009	种植土回(换）填	（1）回填土质要求 （2）取土运距 （3）回填厚度 （4）弃土运距	（1）m^3 （2）株	（1）以立方米计量，按设计图示回填面积乘以回填厚度以体积计算 （2）以株计量，按设计图示数量计算	（1）土方挖、运 （2）回填 （3）找平、找坡 （4）废弃物运输
050101010	整理绿化用地	（1）回填土质要求 （2）取土运距 （3）回填厚度 （4）找平、找坡要求 （5）弃渣运距	m^2	按设计图示尺寸以面积计算	（1）排地表水 （2）土方挖、运 （3）耙细、过筛 （4）回填 （5）找平、找坡 （6）拍实 （7）废弃物运输

（2）栽植花木工程工程量清单项目设置及工程量计算规则，见表3-2-3。

表3-2-3　栽植花木工程工程量清单项目设置及工程量计算规则

<table>
<tr><th>项目编码</th><th>项目名称</th><th>项目特征</th><th>计量单位</th><th>工程量计算规则</th><th>工作内容</th></tr>
<tr><td>050102001</td><td>栽植乔木</td><td>（1）种类
（2）胸径或干径
（3）株高、冠径
（4）起挖方式
（5）养护期</td><td>株</td><td>按设计图示数量计算</td><td rowspan="7">（1）起挖
（2）运输
（3）栽植
（4）养护</td></tr>
<tr><td>050102002</td><td>栽植灌木</td><td>（1）种类
（2）根盘直径
（3）灌丛高
（4）蓬径
（5）起挖方式
（6）养护期</td><td>（1）株
（2）m^2</td><td>（1）以株计量，按设计图示数量计算
（2）以平方米计量，按设计图示尺寸以绿化水平投影面积计算</td></tr>
<tr><td>050102003</td><td>栽植竹类</td><td>（1）竹种类
（2）竹胸径或根盘丛径
（3）养护期</td><td>株（丛）</td><td rowspan="2">按设计图示数量计算</td></tr>
<tr><td>050102004</td><td>栽植棕榈类</td><td>（1）种类
（2）株高、地径
（3）养护期</td><td>株</td></tr>
<tr><td>050102005</td><td>栽植绿篱</td><td>（1）种类
（2）篱高
（3）行数、蓬径
（4）单位面积株数
（5）养护期</td><td>m/m^2</td><td>（1）以米计量，按设计长度以延长米计算
（2）以平方米计量，按设计图示尺寸以绿化水平投影面积计算</td></tr>
<tr><td>050102006</td><td>栽植攀缘植物</td><td>（1）植物种类
（2）地径
（3）单位长度株数
（4）养护期</td><td>（1）株
（2）m</td><td>（1）以株计量，按设计图示数量计算
（2）以米计量，按设计图示的种植长度以延长米计算</td></tr>
<tr><td>050102007</td><td>栽植色带</td><td>（1）苗木花卉种类
（2）株高或蓬径
（3）单位面积株数
（4）养护期</td><td>m^2</td><td>按设计图示尺寸以绿化水平投影面积计算</td></tr>
<tr><td>050102008</td><td>栽植花卉</td><td>（1）花卉种类
（2）株高或蓬径
（3）单位面积株数
（4）养护期</td><td>（1）株（丛，缸）
（2）m^2</td><td rowspan="2">（1）以株（丛，缸）计量，按设计图示数量计量
（2）以平方米计量，按设计图示尺寸以水平投影面积计算</td><td rowspan="2">（1）起挖
（2）运输
（3）栽植
（4）养护</td></tr>
<tr><td>050102009</td><td>栽植水生植物</td><td>（1）植物种类
（2）株高或蓬径或芽数/株
（3）单位面积株数
（4）养护期</td><td>（1）株（丛，缸）
（2）m^2</td></tr>
</table>

（续）

项目编码	项目名称	项目特征	计量单位	工程量计算规则	工作内容
050102010	垂直墙体绿化种植	（1）植物种类 （2）生长年数或地（干）径 （3）栽植容器材质、规格 （4）栽植基质种类、厚度 （5）养护期	（1）m^2 （2）m	（1）以平方米计量，按设计图示尺寸以绿化水平投影面积计算 （2）以米计量，按设计图示种植长度以延长米计算	（1）起挖 （2）运输 （3）栽植容器安装 （4）栽植 （5）养护
050102011	花卉立体布置	（1）草本花卉种类 （2）高度或蓬径 （3）单位面积株数 （4）种植形式 （5）养护期	（1）单体（处） （2）m^2	（1）以单体（处）计量，按设计图示数量计算 （2）以平方米计量，按设计图示尺寸以面积计算	（1）起挖 （2）运输 （3）栽植 （4）养护
050102012	铺种草皮	（1）草皮种类 （2）铺种方式 （3）养护期			（1）起挖 （2）运输 （3）铺底砂（土） （4）栽植 （5）养护
050102013	喷播植草（灌木）籽	（1）基层材料种类和规格 （2）草（灌木）籽种类 （3）养护期	m^2	按设计图示尺寸以绿化水平投影面积计算	（1）基层处理 （2）坡地细整 （3）喷播 （4）覆盖 （5）养护
050102014	植草砖内植草	（1）草坪种类 （2）养护期			（1）起挖 （2）运输 （3）覆土（砂） （4）铺设 （5）养护
050102015	挂网	（1）种类 （2）规格	m^2	按设计图示尺寸以挂网投影面积计算	（1）制作 （2）运输 （3）安放
050102016	箱（钵）栽植	（1）箱/钵体材料品种 （2）箱/钵体外型尺寸 （3）栽植植物种类和规格 （4）土质要求 （5）防护材料种类 （6）养护期	个	按设计图示箱/钵数量计算	（1）制作 （2）运输 （3）安放 （4）栽植 （5）养护

三、任务实施

任务实施

（一）识图并熟悉清单规则，及清单计价应注意的问题

（1）整理绿化地项目中，如果原地的土质不能满足绿化施工的要求，需外购种植土时，相应清单报价中应包括外购土方的价格。

（2）苗木栽植项目中，如苗木由市场购入，投标人则不计起苗、临时假植、苗木包装等费用，如苗木由甲方提供，则报价时不再另行计算苗木费。

（3）苗木的养护期应按照招标文件要求的时间计算，定额单价默认养护期1年，如需增加养护年限，报价时可在工程数量或定额单价中调整。

（4）清单计价是一种量价分离的计价模式，在报价时企业可根据自身情况，结合市场价格进行自主报价，也可参照各省市发布的消耗量定额计价。

（二）核实工程量清单

清单计价模式在报价时虽然是按照招标单位提供的统一的工程量清单进行报价，但是为了保证清单工程量的准确性，投标单位在投标报价之前有必要对招标单位提供的工程量清单项目及数量进行核实，如清单项目确有错误或遗漏，投标单位应及时向招标单位提出，并由招标单位进行澄清和变更。

（三）工程量清单计价

（1）应用计价软件编写该绿化种植工程工程量清单并进行报价。分别利用广联达及新奔腾计价软件，编写该绿化种植工程分部分项工程工程量清单并进行组价，见表3-2-4。

表3-2-4　分部分项工程工程量清单与计价表

工程名称：某园林绿化工程

序号	项目编码	项目名称	项目特征描述	计量单位	工程量	金额（元）		
						综合单价	合价	其中：暂估价
1		050101 绿地整理						
2	050101010001	整理绿化用地	（1）回填土质要求：密实状态 （2）取土运距：50m以内 （3）回填厚度：30cm （4）弃渣运距：50m以内	m^2	5000.00	3.57	17850.00	
3		050102 栽植花木						
4	050102001001	栽植乔木油松	（1）种类：油松 （2）胸径或干径：8cm （3）起挖方式：带土球 （4）养护期：1年	株	52.00	2668.23	138747.96	

（续）

序号	项目编码	项目名称	项目特征描述	计量单位	工程量	金额（元）		
						综合单价	合价	其中：暂估价
5	050102002001	栽植灌木水蜡	（1）起挖方式：裸根 （2）养护期：1年 （3）种类：水蜡 （4）冠丛高：1.5m	株	72.00	84.84	6108.48	
6	050102005001	栽植绿篱大叶黄杨篱	（1）种类：大叶黄杨篱 （2）篱高：1.2m （3）行数、蓬径：单排 （4）单位面积株数：25株 （5）养护期：1年	m	20.00	345.22	6904.40	
7	050102008001	栽植花卉玫瑰	（1）花卉种类：玫瑰 （2）单位面积株数：16株 （3）养护期：1年	株（丛、缸）	300.000	41.08	12324.00	
8	050102012001	铺种草皮野牛草	（1）草皮种类：野牛草 （2）铺种方式：满铺 （3）养护期：1年	m^2	600.000	54.01	32406.00	
合　计							214340.84	

（2）编制其他项目清单（表3-2-5）。

表3-2-5　其他项目清单与计价汇总表

工程名称：某园林绿化工程

序号	项目名称	计量单位	金额（元）	备注
1	暂列金额	项		
2	暂估价			
2.1	材料暂估价			
2.2	专业工程暂估价	项		
3	计日工			
4	总承包服务费			
5	风险费			

（3）编制单价措施项目工程量清单与计价表（表3-2-6）。

表 3-2-6　单价措施项目工程量清单与计价表

工程名称：某园林绿化工程

序号	项目编码	项目名称	项目特征	计量单位	工程量	金额（元）	
						综合单价	合价
1	050403001001	树木支撑架	（1）支撑类型、材质：木棍桩 （2）支撑材料规格：单根桩长1.2m （3）单株支撑材料数量：4脚桩	株	52.000	19.93	1036.36

（4）编制总价措施项目清单与计价表（表3-2-7）。

表 3-2-7　总价措施项目清单与计价表

工程名称：某道路绿化工程

序号	项目编码	项目名称	金额（元）
1　安全生产、文明施工费			
1	050405001001	安全生产、文明施工费	9530.09
		小计	9530.09
2　其他总价措施项目			
2	050405002001	夜间施工增加费	113.77
3	050405004001	二次搬运费	331.73
4	050405008001	成品保护费	197.84
5	050405B02001	雨季施工增加费	403.81
6	050405B03001	生产工具用具使用费	642.86
7	050405B04001	检验试验配合费	44.40
8	050405B05001	工程定位复测及竣工清理费	178.86
9	050405B06001	临时停水、停电费	120.64
10	050405B07001	繁华地段交叉施工增加费	187.51
11	050405B08001	高台增加费	0.00

（5）编制单位工程费用汇总表（表3-2-8）。

表 3-2-8　单位工程费用汇总表

工程名称：某道路绿化工程

序号	名　称	计算基数	费率（%）	金额（元）	其中：（元）		
					人工费	材料费	机械费
1	分部分项工程工程量清单计价合计	分部分项合计		214340.84	35289.72	171542.16	3268.04
2	措施项目清单计价合计	单价措施项目工程量清单计价合计+其他总价措施项目清单计价合计		3257.78	1101.13	1681.95	318.27

（续）

序号	名 称	计 算 基 数	费率（%）	金额（元）	其中：（元）		
					人工费	材料费	机械费
2.1	单价措施项目工程量清单计价合计	单价措施项目		1036.36	243.36	765.96	
2.2	其他总价措施项目清单计价合计	其他总价措施项目		2221.42	857.77	915.99	318.27
3	其他项目清单计价合计	其他项目合计					
4	规费	规费合计		3459.88			
5	安全生产、文明施工费	安全生产、文明施工费		9530.09			
6	税前工程造价	分部分项工程工程量清单计价合计+措施项目清单计价合计+其他项目清单计价合计+规费+安全生产、文明施工费		230588.59			
6.1	其中：进项税额	见增值税进项税额计算汇总表		14433.44			
7	销项税额	税前工程造价-其中：进项税额	9.000	19453.96			
8	增值税应纳税额	销项税额-其中：进项税额		5020.52			
9	附加税费	增值税应纳税额	13.220	663.71			
10	税金	增值税应纳税额+附加税费		5684.23			
	合计			236272.82	36390.85	173224.11	3586.31

（6）投标总价

投标总价

招标人：________________________________

工程名称：________________________________

投标总价（小写）：236272.82元

（大写）：贰拾叁万陆仟贰佰柒拾贰元捌角贰分整

投标人：________________________________（单位盖章）

法定代表人或

委托代理人：________________________________（签字盖章）

造价工程师

或造价员：________________________________（签字盖执业专用章）

编制时间：________年________月________日

四、学习评价

学习评价标准	分值	教学评价			总评
		小组评价 40%	学生自评 20%	教师评价 40%	
收集资料情况，主要资料齐全	5				
识读图样和施工内容，基本正确	10				
工程项目划分，正确	10				
工程量的计算，正确	20				
定额套用，正确	20				
计价表格编写，完整	10				
自学能力	5				
综合运用知识能力	10				
完成任务态度	5				
出勤情况	5				
小计	100				

五、复习思考

（1）简述园林绿化工程工程量计算的步骤。

（2）简述园林绿化工程工程量清单及清单计价的步骤和内容。

（3）绘制园林工程工程量清单的表格样式。

六、总结

重点：（1）工程量清单计价所包含的内容、格式。

（2）工程量清单计价编制的原则、要求和编制步骤。

难点：园林绿化工程工程量清单计价步骤、过程。

任务三　园路工程工程量清单计价

一、任务描述

园路工程工程量清单计价

（一）任务说明

某广场北侧有一个停车位及外围机动车停车位铺装工程，具体结构如图3-3-1～图3-3-4所示，其工程量清单见表3-3-1，请按照工程量清单计价方式计算园路铺装工程造价。

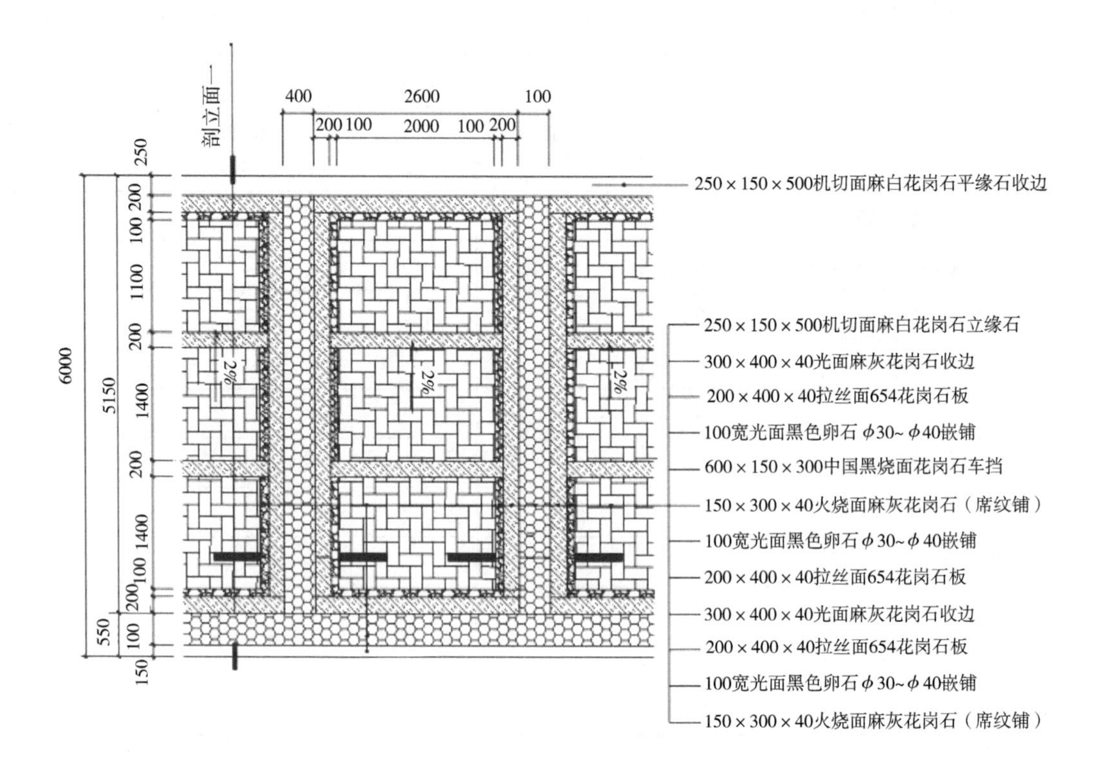

图 3-3-1　广场北侧停车位大样图

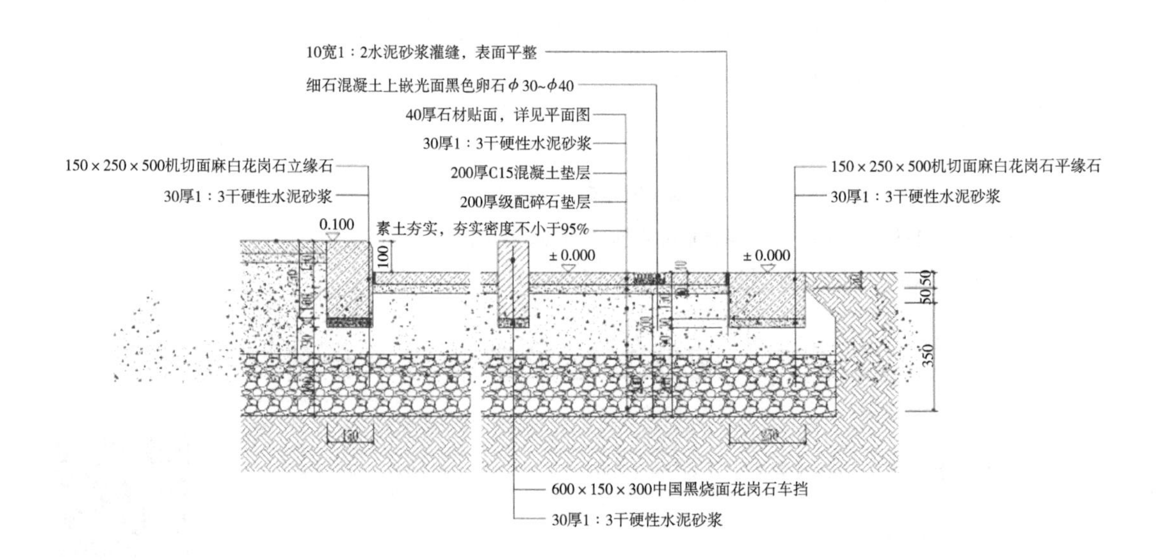

图 3-3-2　广场北侧停车位剖立面（详图）

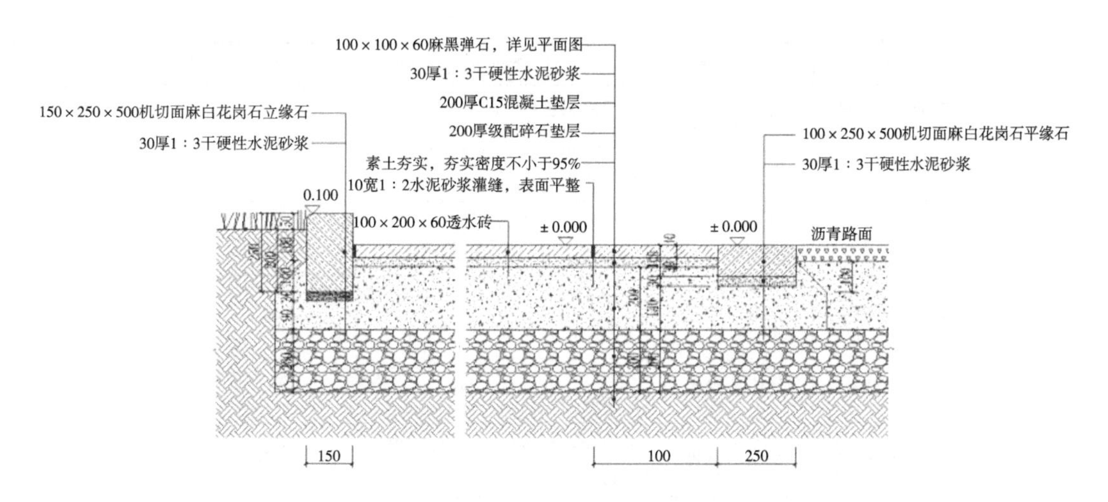

图 3-3-3　非机动车停车位剖立面（详图）

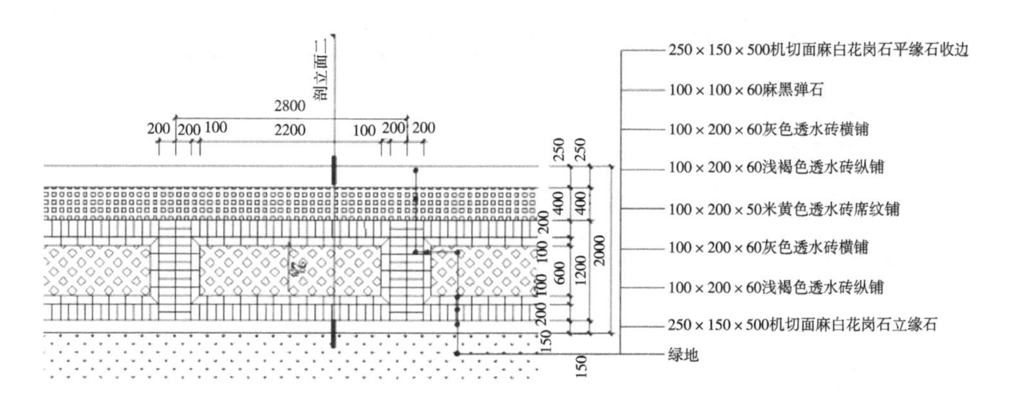

图 3-3-4　非机动车停车位大样图

表 3-3-1　园路铺装工程工程量清单

序号	项目编码	项目名称	项目特征描述	计量单位	工程数量
1	040201020001	机动车停车位垫层基础	200mm 厚碎石垫层 200mm 厚 C15 混凝土垫层	m^2	229.4
2	050201003001	平缘石铺设	250mm × 100mm × 500mm 机切面麻白花岗石平缘石	m	36.8
3	050201003002	立缘石铺设	150mm × 250mm × 500mm 机切面麻白花岗石立缘石	m	49.6
4	050201001001	花岗石铺设	300mm ×400mm ×40mm 光面麻灰花岗石	m^2	41.6
5	050201001002	花岗石铺设	200mm ×400mm ×40mm 拉丝面 654 花岗石板	m^2	46.08
6	050201001003	花岗石铺设	150mm ×300mm ×40mm 火烧面麻灰花岗石（席纹铺）	m^2	100.8

（续）

序号	项目编码	项目名称	项目特征描述	计量单位	工程数量
7	050201001004	花岗石铺设	光面黑色卵石	m^2	15.36
8	050201003003	车挡铺设	600mm × 150mm × 300mm 中国黑烧面花岗石车挡	m	14.4
9	040201020002	外围机动车停车位垫层基础	200mm 厚碎石垫层 200mm 厚 C15 混凝土垫层	m^2	382.5
10	050201003004	立缘石铺设	150mm × 250mm × 500mm 机切面麻白花岗石立缘石	m	245.5
11	050201003005	平缘石铺设	100mm × 250mm × 500mm 机切面麻白花岗石平缘石	m	181.4
12	050201001005	花岗石铺设	100mm × 100mm × 60mm 麻黑弹石	m^2	91.85
13	050201001006	透水砖铺设	100mm × 200mm × 60mm 透水砖	m^2	80.7
14	050201001007	植草砖铺设	80mm 厚深绿色植草砖	m^2	166.4

（二）任务要求

（1）根据结构图核实工程量清单。

（2）根据图样和清单表编制工程量清单计价表。

二、相关知识

1. 园路工程工程量计算规则

园路工程工程量计算规则表见表3-3-2。

表3-3-2　园路工程工程量计算规则表

项目编码	项目名称	项目特征	计量单位	工程量计算规则	工作内容
050201001	园路	（1）路床土石类别 （2）垫层厚度、宽度、材料种类 （3）路面厚度、宽度、材料种类 （4）砂浆强度等级	m^2	按设计图示尺寸以面积计算，不包括路牙	（1）路基路床整理 （2）垫层铺筑 （3）路面铺筑 （4）路面养护
050201002	踏（蹬）道			按设计图示尺寸以水平投影面积计算，不包括路牙	
050201003	路牙铺设	（1）垫层厚度、材料种类 （2）路牙厚度、材料种类 （3）砂浆强度等级	m	按设计图示尺寸以长度计算	（1）基层清理 （2）垫层铺设 （3）路牙铺设
050201004	树池围牙，盖板（箅子）	（1）围牙材料种类、规格 （2）铺设方式 （3）盖板材料种类、规格	（1）m （2）套	（1）以米计量，按设计图示尺寸以长度计算 （2）以套计量，按设计图示数量计算	（1）清理基层 （2）围牙盖板运输 （3）围牙盖板铺设

（续）

项目编码	项目名称	项目特征	计量单位	工程量计算规则	工作内容
050201005	嵌草砖（格）铺装	（1）垫层厚度 （2）铺设方式 （3）嵌草砖品种、规格、颜色	m^2	按设计图示尺寸以面积计算	（1）原土夯实 （2）垫层铺设 （3）铺砖

2. 工程量计算的具体步骤

（1）根据施工图，结合施工方案，按照一定顺序列出分部分项工程项目名称，所列名称与采用的定额预算中对应的项目名称要一致。

（2）列出工程量计算式。分部分项名称列出后，根据施工图所示尺寸以及工程量计算规则分别列出计算公式。

（3）调整计量单位。必须将计算的工程量单位按照预算定额中相应项目规定的计量单位进行调整，使得计量单位达到统一，以便各项的计算。

三、任务实施

（一）识图并熟悉工程量清单规则

（二）核实工程量清单

（三）工程量清单计价

1. 编制分部分项工程工程量清单综合单价分析表

根据上述工程量，编制分部分项工程工程量清单综合单价分析表，见表3-3-3～表3-3-16。

表3-3-3　分部分项工程工程量清单综合单价分析表（一）

工程名称：

项目编码	040201020001		项目名称		机动车停车位垫层基础			计量单位				m^2	
清单综合单价组成明细													
定额编号	定额名称	单位	数量	单价					合价				
				人工费	材料费	机械费	管理费	利润	人工费	材料费	机械费	管理费	利润
1-121	平整场地	$10m^2$	0.1	38.25	0	0	14.15	4.59	3.83	0	0	1.42	0.46
1-122	原土打夯	$10m^2$	0.1	6.71	0	1.16	2.91	0.94	0.67	0	0.12	0.29	0.09
1-750	垫层碎石干铺	m^3	0.2	40.99	143.35	1.93	15.88	5.15	8.2	28.67	0.39	3.18	1.03
1-753	垫层	m^3	0.2	54.9	342.78	2.18	21.12	6.85	10.98	68.56	0.44	4.22	1.37
综合工日		小计							23.68	97.23	0.95	9.11	2.95
工日		未计价材料费											
清单项目综合单价									133.92				

表 3-3-4 分部分项工程工程量清单综合单价分析表（二）

工程名称：

项目编码		050201003001		项目名称	平缘石铺设						计量单位		m
清单综合单价组成明细													
定额编号	定额名称	单位	数量	单价					合价				
				人工费	材料费	机械费	管理费	利润	人工费	材料费	机械费	管理费	利润
3-525换	园路 250mm×100mm×500mm	10m	0. 1	68. 32	1545. 55	17. 44	12. 98	9. 56	6. 83	154. 56	1. 74	1. 3	0. 96
综合工日		小计							6. 83	154. 56	1. 74	1. 30	0. 96
工日		未计价材料费											
清单项目综合单价									165. 39				

表 3-3-5 分部分项工程工程量清单综合单价分析表（三）

工程名称：

项目编码		050201003002		项目名称	立缘石铺设						计量单位		m
清单综合单价组成明细													
定额编号	定额名称	单位	数量	单价					合价				
				人工费	材料费	机械费	管理费	利润	人工费	材料费	机械费	管理费	利润
3-525换	园路 150mm×250mm×500mm	10m	0. 1	68. 32	1747. 55	17. 44	12. 98	9. 56	6. 83	174. 76	1. 74	1. 3	0. 96
综合工日		小计							6. 83	174. 76	1. 74	1. 30	0. 96
工日		未计价材料费											
清单项目综合单价									185. 59				

表 3-3-6 分部分项工程工程量清单综合单价分析表（四）

工程名称：

项目编码		050201001001		项目名称	花岗石铺设						计量单位		m^2
清单综合单价组成明细													
定额编号	定额名称	单位	数量	单价					合价				
				人工费	材料费	机械费	管理费	利润	人工费	材料费	机械费	管理费	利润
1-775换	块料面层 300mm×400mm×40mm	$10m^2$	0. 1	308. 9	2263. 32	17. 25	120. 68	39. 14	30. 89	226. 33	1. 73	12. 07	3. 91
综合工日		小计							30. 89	226. 33	1. 73	12. 07	3. 91
工日		未计价材料费											
清单项目综合单价									274. 93				

表 3-3-7　分部分项工程工程量清单综合单价分析表（五）

工程名称：

项目编码	050201001002	项目名称	花岗石铺设						计量单位				m^2
清单综合单价组成明细													
定额编号	定额名称	单位	数量	单价					合价				
				人工费	材料费	机械费	管理费	利润	人工费	材料费	机械费	管理费	利润
1-775换	块料面层 200mm × 400mm × 40mm	$10m^2$	0.1	308.9	2263.32	17.25	120.68	39.14	30.89	226.33	1.73	12.07	3.91
综合工日		小计							30.89	226.33	1.73	12.07	3.91
工日		未计价材料费											
清单项目综合单价									274.93				

表 3-3-8　分部分项工程工程量清单综合单价分析表（六）

工程名称：

项目编码	050201001003	项目名称	花岗石铺设						计量单位				m^2
清单综合单价组成明细													
定额编号	定额名称	单位	数量	单价					合价				
				人工费	材料费	机械费	管理费	利润	人工费	材料费	机械费	管理费	利润
1-775换	块料面层 150mm × 300mm × 40mm	$10m^2$	0.1	308.9	2161.32	17.25	120.68	39.14	30.89	216.13	1.73	12.07	3.91
综合工日		小计							30.89	216.13	1.73	12.07	3.91
工日		未计价材料费											
清单项目综合单价									264.73				

表 3-3-9　分部分项工程工程量清单综合单价分析表（七）

工程名称：

项目编码	050201001004	项目名称	花岗石铺设						计量单位				m^2
清单综合单价组成明细													
定额编号	定额名称	单位	数量	单价					合价				
				人工费	材料费	机械费	管理费	利润	人工费	材料费	机械费	管理费	利润
3-522换	园路卵石	$10m^2$	0.1	488	700.33	14.79	92.72	68.32	48.80	70.03	1.48	9.27	6.83
综合工日		小计							48.80	70.03	1.48	9.27	6.83
工日		未计价材料费											
清单项目综合单价									136.41				

表3-3-10　分部分项工程工程量清单综合单价分析表（八）

工程名称：

项目编码	050201003003	项目名称	车挡铺设					计量单位				m
清单综合单价组成明细												
定额编号	定额名称	单位	数量	单价					合价			
				人工费	材料费	机械费	管理费	利润	人工费	材料费	机械费	管理费	利润
3-525换	园路600mm×150mm×300mm	10m	0.1	68.32	2050.55	17.44	12.98	9.56	6.83	205.06	1.74	1.3	0.96
综合工日		小计							6.83	205.06	1.74	1.30	0.96
工日		未计价材料费											
清单项目综合单价									215.89				

表3-3-11　分部分项工程工程量清单综合单价分析表（九）

工程名称：

项目编码	040201020002	项目名称	外围机动车停车位垫层基础						计量单位				m^2
清单综合单价组成明细													
定额编号	定额名称	单位	数量	单价					合价				
				人工费	材料费	机械费	管理费	利润	人工费	材料费	机械费	管理费	利润
1-121	平整场地	$10m^2$	0.1	38.25	0	0	14.15	4.59	3.83	0	0	1.42	0.46
1-122	原土打夯	$10m^2$	0.1	6.71	0	1.16	2.91	0.94	0.67	0	0.12	0.29	0.09
1-750	垫层碎石	m^3	0.2	40.99	143.35	1.93	15.88	5.15	8.2	28.67	0.39	3.18	1.03
1-753	垫层混凝土	m^3	0.2	54.9	342.78	2.18	21.12	6.85	10.98	68.56	0.44	4.22	1.37
综合工日		小计							23.68	97.23	0.95	9.11	2.95
工日		未计价材料费											
清单项目综合单价									133.92				

表3-3-12　分部分项工程工程量清单综合单价分析表（十）

工程名称：

项目编码	050201003004	项目名称	立缘石铺设						计量单位				m
清单综合单价组成明细													
定额编号	定额名称	单位	数量	单价					合价				
				人工费	材料费	机械费	管理费	利润	人工费	材料费	机械费	管理费	利润
3-525换	园路150mm×250mm×500mm	10m	0.1	68.32	1747.55	17.44	12.98	9.56	6.83	174.76	1.74	1.3	0.96
综合工日		小计							6.83	174.76	1.74	1.30	0.96
工日		未计价材料费											
清单项目综合单价									185.59				

表 3-3-13　分部分项工程工程量清单综合单价分析表（十一）

工程名称：

项目编码	050201003005	项目名称	平缘石铺设						计量单位		m	
清单综合单价组成明细												
定额编号	定额名称	单位	数量	单价					合价			
				人工费	材料费	机械费	管理费	利润	人工费	材料费	机械费	管理费	利润
3-525换	园路 100mm×250mm×500mm	10m	0.1	68.32	1747.55	17.44	12.98	9.56	6.83	174.76	1.74	1.3	0.96
综合工日		小计							6.83	174.76	1.74	1.30	0.96
工日		未计价材料费											
清单项目综合单价									185.59				

表 3-3-14　分部分项工程工程量清单综合单价分析表（十二）

工程名称：

项目编码	050201001005	项目名称	花岗石铺设						计量单位		m^2		
清单综合单价组成明细													
定额编号	定额名称	单位	数量	单价					合价				
				人工费	材料费	机械费	管理费	利润	人工费	材料费	机械费	管理费	利润
1-775换	块料面层 100mm×100mm×60mm	$10m^2$	0.1	308.9	2773.32	17.25	120.68	39.14	30.89	277.33	1.73	12.07	3.91
综合工日		小计							30.89	277.33	1.73	12.07	3.91
工日		未计价材料费											
清单项目综合单价									325.93				

表 3-3-15　分部分项工程工程量清单综合单价分析表（十三）

工程名称：

项目编码	050201001006	项目名称	透水砖铺设						计量单位		m^2		
清单综合单价组成明细													
定额编号	定额名称	单位	数量	单价					合价				
				人工费	材料费	机械费	管理费	利润	人工费	材料费	机械费	管理费	利润
3-514	透水型混凝土面砖 200mm×100mm×60mm	$10m^2$	0.1	115.29	756.86	11.2	21.91	16.14	11.53	75.69	1.12	2.19	1.61
综合工日		小计							11.53	75.69	1.12	2.19	1.61
工日		未计价材料费											
清单项目综合单价									92.14				

表 3-3-16　分部分项工程工程量清单综合单价分析表（十四）

工程名称：

项目编码	050201001007	项目名称	植草砖铺设					计量单位		m^2	
清单综合单价组成明细											
定额编号	定额名称	单位	数量	单价					合价				
				人工费	材料费	机械费	管理费	利润	人工费	材料费	机械费	管理费	利润
3-518	植草砖	$10m^2$	0.1	93.94	596.5	9.73	17.85	13.15	9.39	59.65	0.97	1.79	1.32
综合工日		小计							9.39	59.65	0.97	1.79	1.32
工日		未计价材料费											
清单项目综合单价									73.12				

2. 编制分部分项工程工程量清单与计价表

将以上分析所得数据，填写到分部分项工程工程量清单与计价表内，结果见表3-3-17。

表 3-3-17　分部分项工程工程量清单与计价表

工程名称：

序号	项目编码	项目名称	项目特征描述	计量单位	工程数量	金额（元）	
						综合单价	合价
1	040201020001	机动车停车位垫层基础	200mm 厚碎石垫层 200mm 厚 C15 混凝土垫层	m^2	229.4	133.92	30721.25
2	050201003001	平缘石铺设	250mm × 100mm × 500mm 机切面麻白花岗石平缘石	m	36.8	165.39	6086.35
3	050201003002	立缘石铺设	150mm × 250mm × 500mm 机切面麻白花岗石立缘石	m	49.6	185.59	9205.26
4	050201001001	花岗石铺设	300mm×400mm×40mm 光面麻灰花岗石	m^2	41.6	274.93	11437.09
5	050201001002	花岗石铺设	200mm×400mm×40mm 拉丝面 654 花岗石板	m^2	46.08	274.93	12668.77
6	050201001003	花岗石铺设	150mm×300mm×40mm 火烧面麻灰花岗石（席纹铺）	m^2	100.8	264.73	26684.78
7	050201001004	花岗石铺设	光面黑色卵石	m^2	15.36	136.41	2095.26
8	050201003003	车挡铺设	600mm × 150mm × 300mm 中国黑烧面花岗石车挡	m	14.4	215.89	3108.82
9	040201020002	外围机动车停车位垫层基础	200mm 厚碎石垫层，200mm 厚 C15 混凝土垫层	m^2	382.5	133.92	51224.40
10	050201003004	立缘石铺设	150mm × 250mm × 500mm 机切面麻白花岗石立缘石	m	245.5	185.59	45562.35
11	050201003005	平缘石铺设	100mm × 250mm × 500mm 机切面麻白花岗石平缘石	m	181.4	185.59	33666.03

（续）

序号	项目编码	项目名称	项目特征描述	计量单位	工程数量	金额（元）	
						综合单价	合价
12	050201001005	花岗石铺设	100mm×100mm×60mm 麻黑弹石	m^2	91.85	325.93	29936.67
13	050201001006	透水砖铺设	100mm×200mm×60mm 透水砖	m^2	80.7	92.14	7435.70
14	050201001007	植草砖铺设	80mm 厚深绿色植草砖	m^2	166.4	73.12	12167.17
		总计					281999.90

3. 编制措施项目清单与计价表（表3-3-18）

表3-3-18　措施项目清单与计价表

工程名称：

序号	项目名称	计算基础	费率（%）	金额（元）
1	现场安全文明施工	1.1～1.3	100	3102
1.1	基本费	分部分项综合费用	0.7	1974
1.2	考评费	分部分项综合费用	0.4	1128
1.3	奖励费	分部分项综合费用	0	0
2	夜间施工	分部分项综合费用	0	0
3	冬雨季施工	分部分项综合费用	0	0
4	已完工程及设备保护	分部分项综合费用	0	0
5	临时设施	分部分项综合费用	0.7	1974
6	赶工措施	分部分项综合费用	0	0
7	工程按质论价	分部分项综合费用	0	0
8	住宅工程分户验收	分部分项综合费用	0	0
9	检验试验费	分部分项综合费用	0.06	169.2
	合计	1.1～9	100	5245.2

4. 编制规费、税金清单计价表（表3-3-19）

表3-3-19　规费、税金清单计价表

工程名称：

序号	项目名称	计算基础	费率（%）	金额（元）
1	规费	1.1～1.4	100	15978.45
1.1	工程排污费	分部分项综合费用+措施项目合计+其他项目合计	0.1	443.85
1.2	建筑安全监督管理费	分部分项综合费用+措施项目合计+其他项目合计	0	0

（续）

序号	项目名称	计算基础	费率（%）	金额（元）
1.3	社会保障费	分部分项综合费用+措施项目合计+其他项目合计	3	13315.37
1.4	住房公积金	分部分项综合费用+措施项目合计+其他项目合计	0.5	2219.23
2	税金	分部分项综合费用+措施项目合计+其他项目合计+1	3.48	16001.88
	合计	1+2	100	31980.33

5. 编制单位工程投标总价汇总表（表3-3-20）

表3-3-20　单位工程投标总价汇总表

工程名称：

序号	汇总内容	金额（元）	其中：暂估价
1	分部分项工程	281999.90	
1.1	广场北侧停车位及外围机动车停车位	281999.90	
2	措施项目	161845.78	
2.1	安全文明施工费	3102.00	
3	其他项目	0.00	
3.1	暂列金额	0.00	
3.2	专业工程暂估价	0.00	
3.3	计日工	0.00	
3.4	总承包服务费	0.00	
4	规费	15978.45	
5	税金	16001.88	
6	合计=1+2+3+4+5	475826.01	

6. 投标总价

投标总价

招标人：________________________________

工程名称：________________________________

投标总价(小写)：475826.01元

（大写）：肆拾柒万伍仟捌佰贰拾陆元零壹分整

投标人：________________________________（单位盖章）

法定代表人或

委托代理人：________________________________（签字盖章）

造价工程师

或造价员：________________________________（签字盖执业专用章）

编制时间：________年________月________日

7. 编制说明

8. 填写工程量清单封面

四、学习评价

学习评价标准	分值	教学评价			总评
		小组评价 40%	学生自评 20%	教师评价 40%	
收集资料情况，主要资料齐全	5				
识读图样和施工内容，基本正确	10				
工程项目划分，正确	10				
工程量的计算，正确	20				
定额套用，正确	20				
计价表格编写，完整	10				
自学能力	5				
综合运用知识能力	10				
完成任务态度	5				
出勤情况	5				
小计	100				

五、复习思考

（1）简述园路工程工程量计算规则。

（2）回顾复习工程量清单的编制方法、格式、内容组成。

（3）以一个园路工程为例，试着编制工程量清单，主要包括项目编码以及项目特征描述。

六、总结

重点：（1）园路工程工程量清单计算规则。

（2）园路工程工程量清单计价编制步骤。

难点：（1）园路工程工程量计算。

（2）园路工程工程量清单计价步骤、过程。

任务四　园桥工程工程量清单计价

一、任务描述

园桥工程工程量清单计价

（一）任务说明

某石拱桥示意图如图 3-4-1 所示，表 3-4-1 为石拱桥工程工程量清单。桥身块石挡墙顶部厚 400mm，底部厚 900mm；望柱高 850mm，桥面板及踏步用花岗石平均厚 100mm。地伏石宽 300mm，三类土。

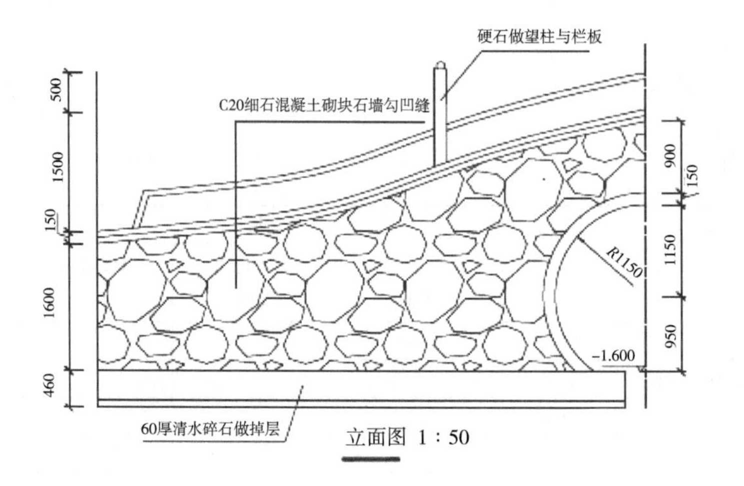

立面图 1∶50

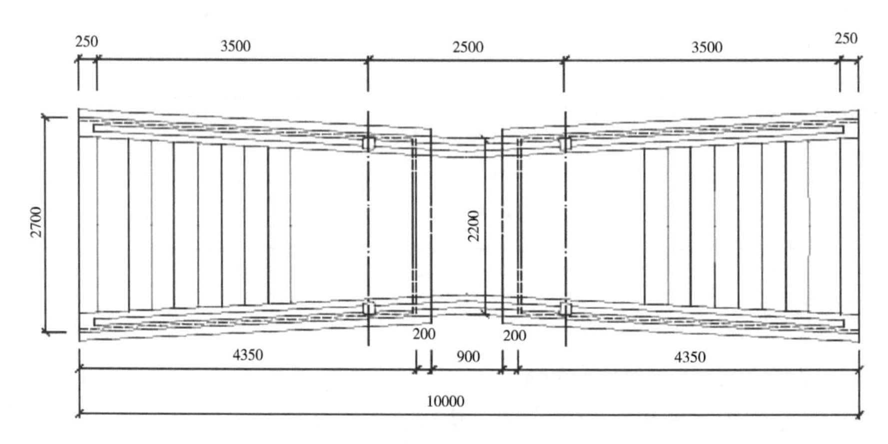

平面图 1∶50

图 3-4-1　石拱桥示意图

表 3-4-1　石拱桥工程工程量清单

序号	项目编码	项目名称	项目特征描述	单位	工程量
1	010101001001	挖土方	三类土、干土、挖深 2.06m	m^3	63.65
2	050201006001	石桥基础	（1）带状基础 （2）60mm 厚碎石垫层，400mm 厚 C20 块石混凝土	m^3	10.26
3	050201007001	园桥桥台	（1）黄杂石 200mm ×（200 ~ 400）mm 毛石 （2）M10 砌筑水泥砂浆 （3）勾冰裂纹凸缝	m^3	20.73
4	050201011001	石桥面铺筑	（1）花岗石板 100mm 厚 （2）1:1:3 砌筑砂浆 50mm 厚 （3）碎石垫层 60mm 厚 （4）按图样要求砌成 300mm × 120mm 踏步台阶，每侧 10 步，勾平缝	m^2	22.12

（续）

序号	项目编码	项目名称	项目特征描述	单位	工程量
5	020201006001	地伏石	（1）白石，规格 400mm × 300mm × 120mm （2）1:3 砌筑砂浆 50mm 厚 （3）勾平缝	m	21.16
6	050201014001	斜型罗汉栏板	（1）白石罗汉栏板高 500mm （2）阴线刻简单线条花形 （3）1:2 白水泥砂浆勾平缝	m	21.16
7	020202002001	石望柱	（1）白石望柱高 1.1m，截面尺寸 180mm × 180mm （2）柱头样式：素方头 （3）1:2 白水泥砂浆勾平缝	根	4
8	050201009001	拱券石制作、安装	（1）青石拱券石厚 100mm （2）1:2.5 砌筑砂浆勾平缝	m^3	1.53
9	010103001001	基槽回填土	（1）每回填 20 ~ 30cm 夯实一次 （2）每砌筑一层回填一层	m^3	38.62

（二）任务要求

（1）根据结构图核实石拱桥工程工程量清单。

（2）根据结构图和石拱桥工程工程量清单编制工程量清单计价表。

二、相关知识

1. 园桥形式

园林绿化工程中常见的园桥形式有以下几种：

（1）平桥。外形简单，有直线形和曲折形，结构有梁式和板式。板式桥适于较小的跨度。跨度较大的桥需设置桥墩或柱，上安木梁或石梁，梁上铺桥面板。

（2）拱桥。造型优美，曲线圆润，富有动态感。拱桥可分单拱桥和多孔拱桥。多孔拱桥适于跨度较大的宽大水面，常见的多为三孔、五孔、七孔。

（3）亭桥、廊桥。加建亭廊的桥，称为亭桥或廊桥，可供游人遮阳避雨，又增加了桥的形体变化。

（4）其他。汀步，又称步石、飞石。浅水中按一定间距布设块石，微露水面，使人跨步而过。园林中运用这种古老渡水设施，质朴自然，别有情趣。将步石美化成荷叶形，称为“莲步”。

2. 园桥工程的主要内容

园桥的构造可以分成上部结构和下部支撑结构两大部分。

桥的上部结构包括桥面、栏杆等。桥面一般由承重结构（如梁、拱、板）、基层、路面层等构成。桥梁、桥面板一般用钢筋混凝土预制或现浇；如果跨度较小，也可用石梁或石板。

园桥的下部结构包括桥台、桥墩等支撑部分，桥台、桥墩要有深入地基的基础。桥台是园桥的基本组成部分，跨越空间较大时，则中间可设桥墩支撑，使上部结构的每个分段跨度缩短。桥台一般是石砌或钢筋混凝土结构，按结构形式，可分为带翼墙和不带翼墙两大类。

3. 园桥工程工程量清单计算规则

园桥工程工程量清单计算规则见表3-4-2。

表3-4-2　园桥工程工程量清单计算规则

<table>
<tr><th>项目编码</th><th>项目名称</th><th>项目特征</th><th>计量单位</th><th>工程量计算规则</th><th>工作内容</th></tr>
<tr><td>050201006</td><td>桥基础</td><td>（1）基础类型
（2）垫层及基础材料、种类、规格
（3）砂浆强度等级</td><td>m^3</td><td>按设计图示尺寸以体积计算</td><td>（1）垫层铺筑
（2）起重架搭、拆
（3）基础砌筑
（4）砌石</td></tr>
<tr><td>050201007</td><td>石桥墩、石桥台</td><td>（1）石料种类、规格
（2）勾缝要求
（3）砂浆强度等级、配合比</td><td rowspan="2">m^3</td><td rowspan="2">按设计图示尺寸以体积计算</td><td rowspan="3">（1）石料加工
（2）起重架搭、拆
（3）墩、台、券石、券脸砌筑
（4）勾缝</td></tr>
<tr><td>050201008</td><td>拱券石</td><td rowspan="3">（1）石料种类、规格
（2）券脸雕刻要求
（3）勾缝要求
（4）砂浆强度等级、配合比</td></tr>
<tr><td>050201009</td><td>石券脸</td><td>m^2</td><td>按设计图示尺寸以面积计算</td></tr>
<tr><td>050201010</td><td>金刚墙砌筑</td><td>m^3</td><td>按设计图示尺寸以体积计算</td><td>（1）石料加工
（2）起重架搭、拆砌石
（3）填土夯实</td></tr>
<tr><td>050201011</td><td>石桥面铺筑</td><td>（1）石料种类、规格
（2）找平层厚度、材料种类
（3）勾缝要求
（4）混凝土强度等级
（5）砂浆强度等级</td><td rowspan="2">m^2</td><td rowspan="2">按设计图示尺寸以面积计算</td><td>（1）石材加工
（2）抹找平层
（3）起重架搭、拆
（4）桥面、桥面踏步
（5）铺设
（6）勾缝</td></tr>
<tr><td>050201012</td><td>石桥面檐板</td><td>（1）石料种类、规格
（2）勾缝要求
（3）砂浆强度等级、配合比</td><td>（1）石材加工
（2）檐板铺设
（3）铁锔、银锭安装
（4）勾缝</td></tr>
<tr><td>050201013</td><td>石汀步（步石、飞石）</td><td>（1）石料种类、规格
（2）砂浆强度等级、配合比</td><td>m^3</td><td>按设计图示以体积计算</td><td>（1）基层整理
（2）石材加工
（3）砂浆调运
（4）砌石</td></tr>
<tr><td>050201014</td><td>木制步桥</td><td>（1）桥宽度
（2）桥长度
（3）木材种类
（4）各部位截面长度
（5）防护材料种类</td><td>m^2</td><td>按桥面板设计图示尺寸以面积计算</td><td>（1）木桩加工
（2）打木桩基础
（3）木梁、木桥板、木桥栏杆、木扶手制作、安装
（4）连接铁件、螺栓安装
（5）刷防护材料</td></tr>
</table>

三、任务实施

（一）识图并熟悉清单规则

（二）核实工程量

（1）挖土方：（3.75×2+2.5+0.3）×（2.7+0.3）×2.06=63.65（m^3）。

（2）C20块石混凝土挡墙基础：（4.352+0.2）×2.45×2×0.4=8.922（m^3）。

（3）碎石垫层：（4.352+0.2）×2.45×2×0.06=1.34（m^3）；22.12×0.06=1.33（m^3）。

（4）青白石地伏石：21.6m。

（5）青白石罗汉栏板：21.16m。

（6）青白石望柱：4根。

（7）桥面踏步石：$\frac{[(2.7/0.3)+(2.2/0.3)]}{2}\times 2\sqrt{1.5^2+3.75^2}+(2.2/0.3)\times 2.5=22.12(m^2)$。

（8）拱券石：（2.5×3.1416−0.9）×2.2×0.1=1.53（m^3）。

（9）拱券满堂脚手架：2.3×2.2=5.06（m^2）。

（10）拱券模板：1.53×10=15.3（m^2）。

（三）工程量清单计价

1. 编制工程量清单综合单价分析表（表3-4-3）

表3-4-3　工程量清单综合单价分析表

工程名称：

序号	定额编号	项目名称	单位	数量	综合单价（元）	合价（元）	综合单价组成（元）				人工单价（元/工日）
							人工费	材料费	机械费	管理费和利润	
1	4-38	挖土方	m^3	63.65	17.83	1134.85	13.33			4.50	43
2	2-58	石桥基础	m^3	10.26	229.78	2357.55	65.54	128.75	2.04	33.45	43
3	2-59	园桥桥台	m^2	20.73	252.16	5227.28	80.71	127.94	1.92	41.59	43
4	2-62	勾石缝	m^2	32	10.17	325.44	169.28	67.84	2.56	85.76	43
5	2-70	石桥面铺筑	$10m^2$	2.212	2050.98	4536.63	598.56	1133.91	11.13	307.38	43
6	2-157	碎石垫层	m^3	1.33	115.48	153.59	22.36	78.20	3.58	11.34	43
7	2-85	地伏石安装	10m	2.12	2680.13	5681.88	537.50	1865.63	4.50	272.50	43
8	2-109	斜型罗汉栏板	10块 1.2 m/块	1.8	7730.30	13237.33	967.50	5879.77	16.30	490.50	43
9	2-91	青白石望柱	10根	0.4	6237.89	2495.15	627.80	5280.43	11.38	318.28	43
10	2-63	花岗石内旋安装	m^3	1.92	4196.61	8057.49	592.11	3295.36	8.95	300.19	43
11	4-69	基槽回填土	m^3	38.62	12.80	494.34	8.51	0	1，42	2.87	43

2. 编制措施项目工程量清单及综合单价分析表（表3-4-4）

表3-4-4　措施项目工程量清单及综合单价分析表

工程名称：

序号	定额编号	项目名称	单位	数量	综合单价（元）	合价（元）	综合单价组成（元）				人工单价（元/工日）
							人工费	材料费	机械费	管理费和利润	
1	10-29	脚手架	$100m^2$	0.051	816.53	41.66	330.89	303.66	26.38	155.60	43
2	10-12	拱券模板	$10m^2$	1.53	368.85	564.35	146.20	116.88	35.85	69.92	43

3. 编制其他项目清单

本工程项目并没有发生，也需按要求列出，不得缺失。对应的金额填“0”，见表3-4-5。

表3-4-5　其他项目清单与计价汇总表

工程名称：

序号	项目名称	计量单位	金额（元）	备注
1	暂列金额		0	
2	暂估价		0	
2.1	材料暂估价			
2.2	专业工程暂估价			
3	计日工		0	
4	总承包服务费		0	
合计				

4. 编制规费、税金项目清单与计价表（表3-4-6）

表3-4-6　规费、税金项目清单与计价表

工程名称：

序号	项目名称	计算基础	费率	金额（元）
1	规费			2121.58
1.1	工程排污费			
1.2	社会保障费		7.48元/工日	1622.64
（1）	养老保险费			
（2）	失业保险费			
（3）	医疗保险费			
1.3	住房公积金		1.70元/工日	368.78
1.4	危险作业意外伤害保险		0.6元/工日	130.16
2	税金	分部分项工程费+措施项目费+其他项目费+规费	3.413%	1573.50
合计				3695.08

5. 投标报价汇总表（表3-4-7）

表3-4-7　投标报价汇总表

工程名称：

序号	汇总内容	金额（元）	其中：暂估价（元）
1	分部分项工程	43702.43	
1.1	挖土方	1134.85	
1.2	石桥基础	2357.55	
1.3	园桥桥台	5552.72	
1.4	石桥面铺筑	4691.12	
1.5	地伏石	5681.88	
1.6	斜型罗汉栏板	13237.33	
1.7	石望柱	2495.15	
1.8	拱券石制作、安装	8057.49	
1.9	基槽回填土	494.34	
2	措施项目	1874.27	
2.1	安全文明施工费	1309.92	
2.2	脚手架	564.35	
2.3	模板	0	
3	其他项目	0	
3.1	暂列金额	0	
3.2	专业工程暂估价	0	
3.3	计日工	0	
3.4	总承包服务费	0	
4	规费	2121.58	
5	税金	1573.50	
招标控制价合计 =1+2+3+4+5		49271.78	

6. 投标总价

投标总价

招标人：________________

工程名称：________________

投标总价(小写)：49271.78元

(大写)：肆万玖仟贰佰柒拾壹元柒角捌分整

投标人：________________(单位盖章)

法定代表人或

委托代理人：________________(签字盖章)

造价工程师

或造价员：________________(签字盖执业专用章)

编制时间：______年______月______日

7. 填写编制说明

8. 填写工程量清单封面

四、学习评价

学习评价标准	分值	教学评价			总评
		小组评价 40%	学生自评 20%	教师评价 40%	
收集资料情况，主要资料齐全	5				
识读图样和施工内容，基本正确	10				
工程项目划分，正确	10				
工程量的计算，正确	20				
定额套用，正确	20				
计价表格编写，完整	10				
自学能力	5				
综合运用知识能力	10				
完成任务态度	5				
出勤情况	5				
小计	100				

五、复习思考

（1）简述园桥工程工程量清单及清单计价的编制步骤及内容。

（2）绘制园桥工程工程量清单表格样式。

六、总结

重点：（1）园桥工程工程量清单的计算规则。

（2）园桥清单工程量计价的程序。

难点：（1）园桥清单工程量计价规则内容及应用的认识与理解。

（2）园桥清单工程量计价的程序及表格。

任务五　假山工程工程量清单计价

一、任务描述

假山工程工程量清单计价

（一）任务说明

某公园内有一堆砌石假山，如图3-5-1所示，土为三类土，山石材料为太湖石。假山工程量清单见表3-5-1。

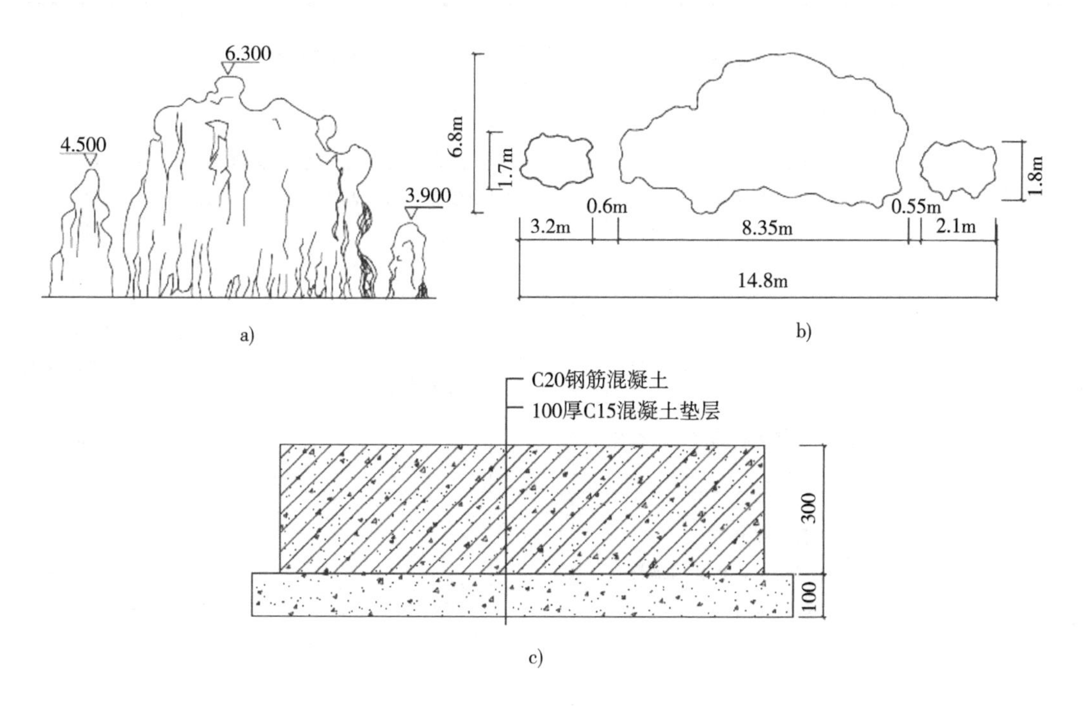

图 3-5-1　假山示意图

a）立面图　b）平面图　c）基础垫层图

表 3-5-1　假山工程量清单

序号	项目编码	项目名称	项目特征描述	计量单位	工程量
1	010101001001	平整场地	三类土	m^2	127.8
2	010101002001	挖土方	三类土，挖土厚 0.4m	m^3	28.26
3	010404001001	现浇垫层	垫层道砟 100 厚 C15 混凝土垫层	m^3	7.07
4	010404001002	现浇垫层	C20 钢筋混凝土垫层	m^3	20.25
5	010515001001	现浇混凝土钢筋	钢筋混凝土钢筋	t	1.60
6	050301002001	堆砌石假山	堆砌高 6.3m，太湖石密度 1.8t/m^3	t	392.97

（二）任务要求

（1）根据假山图示尺寸核实假山工程量清单。

（2）根据假山图纸和工程量清单编制工程量清单计价。

二、相关知识

堆砌假山工程项目的工程量清单项目设置及工程量计算规则，应按表 3-5-2 的规定执行。

表 3-5-2　堆砌假山工程项目工程量清单项目设置及工程量计算规则

<table>
<tr><th>项目编码</th><th>项目名称</th><th>项目特征</th><th>计量单位</th><th>工程量计算规则</th><th>工作内容</th></tr>
<tr><td>050301001</td><td>堆筑假山丘</td><td>（1）土丘高度
（2）土丘坡度要求
（3）土丘底外接矩形面积</td><td>m^3</td><td>按设计图示山丘水平投影外接矩形面积乘以高度的 1/3 以体积计算</td><td>（1）取土、运土
（2）堆砌、夯实
（3）修整</td></tr>
<tr><td>050301002</td><td>堆砌石假山</td><td>（1）堆砌高度
（2）石料种类、单块重量
（3）混凝土强度等级
（4）砂浆强度等级、配合比</td><td>t</td><td>按设计图示尺寸以质量计算</td><td>（1）选料
（2）起重架搭、拆
（3）堆砌、修整</td></tr>
<tr><td>050301003</td><td>塑假山</td><td>（1）假山高度
（2）骨架材料种类、规格
（3）山皮料种类
（4）混凝土强度等级
（5）砂浆强度等级、配合比
（6）防护材料种类</td><td>m^2</td><td>按设计图示尺寸以展开面积计算</td><td>（1）骨架制作
（2）假山胎模制作
（3）塑假山
（4）山皮料安装
（5）刷防护材料</td></tr>
<tr><td>050301004</td><td>石笋</td><td>（1）石笋高度
（2）石笋材料种类
（3）砂浆强度等级、配合比</td><td>支</td><td rowspan="3">（1）以块（支，个）计量。按设计图示数量计算
（2）以吨计量，按设计图示石料质量计算</td><td>（1）选石料
（2）石笋安装</td></tr>
<tr><td>050301005</td><td>点风景石</td><td>（1）石料种类
（2）石料规格、重量
（3）砂浆配合比</td><td>（1）块
（2）t</td><td>（1）选石料
（2）起重架搭、拆
（3）点石</td></tr>
<tr><td>050301006</td><td>池、盆景置石</td><td>（1）底盘种类
（2）山石高度
（3）山石种类
（4）混凝土砂浆强度等级
（5）砂浆强度等级、配合比</td><td>（1）座
（2）个</td><td>（1）底盘制作、安装
（2）池石、盆景山石安装、砌筑</td></tr>
<tr><td>050301007</td><td>山（卵）石护角</td><td>（1）石料种类、规格
（2）砂浆配合比</td><td>m^3</td><td>按设计图示尺寸以体积计算</td><td>（1）石料加工
（2）砌石</td></tr>
<tr><td>050301008</td><td>山坡（卵）石台阶</td><td>（1）石料种类、规格
（2）台阶坡度
（3）砂浆强度等级</td><td>m^2</td><td>按设计图示尺寸以水平投影面积计算</td><td>（1）选石料
（2）台阶砌筑</td></tr>
</table>

三、任务实施

（一）识图并熟悉清单规则

（二）核实工程量清单

（1）平整场地：

平整场地平均宽度：（6.8 + 1.8）/2 = 4.3（m）。

平整场地长度：14.8（m）。

假山平整场地以其底面积乘以系数2以“m^2”为单位计算。

平整场地面积：2 × 4.3 × 14.8 = 127.28（m^2）。

（2）人工挖土：

挖土平均宽度：4.3 +（0.08 + 0.1）×2 = 4.66（m）。

挖土平均长度：14.8 +（0.08 + 0.1）×2 = 15.16（m）。

挖土深度：0.1 + 0.3 = 0.4（m）。

人工挖土体积：4.66 × 15.16 × 0.4 = 28.26（m^3）。

（3）100mm厚C15混凝土垫层：

C15混凝土垫层体积：4.66 × 15.16 × 0.1 = 7.07（m^3）。

（4）C20钢筋混凝土（300mm厚）：

长度：14.8 + 0.1 × 2 = 15.0（m）。

宽度：4.3 + 0.1 × 2 = 4.5（m）。

C20钢筋混凝土体积：15.0 × 4.5 × 0.3 = 20.25（m^3）。

（5）钢筋混凝土模板：

模板面积：20.25 × 0.26 = 5.265（m^2）。

（6）混凝土钢筋：

钢筋重量：20.25 × 0.079 = 1.60（t）。

（7）假山堆砌：

6.3m处太湖石重量：6.8 × 8.35 × 6.3 × 0.55 × 1.8 = 354.14（t）。

4.5m处太湖石重量：1.7 × 3.2 × 4.5 × 0.55 × 1.8 = 24.24（t）。

3.9m处太湖石重量：2.1 × 1.8 × 0.55 × 1.8 × 3.9 = 14.59（t）。

太湖石总量：354.14 + 24.24 + 14.59 = 392.97（t）。

注意，本例中是三大块较为独立的太湖石，在有的计算中可能会涉及零星散块的石头，则应根据其累计长度，平均高度、宽度来计算，如（2）中计算挖土平均宽度公式中的（0.08 + 0.1）×2，此为零散石块增加宽度。本例（7）中，在计算太湖石所需石料重量时，须乘以折算系数0.55以扣除孔洞部分重量。

（三）工程量清单计价

1. 编制分部分项工程工程量清单综合单价分析表

根据上述工程量编制假山分部分项工程工程量清单综合单价分析表，见表3-5-3～表3-5-8。

表3-5-3　分部分项工程工程量清单综合单价分析表（一）

工程名称：

项目编码	010101001001	项目名称	平整场地	单位	m^2

定额编号	定额名称	单位	数量	单价					合价				
				人工费	材料费	机械费	管理费	利润	人工费	材料费	机械费	管理费	利润
1-121	平整场地	$10m^2$	0.1	43.89	0	0	16.24	5.27	4.39	0	0	1.62	0.53
综合工日		小计							4.39			1.62	0.53
0.06工日		未计价材料费											
清单项目综合单价									6.54				

表3-5-4　分部分项工程工程量清单综合单价分析表（二）

工程名称：

项目编码	010101002001	项目名称	挖土方	单位	m^3

定额编号	定额名称	单位	数量	单价					合价				
				人工费	材料费	机械费	管理费	利润	人工费	材料费	机械费	管理费	利润
1-3	人工挖干土三类土	m^3	1.0	23.87	0	0	8.83	2.86	23.87	0	0	8.83	2.86
综合人工工日		小计							23.87			8.83	2.86
0.34工日		未计价材料费											
清单项目综合单价									35.56				

表3-5-5　分部分项工程工程量清单综合单价分析表（三）

工程名称：

项目编码	010404001001	项目名称	现浇垫层	单位	m^3

定额编号	定额名称	单位	数量	单价					合价				
				人工费	材料费	机械费	管理费	利润	人工费	材料费	机械费	管理费	利润
1-751	垫层干铺	m^3	1.0	69.72	158.04	1.93	26.51	8.6	69.72	158.04	1.93	26.51	8.60
综合工日		小计							69.72	158.04	1.93	26.51	8.60
1.00工日		未计价材料费											
清单项目综合单价									264.8				

表 3-5-6　分部分项工程工程量清单综合单价分析表（四）

工程名称：

项目编码	010404001002	项目名称	现浇垫层							单位		m^3
清单综合单价组成明细												
定额编号	定额名称	单位	数量	单价					合价			
				人工费	材料费	机械费	管理费	利润	人工费	材料费	机械费	管理费	利润
1-172换	基础垫层混凝土	m^3	1.0	63	402.98	1.06	23.7	7.69	63.00	402.98	1.06	23.70	7.69
综合工日		小计							63.00	402.98	1.06	23.70	7.69
0.90 工日		未计价材料费											
清单项目综合单价									498.43				

表 3-5-7　分部分项工程工程量清单综合单价分析表（五）

工程名称：

项目编码	010515001001	项目名称	现浇混凝土钢筋							单位		t
清单综合单价组成明细												
定额编号	定额名称	单位	数量	单价					合价			
				人工费	材料费	机械费	管理费	利润	人工费	材料费	机械费	管理费	利润
1-479	钢筋直径12mm以内	t	1.0	978.6	3405.08	178.59	428.16	138.86	978.60	3405.08	178.59	428.16	138.86
综合工日		小计							978.60	3405.08	178.59	428.16	138.86
13.98 工日		未计价材料费											
清单项目综合单价									5129.29				

表 3-5-8　分部分项工程工程量清单综合单价分析表（六）

工程名称：

项目编码	050301002001	项目名称	堆砌石假山							单位		t
清单综合单价组成明细												
定额编号	定额名称	单位	数量	单价					合价			
				人工费	材料费	机械费	管理费	利润	人工费	材料费	机械费	管理费	利润
3-463	湖石假山高度4m以内	t	1.0	369.6	757.45	10.41	70.22	51.74	369.60	757.45	10.41	70.22	51.74
综合工日		小计							369.60	757.45	10.41	70.22	51.74
5.28 工日		未计价材料费											
清单项目综合单价									1259.42				

2. 编制假山工程分部分项工程工程量清单与计价表

将以上分析所得数据，填写到分部分项工程工程量清单与计价表内，结果见表3-5-9。

表3-5-9　分部分项工程工程量清单与计价表

工程名称：

序号	项目编码	项目名称	项目特征描述	计量单位	工程数量	金额（元）		
						综合单价	合价	暂估价
1	010101001001	平整场地	三类土	m^2	127.80	6.54	835.81	
2	010101002001	挖土方	三类土；挖土平均厚度0.4m以内	m^3	28.26	35.56	1004.93	
3	010404001001	现浇垫层	道砟垫层	m^3	7.07	264.80	1872.14	
4	010404001002	C20钢筋混凝土	C20混凝土	m^3	20.25	498.43	10093.21	
5	010515001001	现浇混凝土钢筋	钢筋直径12mm以内	t	1.60	5129.29	8206.86	
6	050301002001	堆砌石假山	堆砌高度6.3m以内；太湖石密度1.8t/m^3	t	392.97	1259.42	494914.28	
		总计					516927.23	

注：项目特征描述，应根据清单计价规范（规则）、施工图纸、标准图集，再结合拟建工程实际情况予以详细表述和说明。

3. 编制措施项目清单与计价表（表3-5-10、表3-5-11）

表3-5-10　措施项目清单与计价表（一）

工程名称：

序号	项目名称	计算基础	费率（%）	金额（元）
一	通用措施项目	1.1～8	100	10131.78
1	现场安全文明施工	1.1～1.3	100	5686.20
1.1	基本费	分部分项综合费用	0.7	3618.49
1.2	考评费	分部分项综合费用	0.4	2067.71
1.3	奖励费	分部分项综合费用	0	0
2	夜间施工	分部分项综合费用	0	0
3	冬雨季施工	分部分项综合费用	0	0
4	已完工程及设备保护	分部分项综合费用	0.1	516.93
5	临时设施	分部分项综合费用	0.7	3618.49
6	材料与设备检验试验	分部分项综合费用	0.06	310.16
7	赶工措施	分部分项综合费用	0	0
8	工程按质论价	分部分项综合费用	0	0
二	专业工程措施项目	9	100	0
9	以费率计价的措施项目	分部分项综合费用	0	0
	合计	一+二	100	10131.78

表 3-5-11　措施项目清单与计价表（二）

工程名称：

序号	项目名称	金额（元）
	专业工程措施项目	1165.39
1	模板及支架	1165.39
2	脚手架	
3	支撑	
4	绕杆	
5	假植	
	总计	1165.39

4. 编制规费、税金清单计价表（表 3-5-12）

表 3-5-12　规费、税金清单计价表

工程名称：

序号	项目名称	计算基础	费率（%）	金额（元）
1	规费	1.1～1.4	100	19016.07
1.1	工程排污费	分部分项综合费用＋措施项目合计＋其他项目合计	0.1	528.22
1.2	建筑安全监督管理费	分部分项综合费用＋措施项目合计＋其他项目合计	0	0
1.3	社会保障费	分部分项综合费用＋措施项目合计＋其他项目合计	3	15846.73
1.4	住房公积金	分部分项综合费用＋措施项目合计＋其他项目合计	0.5	2641.12
2	税金	分部分项综合费用＋措施项目合计＋其他项目合计＋1	3.477	19027.55
3	合计	1＋2	100	38043.62

5. 编制单位工程投标总价汇总表（表 3-5-13）

表 3-5-13　单位工程投标总价汇总表

工程名称：

序号	汇总内容	金额（元）	其中：暂估价
1	分部分项工程	516927.23	
2	措施项目	11297.17	
2.1	安全文明施工费	5686.20	
3	其他项目	0.00	
3.1	暂列金额	0.00	
3.2	专业工程暂估价	0.00	
3.3	计日工	0.00	
3.4	总承包服务费	0.00	
4	规费	19016.07	
5	税金	19027.55	
6	合计＝1＋2＋3＋4＋5	566268.02	

6. 投标总价

投标总价

招标人：＿＿＿＿＿＿＿＿＿＿＿＿＿＿＿＿＿＿＿＿＿＿＿＿＿

工程名称：＿＿＿＿＿＿＿＿＿＿＿＿＿＿＿＿＿＿＿＿＿＿＿＿

投标总价(小写)：566268.02元

(大写)：伍拾陆万陆仟贰佰陆拾捌元零贰分整

投标人：＿＿＿＿＿＿＿＿＿＿＿＿＿＿＿＿＿＿＿＿＿＿＿＿＿(单位盖章)

法定代表人或

委托代理人：＿＿＿＿＿＿＿＿＿＿＿＿＿＿＿＿＿＿＿＿＿＿＿(签字盖章)

造价工程师

或造价员：＿＿＿＿＿＿＿＿＿＿＿＿＿＿＿＿＿＿＿＿＿＿＿＿(签字盖执业专用章)

编制时间：＿＿＿＿年＿＿＿＿月＿＿＿＿日

7. 填写编制说明

8. 填写工程量清单封面

四、学习评价

学习评价标准	分值	教学评价			总评
		小组评价 40%	学生自评 20%	教师评价 40%	
收集资料情况，主要资料齐全	5				
识读图样和施工内容，基本正确	10				
工程项目划分，正确	10				
工程量的计算，正确	20				
定额套用，正确	20				
计价表格编写，完整	10				
自学能力	5				
综合运用知识能力	10				
完成任务态度	5				
出勤情况	5				
小计	100				

五、复习思考

(1) 简述假山工程工程量计算的步骤。

(2) 绘制假山工程工程量清单表格样式。

六、总结

重点：(1) 假山工程工程量清单计算规则。

　　　(2) 假山工程工程量清单计价编制步骤。

难点：(1) 假山工程工程量计算。

　　　(2) 假山工程工程量清单计价步骤、过程。

任务六　景墙砌体工程工程量清单计价

一、任务描述

景墙砌体工程
工程量清单计价

(一) 任务说明

根据本书中项目二“任务六　景墙砌体工程定额计价”中的某公园广场景墙工程所提供的施工图、设计说明以及定额规则下景墙工程量计算书，完成景墙工程造价的编制。

(二) 任务要求

(1) 应用《园林绿化工程工程量计算规范》(GB 50858—2013)、《房屋建筑与装饰工程工程量计算规范》(GB 50854—2013) 进行某公园广场景墙工程工程量计算，编制工程量清单。

(2) 应用现行的《河北省园林绿化工程消耗量定额 (2013 版)》《河北省园林绿化工程价目表》《河北省建筑工程消耗量定额 (2012 版)》等规范，结合新奔腾计价软件完成某公园广场景墙工程工程量清单计价，从而得出该项目的总报价及相应表格。

二、相关知识

1. 景墙工程工程量计算规则

《园林绿化工程工程量计算规范》(GB 50858—2013) 中景墙工程工程量清单计算规则见表 3-6-1。

表 3-6-1　景墙工程工程量清单计算规则

项目编码	项目名称	项目特征	计量单位	工程量计算规则	工作内容
050307010	景墙	(1) 土质类别 (2) 垫层材料种类 (3) 基础材料种类、规格 (4) 墙体材料种类、规格 (5) 墙体厚度 (6) 混凝土、砂浆强度等级、配合比 (7) 饰面材料种类	(1) m^3 (2) 段	(1) 以 m^3 计量，按设计图示尺寸以体积计算 (2) 以段计量，按设计图示尺寸以数量计算	(1) 土（石）方挖运 (2) 垫层、基础铺设 (3) 墙体砌筑 (4) 面层铺贴

2. 砌体工程工程量计算规则

《园林绿化工程工程量计算规范》（GB 50858—2013）中并未完全列出景墙砌体工程所涉及的所有工程量计算规则。对于未列出的工程量可以按照《房屋建筑与装饰工程工程量计算规范》（GB 50854—2013）中相关内容的计算规则进行计算，详见表3-6-2。

表3-6-2　砌体工程工程量计算规则

项目编码	项目名称	项目特征	计量单位	工程量计算规则	工作内容
010101001	平整场地	（1）土壤类别 （2）弃土运距 （3）取土运距	m^2	按设计图示尺寸以建筑物首层建筑面积计算	（1）土方挖填 （2）场地找平 （3）运输
010101002	挖一般土方	（1）土壤类别 （2）挖土深度 （3）弃土运距	m^3	按设计图示尺寸以体积计算	（1）地表排水 （2）土方开挖 （3）围护（挡土板）及拆除 （4）基底钎探 （5）运输
010101003	挖沟槽土方			按设计图示尺寸以基础垫层底面积乘以挖土深度计算	
010101004	挖基坑土方				
010101005	冻土开挖	（1）冻土厚度 （2）弃土运距		按设计图示尺寸开挖面积乘厚度以体积计算	（1）爆破 （2）开挖 （3）清理 （4）运输
010101006	挖淤泥、流沙	（1）挖掘深度 （2）弃淤泥、流沙距离		按设计图示位置、界限以体积计算	（1）开挖 （2）运输
010103001	回填方	（1）密实度要求 （2）填方材料品种 （3）填方粒径要求 （4）填方来源、运距	m^3	按设计图示尺寸以体积计算 （1）场地回填：回填面积乘平均回填厚度 （2）室内回填：主墙间面积乘回填厚度，不扣除间隔墙 （3）基础回填：按挖方清单项目工程量减去自然地坪以下埋设的基础体积（包括基础垫层及其他构筑物）	（1）运输 （2）回填 （3）压实
010103002	余方弃置	（1）废弃料品种 （2）运距		按挖方清单项目工程量减去利用回填方体积（正数）计算	余方点装料运输至弃置点
010201004	强夯地基	（1）夯击能量 （2）夯击遍数 （3）夯击点布置形式、间距 （4）地耐力要求 （5）夯填材料种类	m^2	按设计图示处理范围以面积计算	（1）铺设夯填材料 （2）强夯 （3）夯填材料运输

（续）

项目编码	项目名称	项目特征	计量单位	工程量计算规则	工作内容
010501001	垫层	（1）混凝土种类 （2）混凝土强度等级	m^3	按设计图示尺寸以体积计算	（1）模板及支撑制作、安装、拆除、堆放、运输及清理模内杂物、刷隔离剂等 （2）混凝土制作、运输、浇筑、振捣、养护
010501002	带形基础				
010501003	独立基础				
010401001	砖基础	（1）砖品种、规格、强度等级 （2）基础类型 （3）砂浆强度等级 （4）防潮层材料种类	m^3	按设计图示尺寸以体积计算。包括附墙垛基础宽出部分体积，扣除地梁（圈梁）、构造柱所占体积，不扣除基础大放脚T形接头处的重叠部分及嵌入基础内的钢筋、铁架、管道、基础砂浆防潮层和单个面积≤0.3m^2的孔洞所占体积，靠墙暖气沟的挑檐不增加。基础长度：外墙按外墙中心线，内墙按内墙净长线计算	（1）砂浆制作运输 （2）砌砖 （3）防潮层铺设 （4）材料运输
010401002	砖砌挖孔桩护壁	（1）砖品种、规格、强度等级 （2）砂浆强度等级		按设计图示尺寸以立方米计算	（1）砂浆制作、运输 （2）砌砖 （3）材料运输
010401003	实心砖墙	（1）砖品种、规格、强度等级 （2）墙体类型 （3）砂浆强度等级、配合比	m^3	按设计图示尺寸以体积计算，扣除门窗、洞口、嵌入墙内的钢筋混凝土柱、梁、圈梁等所占体积，不扣除梁头、板头、檩头、垫木等所占体积。凸出墙面的砖垛并入墙体体积内计算，外墙长度按中心线、内墙长度按净长计算	（1）砂浆制作运输 （2）砌砖 （3）刮缝 （4）砖压顶砌筑 （5）材料运输
010502001	矩形柱	（1）混凝土种类 （2）混凝土强度等级	m^3	按设计图示尺寸以体积计算 柱高： （1）有梁板的柱高，应自柱基上表面（或楼板上表面）至上层楼板上表面之间的高度计算 （2）无梁板的柱高，应自柱基上表面（或楼板上表面）至柱帽下表面之间的高度计算 （3）框架柱的柱高，应自柱基上表面至柱顶高度计算 （4）构造柱按全高计算，嵌接墙体部分（马牙槎）并入柱身体积 （5）依附柱上的牛腿和升板的柱帽，并入柱身体积计算	（1）模板及支架（撑）制作、安装、拆除、堆放、运输及清理模内杂物、刷隔离剂等 （2）混凝土制作、运输、浇筑、振捣、养护
010502002	构造柱				

（续）

<table>
<tr><th>项目编码</th><th>项目名称</th><th>项目特征</th><th>计量单位</th><th>工程量计算规则</th><th>工作内容</th></tr>
<tr><td>010505003</td><td>平板</td><td>（1）混凝土种类
（2）混凝土强度等级</td><td>m³</td><td>按设计图示尺寸以体积计算，不扣除单个面积≤0.3m²的柱、垛以及孔洞所占体积</td><td>（1）模板及支架（撑）制作、安装、拆除、堆放、运输及清理模内杂物、刷隔离剂等
（2）混凝土制作、运输、浇筑、振捣、养护</td></tr>
<tr><td>010503004</td><td>圈梁</td><td>（1）混凝土种类
（2）混凝土强度等级</td><td>m³</td><td>按设计图示尺寸以体积计算</td><td>（1）模板及支架（撑）制作、安装、拆除、堆放、运输及清理模内杂物、刷隔离剂等
（2）混凝土制作、运输、浇筑、振捣、养护</td></tr>
<tr><td>010507005</td><td>扶手、压顶</td><td>（1）断面尺寸
（2）混凝土种类
（3）混凝土强度等级</td><td>（1）m
（2）m³</td><td>（1）以米计量，按设计图示的中心线延长米计算
（2）以立方米计量，按设计图示尺寸以体积计算</td><td>（1）模板及支架（撑）制作、安装、拆除、堆放、运输及清理模内杂物、刷隔离剂等
（2）混凝土制作、运输、浇筑、振捣、养护</td></tr>
<tr><td>010515001</td><td>现浇构件钢筋</td><td rowspan="3">钢筋种类、规格</td><td rowspan="3">t</td><td rowspan="3">按设计图示钢筋（网）长度（面积）乘单位理论质量计算</td><td rowspan="2">（1）钢筋制作、运输
（2）钢筋安装
（3）焊接（绑扎）</td></tr>
<tr><td>010515002</td><td>预制构件钢筋</td></tr>
<tr><td>010515003</td><td>钢筋网片</td><td>（1）钢筋网制作、运输
（2）钢筋网安装
（3）焊接（绑扎）</td></tr>
</table>

三、任务实施

（一）编制某公园景墙砌筑工程工程量清单

（1）针对本工程中涉及的分部分项工程工程量进行定额计算规则与清单计算规则对比发现，土方工程量的计算规则不同，需要重新计算工程量。

挖沟槽土方清单工程量计算公式为

$$V_{沟槽} = L \times a \times H$$

式中　$V_{沟槽}$——挖沟槽土方清单工程量；

L——沟槽长；

a——基础垫层宽；

H——挖土深度。

$$V_{沟槽}=17.18\times0.81\times1.4=19.48(m^3)$$

沟槽夯实面积清单工程量为

$$S_{夯}=L\times a=17.18\times0.81=13.92(m^2)$$

$$回填土体积\ V_{回填}=V_{沟槽}-地坪以下埋入物体积$$
$$=19.48-2.09-9.45=7.94(m^3)$$

余土弃置清单工程量为

$$V_{余土}=V_{沟槽}-V_{回填}=19.48-7.94=11.54(m^3)$$

（2）应用景墙工程工程量计算表，根据清单计算规则计算的土方清单工程量及工程量清单计算规则进行工程量清单编制，见表3-6-3。

表3-6-3　某公园广场景墙工程工程量清单

序号	项目编码	项目名称	项目特征	单位	工程量
1	010101003001	挖沟槽土方	（1）人工挖沟槽，二类干土 （2）挖土深度在2m以内	m^3	19.480
2	010201004001	沟槽原土打夯	（1）夯击遍数：1次 （2）夯填材料：原土	m^2	13.920
3	010501001001	混凝土垫层	（1）基础垫层混凝土 （2）混凝土强度等级：C15	m^3	2.090
4	010401001001	砖基础	（1）基础类型：条形基础 （2）M5水泥砂浆	m^3	9.450
5	010103001001	基础回填方	（1）夯填 （2）原土	m^3	7.940
6	010103002001	余方弃置	（1）原土 （2）运距50m以内	m^3	11.540
7	010401003001	砖砌外墙	（1）3/2砖 （2）M5水泥砂浆	m^3	25.490
8	011204001001	砖墙面	（1）墙体材料：砖墙 （2）安装方式：粘贴 （3）花岗石抛光面	m^2	155.440
9	010507005001	混凝土压顶	C20混凝土	m^3	1.590
10	010502001001	构造柱1	C20混凝土	m^3	0.606
11	010502001002	构造柱2	C20混凝土	m^3	1.400
12	010503004001	现浇混凝土地梁	C20混凝土	m^3	1.910
13	010515001001	现浇构造柱、地梁、压顶箍筋	一级钢筋，直径6mm	t	0.096
14	010515001002	现浇构造柱纵筋	二级钢筋，直径14mm	t	0.133
15	010515001003	现浇地梁、压顶纵筋	一级钢筋，直径14mm	t	0.154
16	010515001004	墙身钢筋加固	一级钢筋，直径8mm	t	0.142

（二）核实某公园广场景墙工程工程量

对于投标人来说，收到招标文件后，需要针对招标文件中所给出的工程量清单进行计算核实后，方可编制投标报价。本工程直接采用了项目二“任务六　景墙砌筑工程定额计价”中工程量的计算，并针对清单计算与定额计算规则的不同项目进行了清单工程量的计算。

（三）编制投标报价

1. 编制分部分项工程工程量清单与计价表（表3-6-4）

表3-6-4　分部分项工程工程量清单与计价表

工程名称：某公园广场景墙工程

序号	项目编码	项目名称	项目特征	计量单位	工程数量	金额（元）	
						综合单价	合价
1	010101003002	挖沟槽土方	（1）人工挖沟槽，二类干土 （2）挖土深度在2m以内	m^3	19.480	25.56	497.91
2	010201004001	沟槽原土打夯	（1）夯击遍数：1次 （2）夯填材料：原土	m^2	13.920	1.03	14.34
3	010501001001	混凝土垫层	（1）基础垫层混凝土 （2）混凝土强度等级：C15	m^3	2.090	304.50	636.41
4	010401001001	砖基础	（1）基础类型：条形基础 （2）M5水泥砂浆	m^3	9.450	315.14	2978.07
5	010103001001	基础回填方	（1）夯填 （2）原土	m^3	7.940	14.24	113.07
6	010103002001	余方弃置	（1）原土 （2）运距50m以内	m^3	11.540	16.05	185.22
7	010401003001	砖砌外墙	（1）3/2砖 （2）M5水泥砂浆	m^3	25.490	369.32	9413.97
8	011204001001	砖墙面	（1）墙体材料：砖墙 （2）安装方式：粘贴 （3）花岗石抛光面	m^2	155.440	175.38	27261.07
9	010507005001	混凝土压顶	C20混凝土	m^3	1.590	435.51	692.46
10	010502001001	构造柱1	C20混凝土	m^3	0.606	415.31	251.68
11	010502001002	构造柱2	C20混凝土	m^3	1.400	407.44	570.42
12	010503004001	现浇混凝土地梁	C20混凝土	m^3	1.910	428.45	818.34
13	010515001001	现浇构造柱、地梁、压顶箍筋	一级钢筋，直径6mm	t	0.096	5495.52	527.57
14	010515001002	现浇构造柱纵筋	二级钢筋，直径14mm	t	0.133	5501.28	731.67
15	010515001003	现浇地梁、压顶纵筋	一级钢筋，直径14mm	t	0.154	5501.30	847.20
16	010515001004	墙身钢筋加固	一级钢筋，直径8mm	t	0.142	6521.27	926.02
		合　计					46465.42

2. 编制总价措施项目清单与计价表（表3-6-5）

表3-6-5　总价措施项目清单与计价表

工程名称：某公园广场景墙工程

序号	项目编码	项目名称	金额（元）
		1　安全生产、文明施工费	
1	021007001001	安全生产、文明施工费	2449.83
		小计	2449.83
		2　其他总价措施项目	
2	021007002001	夜间施工增加费	77.97
3	021007004001	二次搬运费	178.70
4	021007007001	成品保护费	87.02
5	021007B01001	冬季施工增加费	54.98
6	021007B02001	雨季施工增加费	127.14
7	021007B03001	生产工具用具使用费	191.49
8	021007B04001	检验试验配合费	45.83
9	021007B05001	工程定位复测及竣工清理费	115.56
10	021007B06001	临时停水、停电费	52.96
11	021007B07001	繁华地段交叉施工增加费	33.95
12	021007B08001	高台增加费	
		小计	965.60

3. 编制单价措施项目清单与计价表（表3-6-6）

表3-6-6　单价措施项目清单与计价表

工程名称：某公园广场景墙工程

序号	项目编码	项目名称	项目特征	计量单位	工程数量	金额（元）	
						综合单价	合价
1	011701002001	砌筑脚手架	（1）搭设高度：4.26m （2）脚手架材质：钢管	m^2	73.190	12.37	905.36
2	011701B03002	装饰脚手架	搭设高度：4.26m	m^2	146.370	0.44	64.40
3	050402001001	现浇混凝土垫层模板	垫层模板	m^2	19.480	58.77	1144.84
4	011702008001	地梁模板		m^2	1.910	409.00	781.19
5	021002001001	现浇混凝土矩形柱模板	柱子断面周长150cm以内	m^2	0.610	892.84	544.63
6	021002001002	现浇混凝土矩形柱模板	柱子断面周长150cm以外	m^2	1.140	728.91	830.96
7	041102018001	压顶模板	构件类型	m^2	1.590	622.63	989.98
		合计					5261.36

4. 编制单位工程费汇总表（表3-6-7）

表3-6-7　单位工程费汇总表

工程名称：某公园广场景墙工程

序号	名　　称	计算基数	费率（%）	金额（元）	其中：（元）		
					人工费	材料费	机械费
1	分部分项工程工程量清单计价合计	STXM	100.000	46465.42	11279.09	31310.45	916.52
2	措施项目清单计价合计	CSXM-F5	100.000	6226.96	2446.62	2924.11	321.96
2.1	单价措施项目工程量清单计价合计	DJCSXM	100.000	5261.36	2056.14	2529.01	251.87
2.2	其他总价措施项目清单计价合计	ZJCSXM	100.000	965.60	390.48	395.10	70.09
3	其他项目清单计价合计	QTXM	100.000				
4	规费	STXM _ FY3 + CSXM _ FY3	100.000	2054.65			
5	安全生产、文明施工费	HAQWM + HAQWMJB + HAQWMZJ	100.000	2449.83			
6	税前工程造价	F1 + F2 + F3 + F4 + F5	100.000	57196.86			
6.1	其中：进项税额	ZSTDKYGCLF + ZCSDKYGCLF + ZSTDKJXF + ZCSDKJXF + ZSTDKYGWCF + ZCSDKYGWCF + ZSTDKYGSBF + ZCSDKYGSBF + F5 × 3% + (STXM _ FY1 + CSXM _ FY1) × 2.06% + DKLXXMZLJE + DKLXXMZYGCZGJ + DKLXXMJRG	100.000	3950.13			
7	销项税额	F6 + ZSTSBF + ZCSSBF − F6 _ 1 − (ZSTJGCLF + ZCSJGCLF + ZSTJGWCF + ZCSJGWCF + ZSTJGSBF + ZCSJGSBF)	9.000	4792.21			
8	增值税应纳税额	IF（（F7 − F6 _ 1）>0，（F7 − F6 _ 1），0）	100.000	842.08			
9	附加税费	F8	13.220	111.32			
10	税金	F8 + F9	100.000	953.40			
	合计			58150.26	13725.71	34234.56	1238.48

5. 编制其他项目清单

本工程项目并没有发生，也需按要求列出，不得缺失，见表3-6-8。

表 3-6-8　其他项目清单与计价汇总表

工程名称：某公园混凝土方亭工程

序号	项目名称	金额（元）
1	暂列金额	
2	暂估价	
2.1	材料暂估价	
2.2	设备暂估价	
2.3	专业工程暂估价	
3	总承包服务费	
4	计日工	
	合　计	

6. 投标总价

投标总价

招标人：________________

工程名称：________公园景墙工程________

投标总价(小写)：58150.26 元

(大写)：伍万捌仟壹佰伍拾元贰角陆分整

投标人：________________（单位盖章）

法定代表人或

委托代理人：________________（签字盖章）

造价工程师

或造价员：________________（签字盖执业专用章）

编制时间：______年______月______日

7. 填写编制说明

8. 填写工程量清单封面

四、学习评价

学习评价标准	分值	教学评价			总评
		小组评价 40%	学生自评 20%	教师评价 40%	
收集资料情况，主要资料齐全	5				
识读图样和施工内容，基本正确	10				
工程项目划分，正确	10				
工程量的计算，正确	20				
定额套用，正确	20				

（续）

学习评价标准	分值	教学评价			总评
		小组评价 40%	学生自评 20%	教师评价 40%	
计价表格编写，完整	10				
自学能力	5				
综合运用知识能力	10				
完成任务态度	5				
出勤情况	5				
小计	100				

五、复习思考

（1）简述景墙工程工程量计算的步骤。

（2）绘制景墙工程工程量清单样式表格。

六、总结

重点：（1）景墙工程工程量清单计算规则。

（2）景墙工程工程量清单计价编制步骤。

难点：（1）景墙工程工程量计算。

（2）景墙工程工程量清单计价步骤、过程。

任务七　钢筋混凝土亭工程工程量清单计价

一、任务描述

钢筋混凝土亭工程工程量清单计价

（一）任务说明

根据本书中“任务七　钢筋混凝土亭工程定额计价”中的某公园混凝土方亭工程所提供的立面图、剖面图、配筋图以及定额规则下板拱桥工程量计算书，按照工程量清单计价方式计算混凝土方亭工程造价。

（二）任务要求

（1）应用《园林绿化工程工程量计算规范》（GB 50858—2013）、《房屋建筑与装饰工程工程量计算规范》（GB 50854—2013）进行钢筋混凝土亭工程工程量计算，编制某公园混凝土方亭工程工程量清单。

（2）应用《河北省园林绿化工程消耗量定额（2013版）》《河北省园林绿化工程价目表》《河北省建筑工程消耗量定额（2012版）》等规范，结合新奔腾计价软件完成某公园混凝土方亭工程工程量清单计价，从而得出该项目的总报价及相应表格。

二、相关知识

（一）编码列项说明

（1）柱顶石（磉蹬石）钢筋混凝土屋面板、钢筋混凝土亭屋面板、木柱、木屋架、钢柱、钢屋架、屋面木基层和防水层等应按国家标准《房屋建筑与装饰工程工程量计算规范》（GB 50854—2013）中相关项目编码列项。

（2）膜结构的亭廊，应按国家标准《仿古建筑工程工程量计算规范》（GB 50855—2013）及《房屋建筑与装饰工程工程量计算规范》（GB 50854—2013）中相关项目编码列项。

（二）亭廊屋面工程工程量清单计算规则

《园林绿化工程工程量计算规范》（GB 50858—2013）中对亭廊屋面工程工程量清单计算规则见表3-7-1。

表3-7-1　亭廊屋面工程工程量清单计算规则

项目编码	项目名称	项目特征	计量单位	工程量计算规则	工作内容
050303001	草屋面	（1）屋面坡度 （2）铺草种类 （3）竹材种类 （4）防护材料种类	m^2	按设计图示尺寸以斜面计算	（1）整理、选料 （2）屋面铺设 （3）刷防护材料
050303002	竹屋面	（1）屋面坡度 （2）铺草种类 （3）竹材种类 （4）防护材料种类	m^2	按设计图示尺寸以实铺面积计算（不包括柱、梁）	（1）整理、选料 （2）屋面铺设 （3）刷防护材料
050303003	树皮屋面	（1）屋面坡度 （2）铺草种类 （3）竹材种类 （4）防护材料种类	m^2	按设计图示尺寸以屋面结构外围面积计算	（1）整理、选料 （2）屋面铺设 （3）刷防护材料
050303004	油毡瓦屋面	（1）冷底子油品种 （2）冷底子油涂刷遍数 （3）油毡瓦颜色规格	m^2	按设计图示尺寸以斜面计算	（1）整理基层 （2）材料裁接 （3）刷油 （4）铺设
050303005	预制混凝土穹顶	（1）穹顶弧长、直径 （2）肋截面尺寸 （3）板厚 （4）混凝土强度等级 （5）拉杆材质、规格	m^3	按设计图示尺寸以体积计算。混凝土脊和穹顶的肋、基梁并入屋面体积内	（1）模板制作、运输、安装、拆除、养护 （2）混凝土制作、运输、浇筑、振捣、养护 （3）构件运输、安装 （4）砂浆制作、运输 （5）接头灌缝、养护

（续）

项目编码	项目名称	项目特征	计量单位	工程量计算规则	工作内容
050303006	彩色压型钢板（夹心板）攒尖亭屋面板	（1）屋面坡度 （2）穹顶弧长、直径 （3）彩色压型钢板（夹心板）品种、规格 （4）拉杆材质、规格 （5）嵌缝材料种类 （6）防护材料种类	m^2	按设计图示尺寸以实铺面积计算	（1）压型板安装 （2）护角、包角、泛水安装 （3）嵌缝 （4）刷防护材料
050303007	彩色压型钢板（夹心板）穹顶	（1）屋面坡度 （2）穹顶弧长、直径 （3）彩色压型钢板（夹心板）品种、规格 （4）拉杆材质、规格 （5）嵌缝材料种类 （6）防护材料种类	m^2		（1）压型板安装 （2）护角、包角、泛水安装 （3）嵌缝 （4）刷防护材料
050303008	玻璃屋面	（1）屋面坡度 （2）龙骨材质、规格 （3）玻璃材质、规格 （4）防护材料种类	m^2		（1）制作 （2）运输 （3）安装
050303009	木(防腐木）屋面	（1）木(防腐木）种类 （2）防护层处理	m^2		（1）制作 （2）运输 （3）安装

（三）混凝土亭工程工程量清单计算规则

《园林绿化工程工程量计算规范》（GB 50858—2013）中并未完全列出混凝土亭所涉及的所有工程量计算规则。对于未列出的工程量可以按照《房屋建筑与装饰工程工程量计算规范》（GB 50854—2013）中相关内容的计算规则进行计算，详见表3-7-2。

表3-7-2　混凝土亭工程工程量计算规则

项目编码	项目名称	项目特征	计量单位	工程量计算规则	工作内容
010101001	平整场地	（1）土壤类别 （2）弃土运距 （3）取土运距	m^2	按设计图示尺寸以建筑物首层建筑面积计算	（1）土方挖填 （2）场地找平 （3）运输
010101002	挖一般土方	（1）土壤类别 （2）挖土深度 （3）弃土运距	m^3	按设计图示尺寸以体积计算	（1）地表排水 （2）土方开挖 （3）围护(挡土板）及拆除 （4）基底钎探 （5）运输
010101003	挖沟槽土方			按设计图示尺寸以基础垫层底面积乘以挖土深度计算	
010101004	挖基坑土方				

（续）

项目编码	项目名称	项目特征	计量单位	工程量计算规则	工作内容
010101005	冻土开挖	（1）冻土厚度 （2）弃土运距	m^3	按设计图示尺寸开挖面积乘厚度以体积计算	（1）爆破 （2）开挖 （3）清理 （4）运输
010101006	挖淤泥、流沙	（1）挖掘深度 （2）弃淤泥、流沙距离		按设计图示位置、界限以体积计算	（1）开挖 （2）运输
010103001	回填方	（1）密实度要求 （2）填方材料品种 （3）填方粒径要求 （4）填方来源、运距	m^3	按设计图示尺寸以体积计算 （1）场地回填：回填面积乘平均回填厚度 （2）室内回填：主墙间面积乘回填厚度，不扣除间隔墙 （3）基础回填：按挖方清单项目工程量减去自然地坪以下埋设的基础体积（包括基础垫层及其他构筑物）	（1）运输 （2）回填 （3）压实
010103002	余方弃置	（1）废弃料品种 （2）运距		按挖方清单项目工程量减去利用回填方体积（正数）计算	余方点装料运输至弃置点
010201004	强夯地基	（1）夯击能量 （2）夯击遍数 （3）夯击点布置形式、间距 （4）地耐力要求 （5）夯填材料种类	m^2	按设计图示处理范围以面积计算	（1）铺设夯填材料 （2）强夯 （3）夯填材料运输
010501001	垫层	（1）混凝土种类 （2）混凝土强度等级	m^3	按设计图示尺寸以体积计算	（1）模板及支撑制作、安装、拆除、堆放、运输及清理模内杂物、刷隔离剂等 （2）混凝土制作、运输、浇筑、振捣、养护
010501002	带形基础				
010501003	独立基础				
010502001	矩形柱	（1）混凝土种类 （2）混凝土强度等级	m^3	按设计图示尺寸以体积计算 柱高： （1）有梁板的柱高，应自柱基上表面（或楼板上表面）至上层楼板上表面之间的高度计算 （2）无梁板的柱高，应自柱基上表面（或楼板上表面）至柱帽下表面之间的高度计算 （3）框架柱的柱高：应自柱基上表面至柱顶高度计算 （4）构造柱按全高计算，嵌接墙体部分（马牙槎）并入柱身体积 （5）依附柱上的牛腿和升板的柱帽，并入柱身体积计算	（1）模板及支架（撑）制作、安装、拆除、堆放、运输及清理模内杂物、刷隔离剂等 （2）混凝土制作、运输、浇筑、振捣、养护
010502002	构造柱				

（续）

项目编码	项目名称	项目特征	计量单位	工程量计算规则	工作内容
010505003	平板	（1）混凝土种类 （2）混凝土强度等级	m^3	按设计图示尺寸以体积计算，不扣除单个面积≤0.3m^2 的柱、垛以及孔洞所占体积	（1）模板及支架（撑）制作、安装、拆除、堆放、运输及清理模内杂物、刷隔离剂等 （2）混凝土制作、运输、浇筑、振捣、养护
010515001	现浇构件钢筋	钢筋种类、规格	t	按设计图示钢筋（网）长度（面积）乘单位理论质量计算	（1）钢筋制作、运输 （2）钢筋安装 （3）焊接（绑扎）
010515002	预制构件钢筋				
010515003	钢筋网片				（1）钢筋网制作、运输 （2）钢筋网安装 （3）焊接（绑扎）

三、任务实施

（一）编制某公园混凝土方亭工程工程量清单

针对本工程中涉及的分部分项工程量进行定额计算规则与清单计算规则对比发现，土方工程量的计算规则不同，需要重新计算工程量。

挖地坑土方清单量计算公式为

$$V_{挖} = L_1 \times L_2 \times H$$

式中　$V_{挖}$——挖地坑土方清单工程量；

L_1、L_2——垫层边长；

H——挖土深度。

$$V_{挖} = (1.2+0.1\times2)\times(1.2+0.1\times2)\times1.1 = 2.156(\mathrm{m}^3)$$

地坑夯实面积清单计算公式为

$$S_{夯} = L_1 \times L_2 = (1.2+0.1\times2)\times(1.2+0.1\times2) = 1.96(\mathrm{m}^2)$$

$$\begin{aligned}回填土体积\ V_{回填} &= V_{挖} - 地坪以下埋入物体积\\ &= 2.156-0.16-0.16-0.33-0.17 = 1.336(\mathrm{m}^3)\end{aligned}$$

余土弃置清单工程量计算公式为

$$V_{余土} = V_{挖} - V_{回填} = 2.156-1.336 = 0.82(\mathrm{m}^3)$$

某公园混凝土方亭工程工程量清单见表3-7-3。

表 3-7-3　某公园混凝土方亭工程工程量清单

序号	项目编码	项 目 名 称	项目特征描述	单位	工程量
1	010101001001	平整场地	三类土	m^2	0.250
2	010101004001	挖基坑土方	（1）三类土，独立基础 （2）挖土深度 2m 以内	m^3	2.156
3	010201004001	强夯地基	（1）夯击遍数：1 （2）夯填碎石	m^2	1.960
4	010103001001	回填方	夯填	m^3	1.336
5	010103002001	余方弃置	运距 50m 以内	m^3	0.820
6	010404001001	垫层	厚度 80mm；材料：碎石	m^3	0.160
7	010501001001	垫层	（1）80mm 厚混凝土 （2）C15 混凝土	m^3	0.160
8	010501003001	独立基础	C25 混凝土	m^3	0.330
9	010502001001	矩形柱	（1）柱高度 3.3m；周长 1.2m 以内 （2）C20 混凝土	m^3	0.550
10	010505003001	平板	C20 混凝土	m^3	1.810
11	011202003001	柱面一般抹灰砂浆找平	（1）混凝土 （2）装饰面材料：水泥砂浆	m^2	4.740
12	011301001001	天棚抹灰	（1）基层类型：现浇混凝土板 （2）抹灰材料：水泥砂浆	m^2	20.170
13	011407001001	喷刷涂料	（1）基层类型：一般抹灰 （2）涂料：室外乳胶漆	m^2	24.910
14	011101B02001	亭板顶面抹灰	（1）混凝土 （2）水泥砂浆	m^2	19.360
15	010515001001	现浇构件钢筋	二级钢筋，直径 6mm、8mm	t	0.102
16	010515001002	现浇构件钢筋	二级钢筋，直径 12mm	t	0.015

（二）核实工程量清单

对于投标人来说，收到招标文件后，需要针对招标文件中所给出的工程量清单进行计算核实后，方可编制投标报价。由于本工程直接采用了“任务七　钢筋混凝土亭工程工程量清单计价”中工程量的计算，并针对清单计算与定额计算规则的不同项目进行了清单工程量的计算。

（三）编制投标报价

1. 编制分部分项工程工程量清单与计价表（表3-7-4）

表3-7-4　分部分项工程工程量清单与计价表

工程名称：某公园混凝土方亭工程

序号	项目编码	项目名称	项 目 特 征	计量单位	工程数量	金额（元）	
						综合单价	合价
1	010101001001	平整场地	三类土	m^2	0.250	1.84	0.46
2	010101004001	挖基坑土方	（1）三类土，独立基础 （2）挖土深度2m以内	m^3	2.156	63.21	136.28
3	010201004001	强夯地基	（1）夯击遍数：1 （2）夯填碎石	m^2	1.960	1.81	3.55
4	010103001001	回填方	夯填	m^3	1.336	46.06	61.54
5	010103002001	余方弃置	运距50m以内	m^3	0.820	7.85	6.44
6	010404001001	垫层	厚度80mm；材料：碎石	m^3	0.160	126.25	20.20
7	010501001001	垫层	（1）80mm厚混凝土 （2）C15混凝土	m^3	0.160	310.88	49.74
8	010501003001	独立基础	C25混凝土	m^3	0.330	305.12	100.69
9	010502001001	矩形柱	（1）柱高度3.3m；周长1.2m以内 （2）C20混凝土	m^3	0.550	379.82	208.90
10	010505003001	平板	C20混凝土	m^3	1.810	328.19	594.02
11	011202003001	柱面一般抹灰砂浆找平	（1）混凝土 （2）装饰面材料：水泥砂浆	m^2	4.740	24.99	118.45
12	011301001001	天棚抹灰	（1）基层类型：现浇混凝土板 （2）抹灰材料：水泥砂浆	m^2	20.170	20.21	407.64
13	011407001001	喷刷涂料	（1）基层类型：一般抹灰 （2）涂料：室外乳胶漆	m^2	24.910	11.65	290.20
14	011101B02001	亭板顶面抹灰	（1）混凝土 （2）水泥砂浆	m^2	19.360	13.57	262.72
15	010515001001	现浇构件钢筋	二级钢筋，直径6mm、8mm	t	0.102	5530.98	564.16
16	010515001002	现浇构件钢筋	二级钢筋，直径12mm	t	0.015	5527.33	82.91
		本页小计					2907.90
		合　计					2907.90

2. 编制总价措施项目清单与计价表（表3-7-5）

表3-7-5　总价措施项目清单与计价表

工程名称：某公园混凝土方亭工程

序号	项目编码	项目名称	金额（元）
		1　安全生产、文明施工费	
1	011707001001	安全生产、文明施工费	231.49
		小计	231.49
		2　其他总价措施项目	
2	011707002001	夜间施工增加费	14.51
3	011707004001	二次搬运费	26.89
4	011707007001	成品保护费	13.93
5	011707B01001	冬季施工增加费	10.07
6	011707B02001	雨季施工增加费	23.28
7	011707B03001	生产工具用具使用费	24.53
8	011707B04001	检验试验配合费	10.47
9	011707B05001	工程定位复测、场地清理费	15.51
10	011707B06001	临时停水、停电费	8.90
11	011707B07001	土建工程施工与生产同时进行增加费	
12	011707B08001	在有害身体健康的环境中施工降效增加费	
		小计	148.09

3. 编制单价措施项目清单与计价表（表3-7-6）

表3-7-6　单价措施项目清单与计价表

工程名称：某公园混凝土方亭工程

序号	项目编码	项目名称	项目特征	计量单位	工程数量	金额（元）	
						综合单价	合价
1	011701B03001	柱装饰脚手架	（1）搭设高度：3.05m （2）脚手架材质：木	m^2	17.080	0.44	7.52
2	011701B03002	板底装饰脚手架	（1）搭设高度：4.4m （2）脚手架材质：木	m^2	19.360	1.40	27.10
3	011702025001	现浇混凝土基础垫层模板	构件类型：垫层	m^2	0.450	48.29	21.73
4	011702001002	现浇混凝土基础模板	基础类型：独立基础	m^2	0.960	48.22	46.29
5	011702002001	矩形柱模板		m^2	5.300	50.47	267.49
6	011702016001	混凝土亭板模板	支撑高度：3.13m	m^2	20.830	50.99	1062.12
		本页小计					1432.25
		合　计					1432.25

4. 编制单位工程费汇总表（表3-7-7）

表3-7-7 单位工程费汇总表

工程名称：某公园混凝土方亭工程

序号	名 称	计算基数	费率（%）	金额（元）	其中：（元）		
					人工费	材料费	机械费
1	分部分项工程工程量清单计价合计	STXM	100.000	2907.90	1084.57	1437.47	86.12
2	措施项目清单计价合计	CSXM-F5	100.000	1580.34	520.04	794.72	99.12
2.1	单价措施项目工程量清单计价合计	DJCSXM	100.000	1432.25	470.06	742.42	72.81
2.2	其他总价措施项目清单计价合计	ZJCSXM	100.000	148.09	49.98	52.30	26.31
3	其他项目清单计价合计	QTXM	100.000				
4	规费	STXM _ FY3 + CSXM _ FY3	100.000	334.51			
5	安全生产、文明施工费	HAQWM + HAQWMJB + HAQWMZJ	100.000	231.49			
6	税前工程造价	F1 + F2 + F3 + F4 + F5	100.000	5054.24			
6.1	其中：进项税额	ZSTDKYGCLF + ZCSDKYGCLF + ZSTDKJXF + ZCSDKJXF + ZSTDKYGWCF + ZCSDKYGWCF + ZSTDKYGSBF + ZCSDKYGSBF + F5 ×3% + （STXM _ FY1 + CSXM _ FY1） × 2.06% + DKLXXMZLJE + DKLXXMZYGCZGJ + DKLXXMJRG	100.000	247.53			
7	销项税额	F6 + ZSTSBF + ZCSSBF − F6 _ 1 − （ZSTJGCLF + ZCSJGCLF + ZSTJGWCF + ZCSJGWCF + ZSTJGSBF + ZCSJGSBF）	9.000	432.60			
8	增值税应纳税额	IF（（F7 − F6 _ 1） >0，（F7 − F6 _ 1），0）	100.000	185.07			
9	附加税费	F8	13.220	24.47			
10	税金	F8 + F9	100.000	209.54			
	合 计			5263.78	1604.61	2232.19	185.24

5. 编制其他项目清单

本工程项目并没有发生，也需按要求列出，不得缺失。对应的金额填0，见表3-7-8。

表 3-7-8　其他项目清单与计价汇总表

工程名称：某公园混凝土方亭工程

序号	项 目 名 称	金额（元）
1	暂列金额	
2	暂估价	
2.1	材料暂估价	
2.2	设备暂估价	
2.3	专业工程暂估价	
3	总承包服务费	
4	计日工	
	合　计	

6. 投标总价

投标总价

招标人：________________

工程名称：　公园混凝土方亭工程　

投标总价(小写)：5263.78 元

（大写)：伍仟贰佰陆拾叁元柒角捌分整

投标人：________________（单位盖章）

法定代表人或

委托代理人：________________（签字盖章）

造价工程师

或造价员：________________（签字盖执业专用章）

编制时间：______年______月______日

7. 填写编制说明

8. 填写工程量清单封面

四、学习评价

学习评价标准	分值	教学评价			总评
		小组评价 40%	学生自评 20%	教师评价 40%	
收集资料情况，主要资料齐全	5				
识读图样和施工内容，基本正确	10				
工程项目划分，正确	10				
工程量的计算，正确	20				
定额套用，正确	20				
计价表格编写，完整	10				

（续）

学习评价标准	分值	教学评价			总评
		小组评价 40%	学生自评 20%	教师评价 40%	
自学能力	5				
综合运用知识能力	10				
完成任务态度	5				
出勤情况	5				
小计	100				

五、复习思考

（1）简述混凝土及钢筋混凝土工程工程量计算规则。

（2）以某一园林混凝土亭景观工程为例，试编制工程量清单，主要包括项目编码及项目特征描述。

六、总结

重点：（1）钢筋混凝土亭工程工程量清单计算规则。

（2）钢筋混凝土亭工程工程量清单计价编制步骤。

难点：（1）钢筋混凝土构件工程量计算。

（2）钢筋混凝土亭工程工程量清单计价步骤和表格。

任务八　钢结构廊架工程工程量清单计价

一、任务描述

钢结构廊架工程工程量清单计价

（一）任务说明

参考项目二任务八中图2-8-1、图2-8-2所示的钢结构廊架施工图。根据图中所示尺寸大小和表3-8-1钢结构廊架工程工程量清单，按照工程量清单计价方式计算钢结构廊架工程造价。

（二）任务要求

（1）根据钢结构廊架施工图核实工程量清单。

（2）根据钢结构廊架施工图和工程量清单编制工程量清单计价表。

表3-8-1　钢结构廊架工程工程量清单

序号	项目编码	项目名称	项目特征描述	计量单位	工程数量
1	010101001001	平整场地	三类土	m^2	51.74
2	010101002001	挖基础土方	三类土；独立基础；挖土深度2m以内	m^3	68.06
3	010201004001	地基强夯	夯填碎石	m^2	71.64

（续）

序号	项目编码	项目名称	项目特征描述	计量单位	工程数量
4	010501003001	现浇独立基础	C20 混凝土；150mm 厚碎石干铺	个	14
5	050201001001	花架廊地面	200mm 厚碎石；20mm 厚印花红花岗石剁斧板；15mm 厚 C20 水泥砂浆结合层	m^2	57. 71
6	010103001001	土石方回填		m^3	36. 73
7	050304003001	金属花架柱、梁	直径 150mm 廊柱：壁厚按 3mm 计；红丹防锈漆涂两遍，外喷普蓝色无光漆	t	2. 019
8	050305004001	凳面，凳脚	红色花岗石	m^2	20. 7

二、相关知识

1. 与廊架相关项目工程量计算规则

（1）对不规则或多边形钢板的重量，均按其最小的外接矩形计算。

（2）对以上未提及的构件并入零星构件计算。

2. 钢结构廊架工程工程量清单计算规则

钢结构廊架工程工程量清单计算规则见表 3-8-2。

表 3-8-2　钢结构廊架工程工程量清单计算规则

项目编码	项目名称	项目特征	计量单位	工程量计算规则	工作内容
050304001	现浇混凝土花架柱、梁	（1）柱截面、高度、根数 （2）盖梁截面、高度、根数 （3）连系梁截面、高度、根数 （4）混凝土强度等级	m^3	按设计图示尺寸以体积计算	（1）模板制作、运输、安装、拆除、保养 （2）混凝土制作、运输、浇筑、振捣、养护
050303002	预制混凝土花架柱、梁	（1）柱截面、高度、根数 （2）盖梁截面、高度、根数 （3）连系梁截面、高度、根数 （4）混凝土强度等级 （5）砂浆配合比			（1）模板制作、运输、安装、拆除、保养 （2）混凝土制作、运输、浇筑、振捣、养护 （3）构件运输、安装 （4）砂浆制作、运输 （5）接头灌缝、养护
050304003	金属花架柱、梁	（1）钢材品种、规格 （2）柱、梁截面 （3）油漆品种、刷漆遍数	t	按设计图示以质量计算	（1）制作 （2）运输 （3）安装 （4）油漆
050304004	木花架柱、梁	（1）木材种类 （2）柱、梁截面 （3）连接方式 （4）防护材料种类	m^3	按设计图示截面乘以长度（包括榫长）以体积计算	（1）构件制作、运输、安装 （2）刷防护材料、油漆
050304005	竹花架柱、梁	（1）竹种类 （2）竹胸径 （3）油漆品种、刷漆遍数	（1）m （2）根	（1）以长度计量，按设计图示花架构件尺寸以延长米计算 （2）以根计量，按设计图示花架柱、梁数量计算	（1）制作 （2）运输 （3）安装 （4）油漆

三、任务实施

（一）识图并熟悉清单规则

（二）核实工程量清单

（三）工程量清单计价

1. 编制分部分项工程工程量清单综合单价分析表

根据上述工程量，编制分部分项工程工程量清单综合单价分析表，见表3-8-3～表3-8-10。

表3-8-3　分部分项工程工程量清单综合单价分析表（一）

工程名称：

项目编码	010101001001	项目名称	平整场地									单位	m^2
清单综合单价组成明细													
定额编号	定额名称	单位	数量	单价					合价				
				人工费	材料费	机械费	管理费	利润	人工费	材料费	机械费	管理费	利润
1-121	平整场地	$10m^2$	0.1	43.89	0	0	16.24	5.27	4.39	0	0	1.62	0.53
综合工日		小计							4.39			1.62	0.53
0.06工日		未计价材料费											
清单项目综合单价									6.54				

表3-8-4　分部分项工程工程量清单综合单价分析表（二）

工程名称：

项目编码	010101002001	项目名称	挖基础土方									单位	m^3
清单综合单价组成明细													
定额编号	定额名称	单位	数量	单价					合价				
				人工费	材料费	机械费	管理费	利润	人工费	材料费	机械费	管理费	利润
1-22	人工挖地槽	m^3	1.0	35.42	0	0	13.11	4.25	35.42	0	0	13.11	4.25
综合工日		小计							35.42			13.11	4.25
0.51工日		未计价材料费											
清单项目综合单价									52.78				

表3-8-5　分部分项工程工程量清单综合单价分析表（三）

工程名称：

项目编码	010201004001	项目名称	地基强夯									单位	m^2
清单综合单价组成明细													
定额编号	定额名称	单位	数量	单价					合价				
				人工费	材料费	机械费	管理费	利润	人工费	材料费	机械费	管理费	利润
1-123	原土打夯	$10m^2$	0.1	9.24	0	1.93	4.13	1.34	0.92	0	0.19	0.41	0.13
综合工日		小计							0.92		0.19	0.41	0.13
0.01工日		未计价材料费											
清单项目综合单价									1.65				

表 3-8-6　分部分项工程工程量清单综合单价分析表（四）

工程名称：

项目编码	010501003001	项目名称	现浇独立基础							单位			个
清单综合单价组成明细													
定额编号	定额名称	单位	数量	单价					合价				
				人工费	材料费	机械费	管理费	利润	人工费	材料费	机械费	管理费	利润
1-750	垫层碎石干铺	m^3	0. 15	47. 04	165. 02	1. 93	18. 12	5. 88	7. 06	24. 75	0. 29	2. 72	0. 88
1-277	现浇混凝土构件	m^3	0. 5	38. 64	407. 25	30. 2	25. 47	8. 26	19. 32	203. 63	15. 1	12. 74	4. 13
1-479	ϕ12mm 以内钢筋	t	0. 008	978. 6	3555. 76	178. 59	428. 16	138. 86	7. 83	28. 45	1. 43	3. 43	1. 11
综合工日		小计							34. 21	256. 83	16. 82	18. 89	6. 12
0. 49 工日		未计价材料费											
清单项目综合单价									332. 87				

表 3-8-7　分部分项工程工程量清单综合单价分析表（五）

工程名称：

项目编码	050201001001	项目名称	花架廊地面							单位			m^2
清单综合单价组成明细													
定额编号	定额名称	单位	数量	单价					合价				
				人工费	材料费	机械费	管理费	利润	人工费	材料费	机械费	管理费	利润
1-750	垫层碎石干铺	m^3	0. 17931	47. 04	165. 02	1. 93	18. 12	5. 88	8. 43	29. 59	0. 35	3. 25	1. 05
1-756	20mm 厚水泥砂浆	$10m^2$	0. 1	58. 8	54. 9	9. 52	25. 28	8. 2	5. 88	5. 49	0. 95	2. 53	0. 82
1-775 换	20mm 厚印花红花岗石剁斧板	$10m^2$	0. 1	354. 48	2146. 21	19. 23	138. 27	44. 85	35. 45	214. 62	1. 92	13. 83	4. 49
综合工日		小计							49. 76	249. 70	3. 22	19. 61	6. 36
0. 71 工日		未计价材料费											
清单项目综合单价									328. 65				

表3-8-8　分部分项工程工程量清单综合单价分析表（六）

工程名称：

项目编码	010103001001	项目名称	土石方回填									单位	m^3
清单综合单价组成明细													
定额编号	定额名称	单位	数量	单价					合价				
				人工费	材料费	机械费	管理费	利润	人工费	材料费	机械费	管理费	利润
1-127	回填土基（槽）坑夯填	m^3	1.0	21.56	0	1.3	8.46	2.74	21.56	0	1.3	8.46	2.74
综合工日		小计							21.56		1.30	8.46	2.74
0.31工日		未计价材料费											
清单项目综合单价									34.06				

表3-8-9　分部分项工程工程量清单综合单价分析表（七）

工程名称：

项目编码	050304003001	项目名称	金属花架柱、梁									单位	t
清单综合单价组成明细													
定额编号	定额名称	单位	数量	单价					合价				
				人工费	材料费	机械费	管理费	利润	人工费	材料费	机械费	管理费	利润
3-586	金属小品亭、廊、架、柱、栏杆等制作	t	1.0	1925	4555.59	1303.04	365.75	269.5	1925	4555.59	1303.04	365.75	269.5
3-587	金属小品亭、廊、架、柱、栏杆等安装	t	1.0	1092	60.7	133.33	207.48	152.88	1092	60.7	133.33	207.48	152.88
2-679×2	其他金属面油漆、防锈漆一遍	t	1.0	165.2	154.38	0	61.12	19.82	165.2	154.38	0	61.12	19.82
2-680	其他金属面油漆调和漆两遍	t	1.0	151.2	68.57	0	55.94	18.14	151.2	68.57	0	55.94	18.14
综合工日		小计							3333.4	4839.24	1436.37	690.3	460.34
47.62工日		未计价材料费											
清单项目综合单价									10759.65				

表 3-8-10 分部分项工程工程量清单综合单价分析表（八）

工程名称：

项目编码	050305004001	项目名称	凳面，凳脚								单位	m^2
清单综合单价组成明细												
定额编号	定额名称	单位	数量	单价					合价			
				人工费	材料费	机械费	管理费	利润	人工费	材料费	机械费	管理费	利润
1-357	现浇混凝土小型构件	m^3	0.048309	118.44	428.73	2.64	44.8	14.53	5.72	20.71	0.13	2.16	0.7
1-780换	红色花岗石台阶	$10m^2$	0.1	443.52	1630.67	25.09	173.39	56.23	44.35	163.07	2.51	17.34	5.62
综合工日		小计							50.07	183.78	2.64	19.50	6.32
0.72 工日		未计价材料费											
清单项目综合单价									262.31				

2. 编制廊架工程分部分项工程工程量清单与计价表

将以上分析所得数据，填写到分部分项工程工程量清单与计价表内，结果见表3-8-11。

表 3-8-11 分部分项工程工程量清单与计价表

工程名称：

序号	项目编码	项目名称	项目特征描述	计量单位	工程数量	金额（元）	
						综合单价	合价
1	010101001001	平整场地	三类土	m^2	51.74	6.54	338.38
2	010101002001	挖基础土方	三类土；独立基础；挖土深度2m以内	m^3	68.06	52.78	3592.21
3	010201004001	地基强夯	夯填碎石	m^2	71.64	1.65	118.21
4	010501003001	现浇独立基础	C20混凝土；150mm厚碎石干铺	个	14	332.87	4660.18
5	050201001001	花架廊地面	200mm厚碎石；20mm厚印花红花岗石剁斧板；15mm厚C20水泥砂浆结合层	m^2	57.71	328.65	18966.39
6	010103001001	土石方回填		m^3	36.73	34.06	1251.02
7	050304003001	金属花架柱、梁	直径150mm廊柱：壁厚按3mm计；红丹防锈漆涂两遍，外喷普蓝色无光漆	t	2.019	10759.64	21723.71
8	050305004001	凳面，凳脚	红色花岗石	m^2	20.7	262.31	5429.82
		总计					56079.92

3. 编制措施项目清单与计价表（表3-8-12、表3-8-13）

表3-8-12　措施项目清单与计价表（一）

工程名称：

序号	项目名称	计算基础	费率（%）	金额（元）
一	通用措施项目	1.1～8	100	841.2
1	现场安全文明施工	1.1～1.3	100	392.56
1.1	基本费	分部分项综合费用	0.7	392.56
1.2	考评费	分部分项综合费用	0	0
1.3	奖励费	分部分项综合费用	0	0
2	夜间施工	分部分项综合费用	0	0
3	冬雨季施工	分部分项综合费用	0	0
4	已完工程及设备保护	分部分项综合费用	0.1	56.08
5	临时设施	分部分项综合费用	0.7	392.56
6	材料与设备检验试验	分部分项综合费用	0	0
7	赶工措施	分部分项综合费用	0	0
8	工程按质论价	分部分项综合费用	0	0
二	专业工程措施项目	9	100	0
9	以费率计价的措施项目	分部分项综合费用	0	0
	合计	一＋二	100	841.2

表3-8-13　措施项目清单与计价表（二）

工程名称：

序号	项目名称	金额（元）
一	通用措施项目	
1	二次搬运	
2	大型机械设备进出场及安拆	
3	施工排水	
4	施工降水	
5	地上、地下设施，建筑物的临时保护措施	
6	特殊条件下施工增加	
二	专业工程措施项目	5165.60
7	模板及支架	2193.64
8	脚手架	2971.96
9	支撑	
10	绕杆	
11	假植	
12	其他以项计价的措施项目	
	总计	5165.60

4. 编制规费、税金清单计价表（表3-8-14）

表3-8-14　规费、税金清单计价表

工程名称：

序号	项目名称	计算基础	费率（%）	金额（元）
1	规费	1.1～1.4	100	2173.03
1.1	工程排污费	分部分项综合费用＋措施项目合计＋其他项目合计	0	0
1.2	建筑安全监督管理费	分部分项综合费用＋措施项目合计＋其他项目合计	0	0
1.3	社会保障费	分部分项综合费用＋措施项目合计＋其他项目合计	3	1862.6
1.4	住房公积金	分部分项综合费用＋措施项目合计＋其他项目合计	0.5	310.43
2	税金	分部分项综合费用＋措施项目合计＋其他项目合计＋1	3.477	2234.31
	合计	1＋2	100	4407.34

5. 编制单位工程投标总价汇总表（表3-8-15）

表3-8-15　单位工程投标总价汇总表

工程名称：

序号	汇总内容	计算公式	金额（元）	其中：暂估价
1	分部分项工程	分部分项综合费用	56079.92	
1.1	廊架		56079.92	
2	措施项目	措施项目合计	6006.80	
2.1	安全文明施工费	措施—安全文明	392.56	
3	其他项目	其他项目合计	0.00	
3.1	暂列金额	暂列金额合计	0.00	
3.2	专业工程暂估价	专业工程合计	0.00	
3.3	计日工	计日工合计	0.00	
3.4	总承包服务费	总承包合计	0.00	
4	规费	规费税金规费	2173.03	
5	税金	规费税金税金	2234.31	
	合计	1＋2＋3＋4＋5	66494.06	

6. 投标总价

投标总价

招标人：________________

工程名称：________________

投标总价（小写）：66494.06元

（大写）：陆万陆仟肆佰玖拾肆元零陆分整

投标人：________________（单位盖章）

法定代表人或

委托代理人：________________（签字盖章）

造价工程师

或造价员：________________（签字盖执业专用章）

编制时间：______年______月______日

7. 填写编制说明

8. 填写工程量清单封面

四、学习评价

学习评价标准	分值	教学评价			总评
		小组评价 40%	学生自评 20%	教师评价 40%	
收集资料情况，主要资料齐全	5				
识读图样和施工内容，基本正确	10				
工程项目划分，正确	10				
工程量的计算，正确	20				
定额套用，正确	20				
计价表格编写，完整	10				
自学能力	5				
综合运用知识能力	10				
完成任务态度	5				
出勤情况	5				
小计	100				

五、复习思考

（1）理解和认识钢结构建设的各种部件及其用途。

（2）园林景观工程钢结构廊架清单工程量计算规则有哪些？

（3）以某一钢结构廊架工程为例，编制工程量清单，主要包括项目编码及项目特征描述。

六、总结

重点：（1）钢结构廊架工程工程量清单计算规则。

（2）钢结构廊架工程工程量清单计价编制步骤。

难点：（1）钢结构廊架工程工程量计算。

（2）钢结构廊架工程工程量清单计价步骤、过程。

任务九　园林给水排水工程工程量清单计价

一、任务描述

园林给水排水工程工程量清单计价

（一）任务说明

某县城兴泉路、府后街、宗畅寺街、祥宁街健康步道绿化给水工程设有De63、De50、De40、De32管，设有水表De32、De50各1组，分水栓De20共32套。

（二）任务要求

（1）核实计算健康步道给水排水工程工程量清单。

（2）计价软件编制健康步道给水排水工程工程量清单计价表。

二、相关知识

1. 园林给水排水工程工程量清单编制

所谓清单，从通俗意义上来讲，就是把原来计价表预算进行重新归类，分成一个个比较容易确认的单元，以便于现场非预算人员应用的一种预算形式。所以现行的预算编制有两种模式即清单模式和计价表标准预算模式，两者在计算结果上是完全一样的，只是在拆分组合上有所不同而已。清单模式和计价表模式的区别也只表现在分部分项工程的组成上，在措施项目、其他项目、规费和税金的表现形式上则完全是一样的。

清单编制中的项目特征描述在清单规范中有详细的规定。原则上规范中规定的内容都可以放在本清单项中，但同一项内容还可能要根据现场的不同安装形式进行细分拆分，而如何拆分，预算编制人员的观点可能各不一样，所以同一份预算不同的人编制出来的清单不可能完全一样。

清单的工程量计算规则与计价表的计算规则有时会有所不同，但在给水排水工程中表现得比较少，在这里不再赘述。

2. 园林给水排水工程工程量清单计价

园林给水排水工程工程量清单计价要做到清单计价的“四统一”，即统一的项目编码、统一的项目名称、统一的计量单位和统一的工程量计算规则。

三、任务实施

（一）识图并熟悉清单规则

（二）核实工程量清单

（三）工程量清单计价

分部分项工程工程量清单综合单价分析同项目三中任务一至任务八，见表3-9-1～表3-9-4。

表3-9-1　分部分项工程工程量清单与计价表

序号	项目编码	项目名称	项目特征	单位	工程数量	金额（元）	
						综合单价	合价
1	031001006001	塑料管	（1）安装部位：地下 （2）介质：水 （3）材质、规格：聚乙烯（PE）塑料管 De25 （4）连接形式：热熔连接 （5）压力试验及吹、洗设计要求：水冲洗、水压试验	m	413.100	6.78	2800.82

（续）

序号	项目编码	项目名称	项目特征	单位	工程数量	金额（元）	
						综合单价	合价
2	031001006002	塑料管	（1）安装部位：地下 （2）介质：水 （3）材质、规格：聚乙烯（PE）塑料管 De32 （4）连接形式：热熔连接 （5）压力试验及吹、洗设计要求：水冲洗、水压试验	m	236.400	9.26	2189.06
3	031001006003	塑料管	（1）安装部位：地下 （2）介质：水 （3）材质、规格：聚乙烯（PE）塑料管 De40 （4）连接形式：热熔连接 （5）压力试验及吹、洗设计要求：水冲洗、水压试验	m	250.800	14.02	3516.22
4	031001006004	塑料管	（1）安装部位：地下 （2）介质：水 （3）材质、规格：聚乙烯（PE）塑料管 De50 （4）连接形式：热熔连接 （5）压力试验及吹、洗设计要求：水冲洗、水压试验	m	482.400	21.33	10289.59
5	031001006005	塑料管	（1）安装部位：地下 （2）介质：水 （3）材质、规格：聚乙烯（PE）塑料管 De63 （4）连接形式：热熔连接 （5）压力试验及吹、洗设计要求：水冲洗、水压试验	m	8.000	32.77	262.16
6	040502009001	水表	（1）名称：翼轮湿式水表 （2）规格：DN32 （3）安装方式：螺纹连接	组	1.000	190.02	190.02
7	040502009002	水表	（1）名称：翼轮湿式水表 （2）规格：DN40 （3）安装方式：螺纹连接	组	3.000	259.55	778.65
8	040502009003	水表	（1）名称：翼轮湿式水表 （2）规格：DN50 （3）安装方式：螺纹连接	组	1.000	328.15	328.15
9	040502B10001	防冻给水栓	（1）规格：DN20 （2）安装部位、方式：见图集05S2-7页	套	32.000	268.97	8607.04
		合　计					28961.71

表 3-9-2　总价措施项目清单与计价表

序号	项目编码	项目名称	金额（元）
		1　安全生产、文明施工费	
1	050405001001	安全生产、文明施工费	858.07
		小计	858.07
		2　其他总价措施项目	
2	050405002001	夜间施工增加费	18.53
3	050405004001	二次搬运费	54.53
4	050405008001	成品保护费	31.94
5	050405B01001	冬季施工增加费	28.38
6	050405B02001	雨季施工增加费	65.48
7	050405B03001	生产工具用具使用费	102.14
8	050405B04001	检验试验配合费	7.10
9	050405B05001	工程定位复测及竣工清理费	28.99
10	050405B06001	临时停水、停电费	19.83
11	050405B07001	繁华地段交叉施工增加费	30.13
12	050405B08001	高台增加费	
		小计	387.05

表 3-9-3　人工、材料、机械台班（用量、单价）汇总表

编　码	名称及型号规格	单位	数　量	预算价（元）	市场价（元）	市场价合计（元）	价差合计（元）
			人工				
10000002	综合用工二类	工日	99.1812	60.00	60.00	5950.872	
CSRGF	措施费中的人工费	元	148.9642	1.00	1.00	148.9642	
			材料				
BM1-3001	橡胶板 δ1 ~3mm	kg	0.6400	2.00	2.00	1.28	
CSCLF	措施费中的材料费	元	152.6273	1.00	1.00	152.6273	
EA1-0076	机油	kg	0.0580	11.20	15.00	0.87	0.22
ED1-0172	聚四氟乙烯生料带	m	6.1900	1.60	1.60	9.904	
OG5-3111	聚丙烯管件 ϕ32（室外）	个	124.7040	3.06	3.06	381.59424	
OG5-3112	聚丙烯管件 ϕ40（室外）	个	46.6488	5.74	5.74	267.764112	
OG5-3113	聚丙烯管件 ϕ50（室外）	个	89.2440	10.92	10.92	974.54448	
OG5-3114	聚丙烯管件 ϕ63（室外）	个	1.4080	19.64	19.64	27.65312	
OL1-0013	镀锌活接头 DN20	个	32.3200	3.42	3.42	110.5344	
OL1-0024	镀锌内接头 DN20	个	64.6400	1.07	1.07	69.1648	
OL1-0046	镀锌弯头 DN20	个	32.3200	1.55	1.55	50.096	
OL1-0090	镀锌月弯 DN20	个	32.3200	2.74	2.74	88.5568	
OL1-0112	镀锌管堵 DN20	个	32.3200	0.76	0.76	24.5632	
ZA1-0002	水	m^3	17.0648	5.00	4.00	68.2592	-17.06
ZG1-0001	其他材料费	元	83.7866	1.00	1.00	83.7866	

（续）

编 码	名称及型号规格	单位	数 量	预算价（元）	市场价（元）	市场价合计（元）	价差合计（元）
			机械				
90000002	机械费	元	154.2201	1.00	1.00	154.2201	
CSJXF	措施费中的机械费	元	53.1143	1.00	1.00	53.1143	
			未计价材				
AZZW0147	水表连接件 DN32	个	2.0200	6.91	6.91	13.9582	
AZZW0147	水表连接件 DN40	个	6.0600	9.83	9.83	59.5698	
AZZW0147	水表连接件 DN50	个	2.0200	13.95	13.95	28.179	
CD1Y0080	聚乙烯（PE）塑料管 De25	m	419.2965	4.27	4.27	1790.396055	
CD1Y0080	聚乙烯（PE）塑料管 De32	m	239.9460	6.71	6.71	1610.03766	
CD1Y0080	聚乙烯（PE）塑料管 De40	m	254.5620	10.68	10.68	2718.72216	
CD1Y0080	聚乙烯（PE）塑料管 De50	m	489.6360	16.17	16.17	7917.41412	
CD1Y0080	聚乙烯（PE）塑料管 De63	m	8.1200	25.62	25.62	208.0344	
PA1W0080	铜闸阀 DN32	个	1.0100	50.35	50.35	50.8535	
PA1W0080	铜闸阀 DN40	个	3.0300	71.25	71.25	215.8875	
PA1W0080	铜闸阀 DN50	个	1.0100	98.80	98.80	99.788	
QC1W3051	翼轮湿式水表 DN32 LXS-32型	个	1.0000	104.00	104.00	104	
QC1W3051	翼轮湿式水表 DN40 LXS-40型	个	3.0000	140.00	140.00	420	
QC1W3051	翼轮湿式水表 DN50 LXS-50型	个	1.0000	165.00	165.00	165	
主材	防冻给水栓 DN20	套	32.0000	135.00	135.00	4320	

表 3-9-4 单位工程费用汇总表

序号	名称	计算基数	费率（%）	金额（元）	其中：（元）		
					人工费	材料费	机械费
1	分部分项工程工程量清单	STXM	100.000	28961.71	5946.66	21873.28	156.37
2	措施项目清单	CSXM-F5	100.000	387.05	148.96	152.63	53.11
2.1	单价措施项目工程量清单	DJCSXM	100.000				
2.2	其他总价措施项目清单	ZJCSXM	100.000	387.05			
3	其他项目清单	QTXM	100.000				
4	规费	STXM _ FY3 + CSXM _ FY3	100.000	757.19			
5	安全生产、文明施工费	HAQWM + HAQWMJB + HAQWMZJ	100.000	858.07			
6	税金	F1 + F2 + F3 + F4 + F5	3.410	1055.87			
	合 计			32019.89	6095.62	22025.91	209.48

四、学习评价

学习评价标准	分值	教学评价			总评
		小组评价 40%	学生自评 20%	教师评价 40%	
收集资料情况，主要资料齐全	5				
识读图样和施工内容，基本正确	10				
工程项目划分，正确	10				
工程量的计算，正确	20				
定额套用，正确	20				
计价表格编写，完整	10				
自学能力	5				
综合运用知识能力	10				
完成任务态度	5				
出勤情况	5				
小计	100				

五、复习思考

（1）简述给水排水工程工程量计算的步骤。
（2）绘制给水排水工程工程量清单表格样式。

六、总结

重点：（1）给水排水工程工程量清单计算规则。
（2）给水排水工程工程量清单计价编制步骤。
难点：（1）给水排水工程工程量计算。
（2）给水排水工程工程量清单计价步骤、过程。

任务十　园林电气工程工程量清单计价

一、任务描述

园林电气工程工程量清单计价

（一）任务说明

某托老所绿地内的景观绿化照明及配件系统图如图 3-10-1 所示。电源电压 380/220V。AL 为室外防水型配电柜，其箱体于室外水泥台上明装，规格详见电气系统图。室外配电分支回路均为 YJV-0. 6kV 铜芯交联聚氯乙烯绝缘聚氯乙烯护套电力电缆，敷设时穿 PVC 套管。其中配电箱进线采用 YJV-0. 6kV 铜芯交联聚氯乙烯绝缘聚氯乙烯护套内钢带铠装直埋式电力电缆。电缆埋深 0. 8m。电缆沟中电缆的上下铺 100mm 厚砂后盖板。电缆尽量沿绿地敷设，凡穿越道路、铺装处穿钢管保护并出道路两侧各 500mm，预留 2% 的长度，以免电缆冷却收缩受到拉力。

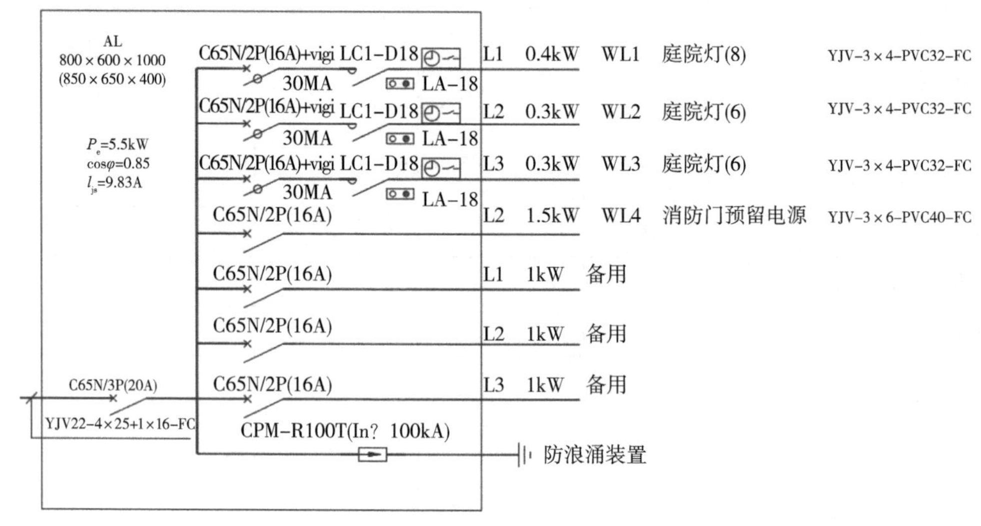

图 3-10-1　某托老所绿地内的景观绿化照明及配件系统图

某托老所配电柜接地示意图如图 3-10-2 所示。某托老所庭院灯安装大样图如图 3-10-3 所示。

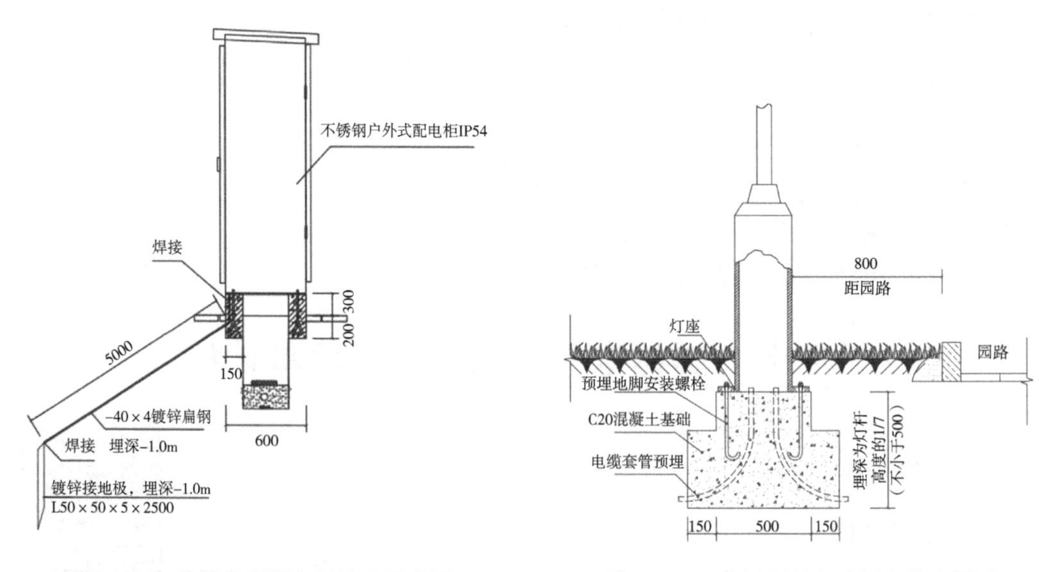

图 3-10-2　某托老所配电柜接地示意图　　　图 3-10-3　某托老所庭院灯安装大样图

某托老所绿地内的景观绿化照明平面图如图 3-10-4 所示。

某托老所绿地内的景观绿化照明工程工程量清单见表 3-10-1。

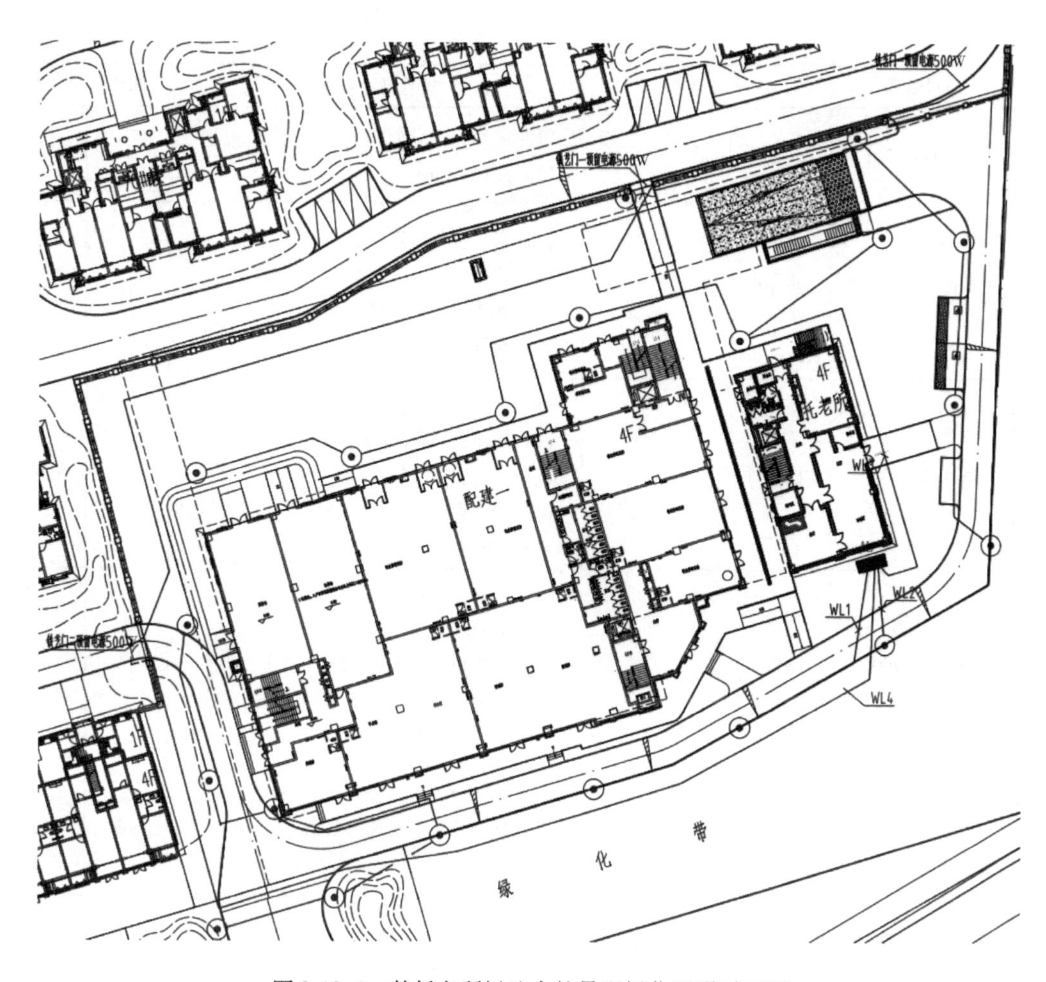

图 3-10-4　某托老所绿地内的景观绿化照明平面图

表 3-10-1　某托老所绿地内的景观绿化照明工程工程量清单

序号	项目编码	项目名称	项目特征描述	单位	工程量
1	030404017001	配电箱 AL01	（1）名称：配电箱 （2）规格：800mm×600mm×1000mm （3）安装方式：落地安装	台	1
2	030408003001	配管 RC100	（1）名称：电缆配管 （2）规格：RC100 （3）敷设方式：埋地敷设	m	233
3	030408003002	配管 RC32	（1）名称：电缆配管 （2）规格：RC32 （3）敷设方式：埋地敷设	m	240
4	030408001001	电缆 YJV22-3×6	（1）名称：电缆 （2）规格：YJV22-3×6 （3）敷设方式：直埋敷设	m	958

（续）

序号	项目编码	项目名称	项目特征描述	单位	工程量
5	030408006001	电缆头 6mm^2	（1）名称：电缆头 （2）规格：6mm^2	个	14
6	030412004001	草坪灯	（1）名称：草坪灯 （2）规格：18W，IP65 （3）光源色：节能灯 （4）安装方式：壁式	套	5
7	030412004002	柱头灯	（1）名称：柱头灯 （2）规格：13W，IP65 （3）光源色：节能灯 （4）安装方式：详见图样说明电气标准图集 96D702-2	套	16
8	030412007001	路灯	（1）名称：路灯 （2）规格：50W，IP65 （3）光源色：暖黄色 LED （4）安装方式：高度 3.5～4.0m；详见图样说明电气标准图集 96D702-2	套	25
9	010101007001	人工挖填管沟土方	（1）土壤类别：综合 （2）回填要求：按规范要求 （3）含铺砂盖砖	m3	360.5
10	030408005001	铺砂盖板	（1）铺砂 （2）盖板（砖） （3）满足设计图、相关规范与施工组织设计要求工作内容	m	757
11	030409001001	热镀锌接地极	（1）名称：热镀锌接地极 （2）规格：∟50×50×5×2500	根（块）	49
12	030409002001	接地母线	（1）名称：接地母线 （2）规格：40×4 镀锌扁钢	m	135
13	030414011001	接地装置	名称：接地装置	系统	1

（二）任务要求

（1）根据平面图和系统图核实园林景观电气工程工程量清单。

（2）根据平面图和电气工程工程量清单编制工程量清单计价表。

二、相关知识

园林电气工程工程量清单计算规则见表 3-10-2。

表 3-10-2　园林电气工程工程量清单计算规则

项目编码	项目名称	项目特征	计量单位	工程量计算规则	工作内容
030404017	配电箱	（1）名称 （2）型号 （3）规格 （4）基础形式、材质、规格 （5）接线端子材质、规格 （6）端子板外部接线材质、规格 （7）安装方式	台	按设计图示数量计算	（1）本体安装 （2）基础型钢制作、安装 （3）焊、压接线端子 （4）补刷（喷）油漆 （5）接地
030408001	电力电缆	（1）名称 （2）型号 （3）规格 （4）材质 （5）敷设方式、部位 （6）电压等级（kV） （7）地形	m	按设计图示尺寸以长度计算（含预留长度及附加长度）	（1）电缆敷设 （2）揭（盖）盖板
030408002	控制电缆				
030408003	电缆保护管	（1）名称 （2）材质 （3）规格 （4）敷设方式		按设计图示尺寸以长度计算	保护管敷设
030408004	电缆槽盒	（1）名称 （2）材质 （3）规格 （4）型号			槽盒安装
030408005	铺砂、盖保护板（砖）	（1）种类 （2）规格			（1）铺砂 （2）盖板（砖）
030408006	电力电缆头	（1）名称 （2）型号 （3）规格 （4）材质、类型 （5）安装部位 （6）电压等级（kV）	m	按设计图示数量计算	（1）电力电缆头制作 （2）电力电缆头安装 （3）接地
030408007	控制电缆头	（1）名称 （2）型号 （3）规格 （4）材质、类型 （5）安装方式			

（续）

项目编码	项目名称	项目特征	计量单位	工程量计算规则	工作内容
030409001	接地极	（1）名称 （2）材质 （3）规格 （4）土质 （5）基础接地形式	根（块）	按设计图示数量计算	（1）接地极（板、桩）制作、安装 （2）基础接地网安装 （3）补刷（喷）油漆
030409002	接地母线	（1）名称 （2）材质 （3）规格 （4）安装部位 （5）安装形式	m	按设计图示尺寸以长度计算（含附加长度）	（1）接地母线制作、安装 （2）补刷（喷）油漆
030411001	配管	（1）名称 （2）材质 （3）规格 （4）配置形式 （5）接地要求 （6）钢索材质、规格	m	按设计图示尺寸以长度计算	（1）电线管路敷设 （2）钢索架设（拉紧装置安装） （3）预留沟槽 （4）接地
030411004	配线	（1）名称 （2）配线形式 （3）型号 （4）规格 （5）材质 （6）配线部位 （7）配线线制 （8）钢索材质、规格	m	按设计图示尺寸以单线长度计算（含预留长度）	（1）配线 （2）钢索架设（拉紧装置安装） （3）支持体（夹板、绝缘子、槽板等）安装
030412005	荧光灯（含草坪灯）	（1）名称 （2）型号 （3）规格 （4）安装形式	套	按设计图示数量计算	本体安装
030412007	一般路灯	（1）名称 （2）型号 （3）规格 （4）灯杆材质、规格 （5）灯架形式及臂长 （6）附件配置要求 （7）灯杆形式（单、双） （8）基础形式、砂浆配合比 （9）杆座材质、规格 （10）接线端子材质、规格 （11）编号 （12）接地要求	套	按设计图示数量计算	（1）基础制作、安装 （2）立灯杆 （3）杆座安装 （4）灯架及灯具附件安装 （5）焊、压接线端子 （6）补刷（喷）油漆 （7）灯杆编号 （8）接地
030414002	送配电装置系统	（1）名称 （2）型号 （3）电压等级（kV） （4）类型	系统	按设计图示系统计算	系统调试

三、任务实施

（一）识图并熟悉清单规则

（二）核实工程量清单

根据电气工程工程量清单计算规则计算工程量，核实清单工程量正确性。

（三）工程量清单计价

1. 编制分部分项工程工程量清单与计价表（表3-10-3）。

表3-10-3　分部分项工程工程量清单与计价表

工程名称：某托老所绿地内的景观绿化照明工程

序号	项目编码	项目名称	项目特征	计量单位	工程数量	金额（元）	
						综合单价	合价
1	030404017001	配电箱	（1）名称：配电箱 （2）编号：AL01 （3）安装方式：落地安装	台	1.000	87.51	87.51
2	030408003001	电缆保护管	（1）名称：电缆配管 （2）规格：RC100 （3）敷设方式：埋地敷设	m	233.000	134.22	31273.26
3	030408003002	电缆保护管	（1）名称：电缆配管 （2）规格：RC32 （3）敷设方式：埋地敷设	m	240.000	91.99	22077.60
4	030408001001	电力电缆	（1）名称：电缆 （2）规格：YJV22-3×6 （3）敷设方式：直埋敷设	m	958.000	34.81	33347.98
5	030408006001	电力电缆头	（1）名称：电缆头 （2）规格：$6mm^2$	个	14.000	105.68	1479.52
6	030412004001	草坪灯	（1）名称：草坪灯 （2）规格：18W，IP65 （3）光源色：节能灯 （4）安装方式：壁式	套	5.000	295.42	1477.10
7	030412004002	草坪灯	（1）名称：柱头灯 （2）规格：13W，IP65 （3）光源色：节能灯 （4）安装方式：落地	套	16.000	857.09	13713.44
8	030412007001	一般路灯	（1）名称：路灯 （2）规格：50W，IP65 （3）光源色：暖黄色 LED （4）安装方式：高度3.5～4.0m	套	25.000	494.32	12358.00

（续）

序号	项目编码	项目名称	项目特征	计量单位	工程数量	金额（元）	
						综合单价	合价
9	010101007001	管沟土方	（1）土壤类别：综合 （2）回填要求：按规范要求 （3）含铺砂盖砖	m^3	360.500	16.52	5955.46
10	030408005001	铺砂、盖保护板（砖）	（1）铺砂 （2）盖板（砖）	m	757.000	10.35	7834.95
11	030409001001	接地极	（1）名称：热镀锌接地极 （2）规格：∟50×50×5×2500	根（块）	49.000	71.33	3495.17
12	030409002001	接地母线	（1）名称：接地母线 （2）规格：40×4镀锌扁钢	m	135.000	36.86	4976.10
13	030414011001	接地装置		系统	1.000	241.46	241.46
		本页小计					138317.55
		合 计					138317.55

2. 编制总价措施项目清单与计价表（表3-10-4）

表3-10-4 总价措施项目清单与计价表

工程名称：某托老所绿地内的景观绿化照明工程

序号	项目编码	项目名称	金额（元）
1 安全生产、文明施工费			
1	050405001001	安全生产、文明施工费	6761.18
		小计	6761.18
2 其他总价措施项目			
2	050405002001	夜间施工增加费	459.54
3	050405004001	二次搬运费	1153.80
4	050405008001	成品保护费	274.76
5	050405B01001	冬季施工增加费	388.31
6	050405B02001	雨季施工增加费	904.16
7	050405B03001	生产工具用具使用费	1288.78
8	050405B04001	检验试验配合费	437.79
9	050405B05001	工程定位复测及竣工清理费	422.29
10	050405B06001	临时停水、停电费	1088.74
11	050405B07001	繁华地段交叉施工增加费	
12	050405B08001	高台增加费	
		小计	6418.17

3. 编制其他项目清单

本工程项目并没有发生，也需按要求列出，不得缺失。对应的金额填0，见表3-10-5。

表 3-10-5　其他项目清单与计价汇总表

工程名称：某托老所绿地内的景观绿化照明工程

序号	项目名称	计量单位	金额/元	备注
1	暂列金额		0	
2	暂估价		0	
2.1	材料暂估价			
2.2	专业工程暂估价			
3	计日工		0	
4	总承包服务费		0	
合计				

4. 编制单位工程费汇总表（表3-10-6）

表 3-10-6　单位工程费汇总表

工程名称：某托老所绿地内的景观绿化照明工程

序号	名　称	计算基数	费率（%）	金额（元）	其中：（元）		
					人工费	材料费	机械费
1	分部分项工程工程量清单计价合计	STXM	100.000	138317.55	32542.92	89342.38	7389.50
2	措施项目清单计价合计	CSXM-F5	100.000	6418.17	2363.37	3359.76	120.19
2.1	单价措施项目工程量清单计价合计	DJCSXM	100.000				
2.2	其他总价措施项目清单计价合计	ZJCSXM	100.000	6418.17	2363.37	3359.76	120.19
3	其他项目清单计价合计	QTXM	100.000				
4	规费	STXM _ FY3 + CSXM _ FY3	100.000	8964.70			
5	安全生产、文明施工费	HAQWM + HAQWMJB + HAQWMZJ	100.000	6761.18			
6	税前工程造价	F1 + F2 + F3 + F4 + F5	100.000	160461.60			
6.1	其中：进项税额	ZSTDKYGCLF + ZCSDKYGCLF + ZSTDKJXF + ZCSDKJXF + ZSTDKYGWCF + ZCSDKYGWCF + ZSTDKYGSBF + ZCSDKYGSBF + F5 × 3% + （STXM _ FY1 + CSXM _ FY1） × 2.06% + DKLXXMZLJE + DKLXXMZYGCZGJ + DKLXXMJRG	100.000	10843.27			

（续）

序号	名　称	计算基数	费率（%）	金额（元）	其中：（元）		
					人工费	材料费	机械费
7	销项税额	F6 + ZSTSBF + ZCSSBF − F6 _ 1 − (ZSTJGCLF + ZCSJGCLF + ZSTJGWCF + ZCSJGWCF + ZSTJGSBF + ZCSJGSBF)	9.000	13465.65			
8	增值税应纳税额	IF（（F7 − F6 _ 1）＞0，（F7 − F6 _ 1），0）	100.000	2622.38			
9	附加税费	F8	13.220	346.68			
10	税金	F8 + F9	100.000	2969.06			
	合　计			163430.66	34906.29	92702.14	7509.69

5. 投标总价

投标总价

招标人：________________

工程名称：某托老所绿地内的景观绿化照明工程

投标总价（小写）：163430.66元

（大写）：壹拾陆万叁仟肆佰叁拾元陆角陆分整

投标人：________________（单位盖章）

法定代表人或

委托代理人：________________（签字盖章）

造价工程师

或造价员：________________（签字盖执业专用章）

编制时间：______年______月______日

6. 填写编制说明

7. 填写工程量清单封面

四、学习评价

学习评价标准	分值	教学评价			总评
		小组评价 40%	学生自评 20%	教师评价 40%	
收集资料情况，主要资料齐全	5				
识读图样和施工内容，基本正确	10				
工程项目划分，正确	10				
工程量的计算，正确	20				
定额套用，正确	20				

（续）

学习评价标准	分值	教学评价			总评
		小组评价 40%	学生自评 20%	教师评价 40%	
计价表格编写，完整	10				
自学能力	5				
综合运用知识能力	10				
完成任务态度	5				
出勤情况	5				
小计	100				

五、复习思考

（1）简述园林电气工程工程量清单及清单计价的编制步骤及内容。
（2）绘制园林电气工程工程量清单表格样式。

六、总结

重点：（1）园林电气工程工程量清单计算规则。
　　　（2）园林电气工程工程量清单计价的程序。
难点：（1）园林电气工程工程量清单的计算。
　　　（2）园林电气工程工程量清单计价的程序及表格。

项目三总结

本项目通过对园林绿化工程、园路工程、园桥工程、假山工程、景墙工程、钢筋混凝土亭工程、钢结构廊架工程园林给水排水工程、园林电气工程等工程量清单计价表编制任务，主要讲解园林工程工程量清单计价表的组成、内容及其格式。通过具体的任务实施阐述了各园林工程工程量清单计价表的相关知识，如园林工程综合单价的计算、分部分项工程工程量清单计价、分部分项工程工程量清单综合单价分析表的编制、各项取费的计算以及工程量清单格式的编写等。

综合实训三　某别墅庭院绿化工程工程量清单计价

【实训内容】

根据项目一的任务二中图 1-2-5 ~ 图 1-2-7 所示某别墅庭院绿化配置总平面图、廊架施工详图、镜面树池施工详图，进行该绿化工程工程量清单和计价编制。

【实训目的】

（1）了解园林工程工程量的计算规则和相关规定。

（2）掌握园林工程工程量计算的方法。
（3）会用国家相关定额或企业内部定额套价。
（4）能够熟练利用工程量清单计价编制园林工程预算。

【实训步骤】

（1）熟悉工程量清单规则。
（2）编制分部分项工程工程量清单综合单价分析表。
（3）编制分部分项工程工程量清单与计价表。
（4）编制措施项目清单与计价表。
（5）编制其他项目清单与计价表。
（6）编制规费、税金清单计价表。
（7）编制单位工程投标总价汇总表。
（8）投标总价。
（9）填写编制说明。
（10）填写工程量清单封面。

【考核评价】

序号	检 测 项 目	分值	自评分数
1	收集资料情况和熟悉施工内容	20	
2	根据工程量清单核实工程量	20	
3	套用定额计算综合单价	20	
4	计算各项造价费用算出总造价	20	
5	相关表格的正确编制和填写	20	

项目四 园林工程结算与竣工决算

项目引言

园林工程结算与竣工决算是一个园林工程在施工完成一部分或者全部时，承包方向发包方索要工程价款的行为；建设方对于一个园林工程项目的完结，结算投资额和投资效果的行为都要通过园林工程结算和竣工决算的行为表达出来。

学习目标

熟悉：园林工程结算的概念。
了解：工程价款的主要结算方式。
了解：园林工程结算的过程。
熟悉：园林工程竣工结算的概念。
熟悉：园林工程竣工结算书的组成。

思政目标

1. 培养学生的法律意识。
2. 培养学生诚信精神、国家荣誉感。
3. 培养学生严谨的工作态度。

任务一　园林工程结算与竣工决算通识

一、任务描述

（一）任务说明

本任务主要学习工程结算与竣工决算的相关知识，包括基本概念、工程结算和竣工决算的区别以及工程结算和决算过程中常用到的概念。

（二）任务要求

让学生从总体上明确：结算与决算在工程项目中所处的位置不同，涵盖的内容也有所不同。

二、相关知识

（一）工程结算与竣工决算的基本概念

1. 工程结算

工程结算是发包和承包双方根据合同约定，对合同工程在实施中、终止时、已完工后进行的合同价款计算、调整和确认；包括期中结算、终止结算、竣工结算。

2. 竣工决算

竣工决算是指建设项目全部竣工验收合格后编制的实际工程造价的经济文件。竣工决算可以反映该建设项目交付使用的固定资产及流动资产的详细情况，可以作为财产交接、考核建设项目使用成本及新增资产价值的依据，也是对该建设项目进行清产核资和后评估的依据。

（二）工程结算和竣工决算的区别

1. 二者包含的范围不同

工程竣工结算是指按工程进度、施工合同、施工监理情况办理的工程价款结算，以及根据工程实施过程中发生的超出施工合同范围的工程变更情况，调整施工图预算价格，确定工程项目最终结算价格。它分为单位工程竣工结算、单项工程竣工结算和建设项目竣工总结算。竣工结算工程价款等于合同价款加上施工过程中合同价款调整数额减去预付及已结算的工程价款再减去保修金。

竣工决算包括从筹集到竣工投产全过程的全部实际费用，即包括建筑工程费、安装工程费、设备工器具购置费及预备费和投资方向调节税等费用。按照财政部、国家发改委和住房和城乡建设部的有关文件规定，竣工决算是由竣工财务决算说明书、竣工财务决算报表、工程竣工图和工程竣工造价对比分析四部分组成。前两部分又称建设项目竣工财务决算，是竣工决算的核心内容。

2. 编制人和审查人不同

单位工程竣工结算由承包人编制，发包人审查；实行总承包的工程，由具体承包人编制，在总承包人审查的基础上，发包人审查。单项工程竣工结算或建设项目竣工总结算由总（承）包人编制，发包人可直接审查，也可以委托具有相应资质的工程造价咨询机构进行

审查。

建设工程竣工决算的文件，由建设单位负责组织人员编写，上报主管部门审查，同时抄送有关设计单位。大中型建设项目的竣工决算还应抄送财政部、建设银行总行和省、市、自治区的财政局和建设银行分行各一份。

3. 二者的目的不同

结算是在施工完成已经竣工后编制的，反映的是基本建设工程的实际造价。

决算是竣工验收报告的重要组成部分，是正确核算新增固定资产价值，考核分析投资效果，建立健全经济责任的依据，是反映建设项目实际造价和投资效果的文件。竣工决算要正确核定新增固定资产价值，考核投资效果。

（三）工程结算和决算过程中涉及的相关概念

1. 工程结算和决算的常用合同种类

（1）单价合同：发承包双方约定以工程量清单及其综合单价进行合同价款计算、调整和确认的建设工程施工合同。实行工程量清单计价的工程，应采用单价合同。

单价合同也可以分为固定单价合同和可调单价合同。

1）固定单价合同：这也是经常采用的合同形式，特别是在设计或其他建设条件（如地质条件）还未落实（计算条件应明确），以后还可能需增加工作内容或工程量时，可以按单价适当追加合同内容。在每月（或每阶段）工程结算时，根据实际完成的工程量结算，在工程全部完成时以竣工图的工程量最终结算工程总价款。

2）可调单价合同：合同单价可调，一般是在工程招标文件中规定。在合同中签订的单价，根据合同约定的条款，如在工程实施过程中物价发生变化等，可作调整。有的工程在招标或签约时，因某些不确定因素而在合同中暂定某些分部分项工程的单价，在工程结算时，再根据实际情况和合同约定单价进行调整，确定实际结算单价。

（2）总价合同：发承包双方约定以施工图及其预算和有关条件进行合同价款计算、调整和确认的建设工程施工合同。建设规模较小、技术难度较低、工期较短且施工图设计已审查批准的建设工程可采用总价合同。

总价合同也可以分为固定总价合同和变动总价合同。

1）固定总价合同：指合同的价格计算是以图样及规定、规范为基础，工程任务和内容明确，业主的要求和条件清楚，合同总价一次包死，固定不变，即不再因为环境的变化和工程量的增减而变化的一类合同。固定总价合同适用范围：工程范围清楚明确，报价的工程量应准确而不是估计数字，对此承包商必须认真复核；工程设计较细，图样完整、详细、清楚；工程量小、工期短，估计在工程过程中环境因素（特别是物价）变化小，工程条件稳定并合理；工程结构、技术简单，风险小，报价估算方便；工程投标期相对宽裕，承包商可以作详细的现场调查，复核工作量，分析招标文件，拟定计划；合同条件完备，双方的权利和义务十分清楚。

2）变动总价合同：又称为可调总价合同，合同价格是以图样及规定、规范为基础，按照时价（Current Price）进行计算，得到包括全部工程任务和内容的暂定合同价格。它是一种相对固定的价格，在合同执行过程中，由于通货膨胀等原因而使所使用的工、料成本增加时，可以按照合同约定对合同总价进行相应的调整。当然，一般由于设计变更、工程量变化和其他工程条件变化所引起的费用变化也可以进行调整。因此，通货膨胀等不可预见因素的风险由业主承担，对承包商而言，其风险相对较小，但对业主而言，不利于其进行投资控制，突破投资的风险就增大了。

3）成本加酬金合同：发承包双方约定以施工工程成本再加合同约定酬金进行合同价款计算、调整和确认的建设工程施工合同。紧急抢险、救灾以及施工技术特别复杂的建设工程可采用成本加酬金合同。

2. 工程结算和决算的常见术语

（1）工程成本：承包人为实施合同工程并达到质量标准，在确保安全施工的前提下，必须消耗或使用的人工、材料、工程设备、施工机械台班及其管理等方面发生的费用和按规定缴纳的规费和税金。

（2）索赔：在工程合同履行过程中，合同当事人一方因非己方的原因而遭受损失，按合同约定或法律法规规定承担责任，从而向对方提出补偿的要求。

（3）现场签证：发包人现场代表（或其授权的监理人、工程造价咨询人）与承包人现场代表就施工过程中涉及的责任事件所做的签认证明。

（4）提前竣工（赶工）费：承包人应发包人的要求而采取加快工程进度措施，使合同工程工期缩短，由此产生的应由发包人支付的费用。

（5）误期赔偿费：承包人未按照合同工期的计划进度施工，导致实际工期超过合同工期（包括经发包人批准的延长工期），承包人应向发包人赔偿损失的费用。

（6）工程变更：合同工程实施过程中，由发包人提出或由承包人提出经发包人批准的合同工程任何一项工作的增、减、取消或施工工艺、顺序、时间的改变，设计图的修改，施工条件的改变，招标工程量清单的错、漏，从而引起合同条件的改变或工程量的增减变化。

（7）工程量偏差：承包人按照合同工程的图样（含经发包人批准由承包人提供的图样）实施，按照现行国家计量规范规定的工程量计算规则计算得到的完成合同工程项目应予计量的工程量与相应的招标工程量清单项目列出的工程量之间出现的量差。

（8）预付款：在开工前，发包人按照合同约定，预先支付给承包人用于购买合同工程施工所需的材料、工程设备，以及组织施工机械和人员进场等的款项。

（9）进度款：在合同工程施工过程中，发包人按照合同约定对付款周期内承包人完成的合同价款给予支付的款项，也是合同价款期中结算支付。

（10）合同价款调整：在合同价款调整因素出现后，发承包双方根据合同约定，对合同价款进行变动的提出、计算和确认。

（11）竣工决算价：发承包双方依据国家有关法律、法规和标准规定，按照合同约定确定的，包括在履行合同过程中按合同约定进行的合同价款调整，是承包商按合同约定完成了全部承包工作后，发包人应付给承包人的合同总金额。

三、任务实施

（1）教师提供工程实例，设置若干结算与决算相关术语的问题。

（2）学生分组讨论并回答问题。

四、学习评价

学习评价标准	分值	教学评价			总评
		小组评价 40%	学生自评 20%	教师评价 40%	
知识学习：是否掌握知识	20				
能力提升：是否提高能力	20				
不足之处：是否发现不足	20				
解决之法：是否解决问题	20				
拓展之能：是否拓展空间	20				
小计	100				

五、复习思考

（1）工程结算和竣工决算分别处在施工建设的哪个阶段？

（2）索赔和现场签证有哪些不同点？

六、总结

重点：（1）工程结算和竣工决算的概念。

（2）工程结算和竣工决算的区别。

（3）工程合同的常用类型。

难点：（1）工程合同的常用类型。

（2）索赔和现场签证的概念。

任务二　园林工程价款结算的计算

一、任务描述

（一）任务说明

本任务主要学习工程结算的意义，并逐步引申出的工程价款的结算方式。

（二）任务要求

要求学生能对综合案例进行工程价款结算的计算。

二、相关知识

（一）工程结算的重要意义

工程结算是工程项目承包中的一项十分重要的工作，主要表现为以下几个方面：

（1）工程结算是反映工程进度的主要指标。在施工过程中，工程结算的依据之一就是按照已完成的工程进行结算，根据累计已结算的工程价款占合同总价款的比例，能够近似反映出工程的进度情况。

（2）工程结算是加速资金周转的重要环节。尽快尽早地结算工程款，有利于施工单位偿还债务，有利于资金回笼，降低内部运营成本。通过加速资金周转，提高资金的使用效率。

（3）工程结算是考核经济效益的重要指标。对于施工单位来说，只有工程款如数地结清，才意味着避免了经营风险，施工单位也才能够获得相应的利润，进而达到良好的经济效益。

（二）园林工程价款的结算方式

我国现阶段采用的工程价款结算方式主要有以下几种：

1. 按月结算

实行旬末或月中预支、月终结算、竣工后清算的方法。跨年度竣工的工程，在年终进行工程盘点，办理年度结算。

2. 竣工后一次结算

建设项目或单项工程全部建筑安装工程建设期在12个月以内，或者工程承包价值在100万元以下的，可以实行工程价款每月月中预支，竣工后一次结算。

3. 分段结算

当年开工、当年不能竣工的单项工程或单位工程按照工程形象进度，划分不同阶段进行结算。

4. 目标结算方式

在工程合同中，将承包工程的内容分解成不同的控制界面，以业主验收控制界面作为支付工程款的前提条件。也就是说，将合同中的工作内容分解成不同的验收单元，当施工单位完成单元工作内容并经业主验收后，业主支付构成单元工作内容的工程价款。

在目标结算方式下，施工单位要想获得工程价款，必须按照合同约定的质量标准完成界面内的工作内容，要想尽早获得工程价款，施工单位必须充分发挥自己的组织实施能力，在保证质量的前提下，加快施工进度。

5. 结算双方约定的其他结算方式

实行预收备料款的工程项目，在承包合同或协议中应明确发包单位（甲方）在开工前拨付给承包单位（乙方）工程备料款的预付数额、预付时间，开工后扣还备料款的起扣点、逐次扣还的比例，以及办理的手续和方法。

按照我国有关规定，备料款的预付时间应不迟于约定的开工日期前7天。发包方不按约定预付的，承包方在约定预付时间7天后向发包方发出要求预付的通知。发包方收到通知后仍不能按要求预付，承包方可在发出通知后7天停止施工，发包方应从约定应付之日起向承包方支付应付款的贷款利息，并承担违约责任。

（三）工程款的预付款

工程预付款又称预付备料款或材料预付款。它是发包人为了帮助承包人解决工程施工前期资金紧张的困难而提前给付的一笔款项。构成施工企业为该承包工程储备和准备主要材料、结构件所需的流动资金。工程是否实行预付款，取决于工程性质、承包工程量的大小以及发包人在招标文件中的规定。

工程实行预付款的，预付款的有关事项，如数量、支付时间和方式、支付条件、偿还

（扣还）方式等，应在施工合同条款中具体明确规定。合同双方应根据合同通用条款及价款结算办法的有关规定，在合同专用条款中约定并履行。

一般预付款与建筑材料供应方式相关联。

包工包全部材料工程：预付备料款数额确定后，建设单位把备料款一次或分次付给施工企业。

包工包地方材料工程：需要确定供料范围和备料比重，拨付适量备料款，双方及时结算。

包工不包料的工程：建设单位不需预付备料款。

1. 工程预付款及其额度

预付备料款的额度，由合同双方商定，在合同中明确预付备料款计算的理论公式：

预付备料款 = 合同价款 × 预付备料款额度

预付备料款额度 = 全年施工工程总值 × 主材所占比重/年施工日历天 × 材料储备天数

预付备料款的额度，要根据工程类型、合同工期、承包方式和供应方式等不同条件而定，一般建筑工程不应超过工作量（包括水、电、暖）的 30%，安装工程不应超过工作量的 10%。

2. 预付款的扣回

备料款属于预付性质。施工的后期所需材料储备逐步减少，需要以抵充工程价款的方式陆续扣还。

工程预付款的扣回：起扣点 = 合同价款 - 预付备料款/主要材料和构件所占总价款的比重

施工合同中应约定起扣时间和比例。

（1）按公式计算起扣点和抵扣额。当未完工程和未施工工程所需材料的价值相当于备料款数额时起扣。每次结算工程价款时，按材料比重抵扣工程价款，竣工前全部扣清。

未完工程需主材总值 = 未完工程价值 × 主要材料比重 = 预付备料款

未完工程价值 = 预付备料款/主要材料比重

起扣时已完工程价值 = 施工合同总值 - 未完工程价值

应扣还的预付备料款，按下列公式计算：

第一次抵扣额 =（累计已完工程价值 - 起扣时已完工程价值）× 主材比重

以后每次抵扣额 = 每次完成工程价值 × 主材比重

例：某工程合同价款为 300 万元，主要材料和结构件费用为合同价款的 62.5%，合同规定预付备料款为合同价款的 25%，则

预付备料款 = 300 × 25% = 75（万元）

起扣点 = 300 - 75/62.5% = 180（万元）

即：当累计结算工程价款为 180 万元时，应开始抵扣备料款。此时，未完工程价值为 120 万元。

所需主要材料费为 120 × 62.5% = 75（万元），与预付备料款相等。

（2）按合同规定办法扣还备料款。例如：规定工程进度达到 60%，开始抵扣备料款，扣还的比例是按每完成 10% 进度，扣预付备料款总额的 25%。

（3）工程最后一次抵扣备料款。适合于造价低、工期短的简单工程。备料款在施工前一次拨付，施工过程中不分次抵扣。当备料款加已付工程款达到 95% 合同价款（即留 5% 尾款）之时，停止支付工程款。

三、任务实施

（一）任务概况

在建设某市宛陵湖园林景观的一个单位项目时，其中一家园林工程公司承包的合同价为2000万元。现公司派陈工担任该项目的工程款结算的对接人员全权处理工程款的结算工作。陈工首先翻阅当初签订的合同，发现其中的规定如下：预付备料款额度为20%，竣工时应留8%尾款作保证金。该工程主要材料及结构构件金额占工程价款的80%，各月完成工作量情况见表4-2-1。

表4-2-1　各月完成工作量情况

月份	1	2	3	4	5	合同调整金额（万元）
完成工作量金额（万元）	300	300	400	600	400	80

（二）任务要求

（1）工程价款结算的方式有哪几种？

（2）计算该工程的预付备料款和起扣点。

（3）计算该工程按月结算的进度款。

（4）该工程竣工结算总造价为多少？

（5）5月份应付尾款为多少？

（三）任务分析

本任务主要考核工程款结算方式——按月结算工程款的计算方法、工程预付备料款和起扣点的计算等，要求针对本任务对工程款结算方式、工程预付备料款和起扣点的计算、按月结算工程款的计算方法和工程竣工结算等内容进行全面、系统地学习掌握。其中问题（1）只要求回答基本名称，问题（2）、（3）、（4）要求列出计算式，正确代入数值进行计算。

（1）工程价款结算的方式有哪几种？

答：工程价款的结算方式主要分为按月结算、竣工后一次结算、分段结算、目标结算和双方议定的其他方式。

（2）计算该工程的预付备料款和起扣点。

答：预付备料款 = 合同价款 × 预付备料款额度 = 2000 × 20% = 400（万元）

起扣点 = 合同价款 − 预付备料款/主要材料比重 = 2000 − 400/80% = 1500（万元）

（3）计算该工程按月结算的进度款。

答：1月份工程款为300万元，2月份工程款为300万元，累计完成600万元；3月份工程款为400万元，累计完成1000万元；4月份已达到起扣点情况下的应收工程款为：

应收工程款 = 当月已完成工程工程款金额 −（当月累计已完成工作量 − 起扣点）× 主材所占比重 = 600 −（600 + 1000 − 1500）× 80% = 520（万元）

累计完成：1000 + 520 = 1520（万元）

5月份工程款 = 当月已完成工程工程款金额 ×（1 − 主材所占比重）= 400 ×（1 − 0.8）= 80（万元）

（4）该工程竣工结算总造价为多少？

答：竣工结算总造价 = 预付款金额 + 按月结算工程款累计金额 + 合同调整增加额 = 400 + (300 + 300 + 400 + 520 + 80) + 80 = 2080（万元）

（5）5 月份应付尾款为多少？

答：5 月份应付尾款 = 竣工结算总造价 −（1 ~ 4 月已支付工程款累计金额）− 保留金 = 2080 − 1520 − 2080 × 8% = 393.60（万元）

（四）填写园林工程工程款支付申请（核准）表

园林工程工程款支付申请（核准）表见表 4-2-2。

表 4-2-2　园林工程工程款支付申请（核准）表

致____（发包人全称）

我方于________至________期间已完成了________工作，根据施工合同的约定，现申请支付本期的工程款额（大写）________元，（小写）________元，请予核准。

序号	名　　称	金额（元）	备注
1	累计已完成的工程价款		
2	累计已实际支付的工程价款		
3	本周期已完成的工程价款		
4	本周期完成的计日工金额		
5	本周期应增加和扣减的变更金额		
6	本周期应增加和扣减的索赔金额		
7	本周期应抵扣的预付款		
8	本周期应扣减的质保金		
9	本周期应增加或扣减的其他金额		
10	本周期实际应支付的工程价款		

承包人（章）

承包人代表________

日　　期________

复核意见： □与实际施工情况不相符，修改意见见附表。 □与实际施工情况相符，具体金额由造价工程师复核。 监理工程师________ 日　　期________	复核意见： 你方提出的支付申请经复核，本期间已完成工程款额为（大写）________元，（小写）________元，本期间应支付金额为（大写）________元，（小写）________元。 造价工程师________ 日　　期________

审核意见

□不同意。

□同意，支付时间为本表签发后的 15 天内。

发包人（章）

发包人代表________

日　　期________

四、学习评价

学习评价标准	分值	教学评价			总评
		小组评价 40%	学生自评 20%	教师评价 40%	
知识学习：是否掌握知识	20				
能力提升：是否提高能力	20				
不足之处：是否发现不足	20				
解决之法：是否解决问题	20				
拓展之能：是否拓展空间	20				
小计	100				

五、复习思考

（1）工程价款结算的方式有哪些？

（2）工程预付备料款的计算受哪些因素影响？

（3）工程备料款的起扣点如何计算？

六、总结

重点：（1）工程价款的结算方式。

（2）工程结算的预付款的计算。

（3）工程结算时工程进度款的计算。

难点：（1）工程结算的预付款的计算。

（2）工程结算时工程进度款的支付数额。

任务三　园林工程竣工结算文件编制

一、任务描述

（一）任务说明

本任务主要学习竣工结算文件的整理和编制，并学会结合施工图预算、工程结算、索赔和现场签证等资料的统筹处理，以及填写竣工结算的相关表格。

（二）任务要求

会编写工程结算表格。

二、相关知识

（一）工程竣工结算应提交的文件

（1）招标文件、投标答疑、投标文件。

（2）施工合同、有关协议（如优良奖、提前工期奖）及相关证明。

（3）建设方批准的施工组织设计（建设方批准的土方开挖方案，机械进出场次数，基础、主体脚手架搭设方案，新技术、新工艺或复杂项目的施工方案，安全防护措施，塔式起重机台数，现场围护、现场道路、临时用电平面图及材料明细），若实际发生变化还应作签证。

（4）图样会审记录和设计变更通知单。

图样会审是指由建设单位组织，该工程各参建单位（建设单位、监理单位、施工单位）在收到设计院施工图设计文件后，对施工图进行全面细致地熟悉，审查施工图中存在的问题及不合理情况并提交设计院进行处理的一项重要活动。最后整理提出和解答的问题成为图样会审记录，由各方代表签字盖章认可。

设计变更是指设计单位依据建设单位要求调整或对原设计内容进行修改、完善、优化。设计变更应以图样或设计变更通知单的形式发出。

（5）有关的隐蔽记录：隐蔽工程验收记录。

1）土方隐蔽记录（应有平面图、剖面图，并标明现场标高和槽底标高）。

2）无设计变更而变更的钢筋隐蔽记录。

3）楼地面、顶棚、屋面做法的隐蔽记录。

（6）施工过程中的有关经济签证（如零星用工的数量及单价、增加的零活、因建设方原因造成的返工损失、电气穿线管是否采用成品管接头粘接、顶棚内的电气线路敷设方式、图样会审和设计变更没提到的任何实际施工变化等）。

（7）施工用水、电的单价和数量。

（8）建设方供材明细（包括规格、数量、单价、使用部位等）。

（9）施工方购材价格签证单。

（10）主要施工方购材的规格、用量明细。

（11）外包项目的合同或协议。

（12）建设方外包项目说明（如要提取管理配合服务费应由双方协议）。

（13）施工甩项说明。

（14）若施工图变更太大，应结合图样会审、设计变更等内容重新绘制竣工图。

（15）工程竣工验收证明。

（二）工程竣工结算的规定

（1）合同工程完工后，承包人应在经发承包双方确认的合同工程期中价款结算的基础上汇总编制完成竣工结算文件，应在提交竣工验收申请的同时向发包人提交竣工结算文件。承包人未在合同约定的时间内提交竣工结算文件，经发包人催告后 14 天内仍未提交或没有明确答复的，发包人有权根据已有资料编制竣工结算文件，作为办理竣工结算和支付结算款的依据，承包人应予以认可。

（2）发包人应在收到承包人提交的竣工结算文件后的 28 天内核对。发包人经核实，认为承包人应进一步补充资料和修改结算文件，应在上述时限内向承包人提出核实意见，承包人在收到核实意见后 28 天内应按照发包人提出的合理要求补充资料，修改竣工结算文件，并应再次提交给发包人复核后批准。

（3）发包人应在收到承包人再次提交的竣工结算文件后的 28 天内予以复核，将复核结果通知承包人，并应遵守下列规定：

1）发包人、承包人对复核结果无异议的，应在7天内在竣工结算文件上签字确认，竣工结算办理完毕。

2）发包人或承包人对复核结果认为有误的，无异议部分应在7天内在竣工结算文件上签字确认，办理不完全竣工结算；有异议部分由发承包双方协商解决；协商不成的，应按照合同约定的争议解决方式处理。

（4）发包人在收到承包人竣工结算文件后的28天内，不核对竣工结算或未提出核对意见的，应视为承包人提交的竣工结算文件已被发包人认可，竣工结算办理完毕。

（5）承包人在收到发包人提出的核实意见后的28天内，不确认也未提出异议的，应视为发包人提出的核实意见已被承包人认可，竣工结算办理完毕。

（6）发包人委托工程造价咨询人核对竣工结算的，工程造价咨询人应在28天内核对完毕，核对结论与承包人竣工结算文件不一致的，应提交给承包人复核；承包人应在14天内将同意核对结论或不同意见的说明提交工程造价咨询人。工程造价咨询人收到承包人提出的异议后，应再次复核，复核无异议的，应在7天内在竣工结算文件上签字确认，竣工结算办理完毕；复核后仍有异议的，无异议部分应在7天内在竣工结算文件上签字确认，办理不完全竣工结算；有异议部分由发承包双方协商解决；协商不成的，应按照合同约定的争议解决方式处理。承包人逾期未提出书面异议的，应视为工程造价咨询人核对的竣工结算文件已经承包人认可。

（7）对发包人或发包人委托的工程造价咨询人指派的专业人员与承包人指派的专业人员经核对后无异议并签字确认的竣工结算文件，除非发承包人能提出具体、详细的不同意见，发承包人都应在竣工结算文件上签字确认，如其中一方拒不签认的，按下列规定办理：

1）若发包人拒不签认的，承包人可不提供竣工验收备案资料，并有权拒绝与发包人或其上级部门委托的工程造价咨询人重新核对竣工结算文件。

2）若承包人拒不签认的，发包人要求办理竣工验收备案的，承包人不得拒绝提供竣工验收资料，否则，由此造成的损失，承包人承担相应责任。

（8）合同工程竣工结算核对完成，发承包双方签字确认后，发包人不得要求承包人与另一个或多个工程造价咨询人重复核对竣工结算。

（9）发包人对工程质量有异议，拒绝办理工程竣工结算的，已竣工验收或已竣工未验收但实际投入使用的工程，其质量争议应按该工程保修合同执行，竣工结算应按合同约定办理；已竣工未验收且未实际投入使用的工程以及停工、停建工程的质量争议，双方应就有争议的部分委托有资质的检测鉴定机构进行检测，并应根据检测结果确定解决方案或按工程质量监督机构的处理决定执行后办理竣工结算，无争议部分的竣工结算应按合同约定办理。

三、任务实施

园林工程竣工结算的基本方法和施工图预算的方法基本相同，唯一的最大不同在于施工图预算的工程量是虚拟的，而竣工结算中的工程量是实际发生的。

1. 收集施工过程中形成的资料

收集索赔与现场签证计价汇总表、费用索赔申请（核准）表、现场签证表、工程款支付申请（核准）表、设计变更单等相关资料，施工方要把平时施工过程中发生的事件用文字的形式表达出来并请相关人员签字。

2. 编制竣工结算文件

依据《建设工程工程量清单计价规范》（GB 50500—2013）的附表，按照以下序列编制表格，并装订成册。

（1）竣工结算书封面。

（2）竣工结算总价扉页。

第　页　共　页

<table>
<tr><td>

________________工程

竣 工 结 算 总 价

签约合同价（小写）：________________（大写）：________________

竣工结算价（小写）：________________（大写）：________________

发包人：__________承包人：__________ 造价咨询人：__________

（单位盖章）　　　　（单位盖章）　　　　（单位资质专用章）

选定代表人　　　　　　法定代表人　　　　　　法定代表人

或其授权人：__________ 或其授权人：__________ 或其授权人：__________

（签字或盖章）　　　　（签字或盖章）　　　　（签字或盖章）

编　制　人：________________　　核　对　人：________________

（造价人员签字盖专用章）　　　　（造价工程师签字盖专用章）

编 制 时 间：　年　月　日　　核 对 时 间：　年　月　日

</td></tr>
</table>

（3）竣工结算总说明。

（4）建设项目竣工结算汇总表见表4-3-1。

表4-3-1　建设项目竣工结算汇总表

工程名称：　　　　　　　　　　　　　　　　　　　　　第　页　共　页

序号	单项工程名称	金额（元）	其　中：（元）	
			安全文明施工费	规费
合　计				

（5）单项工程竣工结算汇总表见表4-3-2。

表4-3-2　单项工程竣工结算汇总表

工程名称：　　　　　　　　　　　　　　　　　　　　　第　页　共　页

序号	单项工程名称	金额（元）	其　中：（元）	
			安全文明施工费	规费
合　计				

（6）单位工程竣工结算汇总表见表4-3-3。

表4-3-3　单位工程竣工结算汇总表

工程名称：　　　　　　　　　　　　标段：　　　　　　　　　　　　第　页　共　页

序号	汇总内容	金　额（元）
1	分部分项工程	
1.1		
1.2		
2	措施项目	
2.1	其中：安全文明施工费	
3	其他项目	
3.1	其中：专业工程结算价	
3.2	其中：计日工	
3.3	其中：总承包服务费	
3.4	其中：索赔与现场签证	
4	规费	
5	税金	
竣工结算总价合计=1+2+3+4+5		

注：如无单位工程划分，单项工程也使用本表汇总。

（7）分部分项工程和单价措施项目清单与计价表见表4-3-4。

表4-3-4　分部分项工程和单价措施项目清单与计价表

工程名称：　　　　　　　　　　　　标段：　　　　　　　　　　　　第　页　共　页

序号	项目编码	项目名称	项目特征描述	计量单位	工程量	金　额（元）		
						综合单价	合价	其中：暂估价
本页小计								
合　计								

注：为计取规费等的使用，可在表中增设其中：“定额人工费”。

（8）综合单价分析表见表4-3-5。

表4-3-5　综合单价分析表

工程名称：　　　　　　　　　　　　标段：　　　　　　　　　　　　第　页　共　页

<table>
<tr><td colspan="2">项目编码</td><td colspan="2"></td><td colspan="2">项目名称</td><td colspan="2"></td><td colspan="2">计量单位</td><td></td><td>工程量</td><td></td></tr>
<tr><td colspan="13">清单综合单价组成明细</td></tr>
<tr><td rowspan="2">定额编号</td><td rowspan="2">定额项目名称</td><td rowspan="2">定额单位</td><td rowspan="2">数量</td><td colspan="5">单价</td><td colspan="4">合价</td></tr>
<tr><td>人工费</td><td>材料费</td><td colspan="2">机械费</td><td>管理费和利润</td><td>人工费</td><td>材料费</td><td>机械费</td><td>管理费和利润</td></tr>
<tr><td></td><td></td><td></td><td></td><td></td><td></td><td colspan="2"></td><td></td><td></td><td></td><td></td><td></td></tr>
<tr><td></td><td></td><td></td><td></td><td></td><td></td><td colspan="2"></td><td></td><td></td><td></td><td></td><td></td></tr>
<tr><td colspan="2">人工单价</td><td colspan="7">小　计</td><td></td><td></td><td></td><td></td></tr>
<tr><td colspan="2">元/工日</td><td colspan="7">未计价材料费</td><td colspan="4"></td></tr>
<tr><td colspan="9">清单项目综合单价</td><td colspan="4"></td></tr>
<tr><td rowspan="5">材料费明细</td><td colspan="5">主要材料名称、规格、型号</td><td>单位</td><td colspan="2">数量</td><td>单价（元）</td><td>合价（元）</td><td>暂估单价（元）</td><td>暂估合价（元）</td></tr>
<tr><td colspan="5"></td><td></td><td colspan="2"></td><td></td><td></td><td></td><td></td></tr>
<tr><td colspan="5"></td><td></td><td colspan="2"></td><td></td><td></td><td></td><td></td></tr>
<tr><td colspan="8">其他材料费</td><td>—</td><td></td><td>—</td><td></td></tr>
<tr><td colspan="8">材料费小计</td><td>—</td><td></td><td>—</td><td></td></tr>
</table>

注：1. 如不使用省级或行业建设主管部门发布的计价依据，可不填定额编号、名称等。

2. 招标文件提供了暂估单价的材料，按暂估的单价填入表内“暂估单价”栏及“暂估合价”栏。

（9）综合单价调整表见表4-3-6。

表4-3-6　综合单价调整表

工程名称：　　　　　　　　　　　　标段：　　　　　　　　　　　　第　页　共　页

<table>
<tr><td rowspan="3">序号</td><td rowspan="3">项目编码</td><td rowspan="3">项目名称</td><td colspan="5">已标价清单综合单价（元）</td><td colspan="5">调整后综合单价（元）</td></tr>
<tr><td rowspan="2">综合单价</td><td colspan="4">其中</td><td rowspan="2">综合单价</td><td colspan="4">其中</td></tr>
<tr><td>人工费</td><td>材料费</td><td>机械费</td><td>管理费和利润</td><td>人工费</td><td>材料费</td><td>机械费</td><td>管理费和利润</td></tr>
<tr><td></td><td></td><td></td><td></td><td></td><td></td><td></td><td></td><td></td><td></td><td></td><td></td><td></td></tr>
<tr><td></td><td></td><td></td><td></td><td></td><td></td><td></td><td></td><td></td><td></td><td></td><td></td><td></td></tr>
<tr><td colspan="7">造价工程师（签章）：　　发包人代表（签章）：

日期：</td><td colspan="6">造价人员（签章）：　　承包人代表（签章）：

日期：</td></tr>
</table>

注：综合单价调整应附调整依据。

（10）总价措施项目清单与计价表见表4-3-7。

表4-3-7　总价措施项目清单与计价表

工程名称：　　　　标段：　　　　第　页　共　页

序号	项目编码	项目名称	计算基础	费率（%）	金额（元）	调整费率（%）	调整后金额（元）	备注
		安全文明施工费						
		夜间施工增加费						
		二次搬运费						
		冬雨季施工增加费						
		已完工程及设备保护费						
合计								

编制人（造价员）：　　　　复核人（造价工程师）：

注：1. “计算基础”中安全文明施工费可为“定额基价”“定额人工费”或“定额人工费+定额机械费”，其他项目可为“定额人工费”或“定额人工费+定额机械费”。

2. 按施工方案计算的措施费，若无“计算基础”和“费率”的数值，也可只填“金额”数值，但应在备注栏说明施工方案出处或计算方法。

（11）其他项目清单与计价汇总表见表4-3-8。

表4-3-8　其他项目清单与计价汇总表

工程名称：　　　　标段：　　　　第　页　共　页

序号	项目名称	金额（元）	结算金额（元）	备注
1	暂列金额			明细详见表4-3-9
2	暂估价			
2.1	材料（工程设备）暂估价/结算价	—		明细详见表4-3-10
2.2	专业工程暂估价/结算价			明细详见表4-3-11
3	计日工表			明细详见表4-3-12
4	总承包服务费			明细详见表4-3-13
5	索赔与现场签证	—		明细详见表4-3-14
合计				—

注：材料（工程设备）暂估单价进入清单项目综合单价，此处不汇总。

（12）暂列金额明细表见表4-3-9。

表4-3-9　暂列金额明细表

工程名称：　　　　标段：　　　　第　页　共　页

序号	项目名称	计量单位	暂定金额（元）	备注
1				
2				
合　计				—

注：此表由招标人填写，如不能详列，也可只列暂定金额总额，投标人应将上述暂列金额计入投标总价中。

（13）材料（工程设备）暂估单价及调整表，见表4-3-10。

表 4-3-10 材料（工程设备）暂估单价及调整表

工程名称： 标段： 第 页 共 页

序号	材料（工程设备）名称、规格、型号	计量单位	数量		暂估（元）		确认（元）		差额±（元）		备注
			暂估	确认	单价	合价	单价	合价	单价	合价	
合计											

注：此表由招标人填写“暂估单价”，并在备注栏说明暂估价的材料、工程设备拟用在哪些清单项目上，投标人应将上述材料、工程设备暂估单价计入工程量清单综合单价报价中。

（14）专业工程暂估价及结算价表，见表4-3-11。

表 4-3-11 专业工程暂估价及结算价表

工程名称： 标段： 第 页 共 页

序号	工程名称	工作内容	暂估金额（元）	结算金额（元）	差额±（元）	备注
合计						

注：此表“暂估金额”由招标人填写，投标人应将“暂估金额”计入投标总价中。结算时按合同约定结算金额填写。

（15）计日工表见表4-3-12。

表 4-3-12 计日工表

工程名称： 标段： 第 页 共 页

编号	项目名称	单位	暂定数量	实际数量	综合单价（元）	合价（元）	
						暂定	实际
一	人工						
1							
人工小计							
二	材料						
1							
材料小计							
三	施工机械						
1							
施工机械小计							
四、企业管理费和利润							
合计							

注：此表项目名称、暂定数量由招标人填写，编制招标控制价时，单价由招标人按有关计价规定确定；投标时，单价由投标人自主报价，按暂定数量计算合价计入投标总价中。结算时，按发承包双方确认的实际数量计算合价。

（16）总承包服务费计价表见表4-3-13。

表4-3-13　总承包服务费计价表

工程名称：　　　　　　　　　　　　　　标段：　　　　　　　　　　　　　　第　页　共　页

序号	项目名 称	项目价值（元）	服务内容	计算基础	费率（%）	金额（元）
1	发包人发包专业工程					
2	发包人供应材料					
	合计	—	—		—	

注：此表项目名称、服务内容由招标人填写，编制招标控制价时，费率及金额由招标人按有关计价规定确定；投标时，费率及金额由投标人自主报价，计入投标总价中。

（17）索赔与现场签证计价汇总表见表4-3-14。

表4-3-14　索赔与现场签证计价汇总表

工程名称：　　　　　　　　　　　　　　标段：　　　　　　　　　　　　　　第　页　共　页

序号	签证及索赔项目名称	计量单位	数量	单价（元）	合价（元）	索赔及签证依据
—	本页小计	—	—	—		—
—	合　计	—	—	—		—

注：签证及索赔依据是指经双方认可的签证单和索赔依据的编号。

（18）费用索赔申请（核准）表见表4-3-15。

表4-3-15　费用索赔申请（核准）表

工程名称：　　　　　　　　　　　　　　标段：　　　　　　　　　　　　　　编号：

<table>
<tr><td colspan="2">致：________________（发包人全称）
根据施工合同条款第________条的约定，由于________原因，我方要求索赔金额（大写）________元，（小写）________元，请予核准。
附：1. 费用索赔的详细理由和依据。
2. 索赔金额的计算。
3. 证明材料。
承包人（章）
造价人员________　　承包人代表________　　日　　期________</td></tr>
<tr><td>复核意见：
根据施工合同条款第________条的约定，你方提出的费用索赔申请经复核：
□不同意此项索赔，具体意见见附件。
□同意此项索赔，索赔金额的计算，由造价工程师复核。
监理工程师________
日　　期________</td><td>复核意见：
根据施工合同条款第________条的约定，你方________提出的费用索赔申请经复核，索赔金额为（大写）________元，（小写）________元。
造价工程师________
日　　期________</td></tr>
<tr><td colspan="2">审核意见：
□不同意此项索赔。
□同意此项索赔，与本期进度款同期支付。
发包人（章）
发包人代表________
日　　期________</td></tr>
</table>

注：1. 在选择栏中的“□”内作标识“√”。

2. 本表一式四份，由承包人填报，发包人、监理人、造价咨询人、承包人各存一份。

（19）现场签证表见表4-3-16。

表4-3-16　现场签证表

工程名称：　　　　　　　　　　　　　　标段：　　　　　　　　　　　　　　　　　　　　　编号：

<table>
<tr><td>施工部位</td><td colspan="2"></td><td>日期</td><td></td></tr>
<tr><td colspan="5">致：____（发包人全称）
根据________（指令人姓名）　年　月　日的口头指令或你方________（或监理人）　年　月　日的书面通知，我方要求完成此项工作应支付价款金额为（大写）________元，（小写）________元，请予核准。
附：1. 签证事由及原因。
2. 附图及计算式。
承包人（章）________
造价人员________　　承包人代表________　　日　　期________</td></tr>
<tr><td colspan="2">复核意见：
你方提出的此项签证申请经复核：
□不同意此项签证，具体意见见附件。
□同意此项签证，签证金额的计算，由造价工程师复核。
监理工程师________
日　　期________</td><td colspan="3">复核意见：
□此项签证按承包人中标的计日工单价计算，金额为（大写）________元，（小写）________元。
□此项签证因无计日工单价，金额为（大写）________元，（小写）________元。
造价工程师________
日　　期________</td></tr>
<tr><td colspan="5">审核意见：
□不同意此项签证。
□同意此项签证，价款与本期进度款同期支付。
发包人（章）
发包人代表________
日　　期________</td></tr>
</table>

注：1. 在选择栏中的“□”内作标识“√”。

2. 本表一式四份，由承包人在收到发包人（监理人）的口头或书面通知后填写，发包人、监理人、造价咨询人、承包人各存一份。

（20）规费、税金项目计价表见表4-3-17。

表4-3-17　规费、税金项目计价表

工程名称：　　　　　　　　　　　　　　标段：　　　　　　　　　　　　　　　　第　页　共　页

序号	项 目 名 称	计算基础	计算基数	计算费率（%）	金额（元）
1	规费	定额人工费			
1.1	社会保险费	定额人工费			
（1）	养老保险费	定额人工费			
（2）	失业保险费	定额人工费			
（3）	医疗保险费	定额人工费			
（4）	工商保险费	定额人工费			
（5）	生育保险费	定额人工费			
1.2	住房公积金	定额人工费			
1.3	工程排污费	按工程所在地环境保护部门收取标准，按实计入			
2	税金	分部分项工程费＋措施项目费＋其他项目费＋规费－按规定不计税的工程设备金额			
合计					

编制人（造价人员）：　　　　　　　　　　　　　　　　　　　　　　复核人（造价工程师）：

(21）工程计量申请（核准）表见表4-3-18。

表4-3-18　工程计量申请（核准）表

工程名称：　　　　　　　　　　　　标段：　　　　　　　　　　　　第　页　共　页

序号	项目编码	项目名称	计量单位	承包人申报数量	发包人核实数量	发承包人确认数量	备注

承包人代表： 日期：	监理工程师： 日期：	造价工程师： 日期：	发包人代表： 日期：

(22）预付款支付申请（核准）表见表4-3-19。

表4-3-19　预付款支付申请（核准）表

工程名称：　　　　　　　　　　　　标段：　　　　　　　　　　　　编号：

致：____（发包人全称）

我方根据施工合同的约定，现申请支付工程预付款额为（大写）__________（小写）________，请予核准。

序号	名称	申请金额（元）	复核金额（元）	备注
1	已经签约合同价款金额			
2	其中：安全文明施工费			
3	应支付的预付款			
4	应支付的安全文明施工费			
5	合计应支付的预付款			

承包人（章）

造价人员________　　　　承包人代表________　　　　日　期________

复核意见： □与合同约定不相符，修改意见见附件。 □与合同约定相符，具体金额由造价工程师复核。 监理工程师________ 日　期________	复核意见： 你方提出的支付申请经复核，应支付预付金额为（大写）________（小写）________。 造价工程师________ 日　期________

审核意见：

□不同意。

□同意，支付时间为本表签发后的15天内。

发包人（章）

发包人代表________

日　期________

注：1. 在选择栏中的“□”内作标识“√”。

2. 本表一式四份，由承包人填报，发包人、监理人、造价咨询人、承包人各存一份。

（23）总价项目进度款支付分解表见表 4-3-20。

表 4-3-20　总价项目进度款支付分解表

工程名称：　　　　　　　　　　　　标段：　　　　　　　　　　　　单位：元

序号	项目名称	总价金额	首次支付	二次支付	三次支付	四次支付	五次支付	六次支付
	安全文明施工费							
	夜间施工增加费							
	二次搬运费							
	社会保险费							
	住房公积金							
合计								

编制人（造价人员）：　　　　　　　　　　　复核人（造价工程师）：

注：1. 本表应由承包人在投标报价时根据发包人在招标文件明确的进度款支付周期与报价填写，签订合同时，发承包双方可就支付分解协商调整后作为合同附件。

2. 单价合同使用本表，“支付”栏时间应与单价项目进度款支付周期相同。

3. 总价合同使用本表，“支付”栏时间应与约定的工程计量周期相同。

（24）进度款支付申请（核准）表见表 4-3-21。

表 4-3-21　进度款支付申请（核准）表

工程名称：　　　　　　　　　　　　标段：　　　　　　　　　　　　编号：

致：________________________________（发包人全称）

我方于________至________期间已完成了合同约定的工作，工程已完工，根据施工合同的约定，现申请支付竣工结算合同款额为（大写）__________________（小写）________，请予核准。

序号	名称	申请金额（元）	实际金额（元）	复核金额（元）	备注
1	累计已完成的合同价款				
2	累计已实际支付的合同价款				
3	本周期合计完成的合同价款				
3.1	本周期已完成单价项目的金额				
3.2	本周期应支付的总价项目的金额				
3.3	本周期已完成的计日工价款				
3.4	本周期应支付的安全文明施工费				
3.5	本周期应增加的合同价款				
4	本周期合计应扣减的金额				
4.1	本周期应抵扣的预付款				
4.2	本周期应扣减的金额				
5	本周期应支付的合同价款				

附：上述 3、4 详见附件清单。

承包人（章）

造价人员__________　　　　承包人代表__________　　　　日　　期__________

复核意见：

□与实际施工情况不相符，修改意见见附件。

□与实际施工情况相符，具体金额由造价工程师复核。

监理工程师________

日　　期________

复核意见：

你方提出的支付申请经复核，本周期已完成合同款额为（大写）________（小写）________，本周期应支付金额为（大写）________（小写）________。

造价工程师________

日　　期________

审核意见：

□不同意。

□同意，支付时间为本表签发后的 15 天内。

发包人（章）

发包人代表________

日　　期________

注：1. 在选择栏中的“□”内作标识“√”。

2. 本表一式四份，由承包人填报，发包人、监理人、造价咨询人、承包人各存一份。

（25）竣工结算款支付申请（核准）表见表4-3-22。

表4-3-22 竣工结算款支付申请（核准）表

工程名称： 标段： 编号：

致：________________________________（发包人全称）

我方于______至______期间已完成了合同约定的工作，工程已完工，根据施工合同的约定，现申请支付竣工结算合同款额为（大写）______________（小写）______，请予核准。

序号	名称	申请金额（元）	复核金额（元）	备注
1	竣工结算合同价款总额			
2	累计已实际支付的合同价款			
3	应预留的质量保证金			
4	应支付的竣工结算款金额			

承包人（章）

造价人员________ 承包人代表________ 日 期________

复核意见：

□与实际施工情况不相符，修改意见见附件。

□与实际施工情况相符，具体金额由造价工程师复核。

监理工程师______

日 期______

复核意见：

你方提出的竣工结算款支付申请经复核，竣工结算款总额为（大写）______（小写）______，扣除前期支付以及质量保证金后应支付金额为（大写）______（小写）______。

造价工程师______

日 期______

审核意见：

□不同意。

□同意，支付时间为本表签发后的15天内。

发包人（章）

发包人代表______

日 期______

注：1. 在选择栏中的“□”内作标识“√”。

2. 本表一式四份，由承包人填报，发包人、监理人、造价咨询人、承包人各存一份。

（26）最终结清支付申请（核准）表见表4-3-23。

表4-3-23 最终结清支付申请（核准）表

工程名称： 标段： 编号：

致：________________________________（发包人全称）

我方于________至________期间已完成了缺陷修复工作，根据施工合同的约定，现申请支付最终结清合同款额为（大写）____________（小写）________，请予核准。

序号	名称	申请金额（元）	复核金额（元）	备注
1	已预留的质量保证金			
2	应增加因发包人原因造成缺陷的修复金额			
3	应扣减承包人不修复缺陷、发包人组织修复的金额			
4	最终应支付的合同价款			

上述3、4详见附件清单。

承包人（章）________

造价人员________ 承包人代表________ 日 期________

复核意见：

□与实际施工情况不相符，修改意见见附件。

□与实际施工情况相符，具体金额由造价工程师复核。

监理工程师________

日 期________

复核意见：

你方提出的支付申请经复核，最终应支付金额为（大写）________（小写）________。

造价工程师________

日 期________

审核意见：

□不同意。

□同意，支付时间为本表签发后的15天内。

发包人（章）

发包人代表________

日 期________

注：1. 在选择栏中的“□”内作标识“√”。如监理人已退场，监理工程师栏可空缺。

2. 本表一式四份，由承包人填报，发包人、监理人、造价咨询人、承包人各存一份。

（27）发包人提供材料和工程设备一览表见表4-3-24。

表4-3-24 发包人提供材料和工程设备一览表

工程名称： 标段： 第 页 共 页

序号	材料（工程设备）名称、规格、型号	单位	数量	单价（元）	交货方式	送达地点	备注

注：此表由招标人填写，供投标人在投标报价、确定总承包服务费时参考。

四、学习评价

学习评价标准	分值	教学评价			总评
		小组评价 40%	学生自评 20%	教师评价 40%	
知识学习：是否掌握知识	20				
能力提升：是否提高能力	20				
不足之处：是否发现不足	20				
解决之法：是否解决问题	20				
拓展之能：是否拓展空间	20				
小计	100				

五、复习思考

（1）讨论竣工结算与施工图预算的区别所在。

（2）简述工程竣工结算的编制内容。

（3）理解工程竣工结算表格的含义。

六、总结

重点：（1）工程竣工结算表格的含义。

　　　（2）工程竣工结算表格的填写。

难点：（1）工程竣工结算表格的识读。

　　　（2）工程竣工结算表格的填写。

项目四总结

本项目是通过园林工程造价的最后一个环节，掌握工程结算和竣工结算的编制过程，在此过程中进行针对前面做的施工图预算的预测工程量的实际发生量的审核、综合单价的审核、在施工过程中发生工作的费用增加等相关知识的学习。

项目五 园林工程计价软件应用

项目引言

工程项目建设效益的最大化是工程建设各参与方的核心目标，这就决定了工程造价在建设工程中的重要地位。随着我国基本建设投资的日益增加，建设工程项目的规模日趋增大，这就要求造价工作人员能够快速准确地完成造价工作。计价软件由于具有操作简便、效率高的特点，在工程造价领域已经得到了广泛的应用，了解并掌握常用计价软件及其操作技能就成为衡量一名造价人员是否合格的基本要求。

学习目标

了解：软件的安装使用方法。
熟悉：软件的运行环境。
掌握：软件的操作流程。
能够：根据施工图、计价软件编制园林工程造价。

思政目标

1. 培养学生与时俱进、不断学习先进科学知识的意识。
2. 培养学生学习的主动性和积极性，掌握举一反三的学习方法。

任务一　广联达 GBQ4.0 计价软件安装与应用

一、任务描述

（一）任务说明

以项目二中任务二园林绿化工程定额计价为例，应用广联达 GBQ4.0 计价软件，采用定额计价方式，编制该绿化工程预算书，并对报表进行打印输出。

（二）任务要求

（1）采用定额计价方式，应用广联达 GBQ4.0 计价软件编制某绿化种植工程预算书。

（2）对预算书进行打印输出。

二、相关知识

1. 计价软件介绍

工程计价软件是辅助造价计算软件，主要功能有计算工程造价、分析工料、打印报表等，根据使用地区不同，常用的计价软件有新奔腾 PT2012、广联达 GBQ4.0、神机妙算工程造价软件等。本任务详细介绍在全国范围内应用较广泛的广联达 GBQ4.0 计价软件。

2. 软件的运行环境

硬件环境：CPU 主频为 1G 或以上配置的计算机，内存 512MB 以上，硬盘剩余空间大于 1GB；显示器色彩为增强型 32 位，建议显示分辨率为 1024×768 或更高，打印机等其他外设设备。

软件环境：操作系统为 Win95/98/Me/NT/2000/XP/Vista 或更高版本，Office 软件（配合导出 Excel）。

3. 广联达 GBQ4.0 计价软件操作流程

步骤 1：将光盘放进光驱等待光盘自动启动。

步骤 2：光盘启动后将有一段关于软件介绍的动画播放，动画播放完毕后自动进入如图 5-1-1 所示界面。也可用鼠标单击任意位置跳过动画。

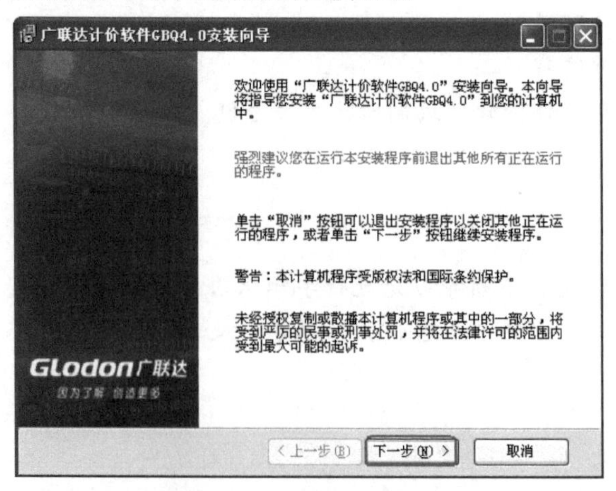

图 5-1-1　启动软件所示界面

步骤3：单击“下一步”按钮，进入“许可协议”界面。阅读完毕后，勾选“我同意许可协议所有的条款（A）”，如图5-1-2所示。

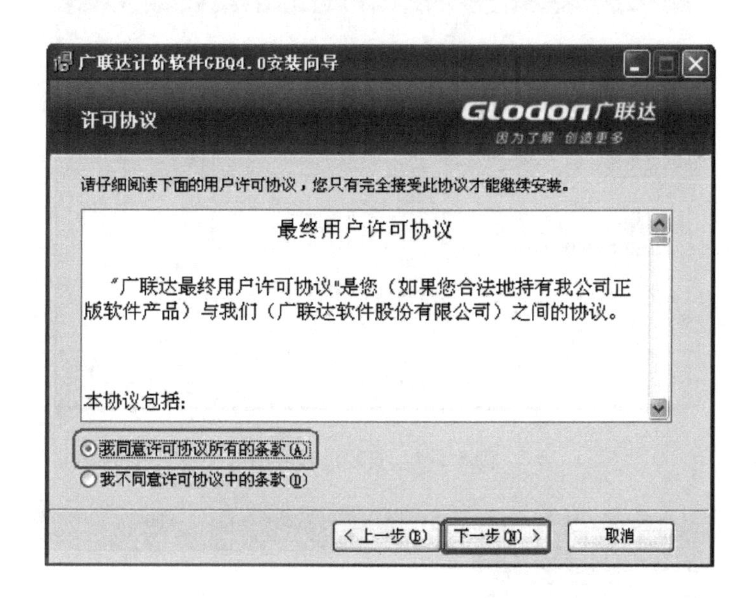

图5-1-2　“许可协议”界面

步骤4：单击“下一步”按钮，进入“安装选项”界面，如图5-1-3所示。

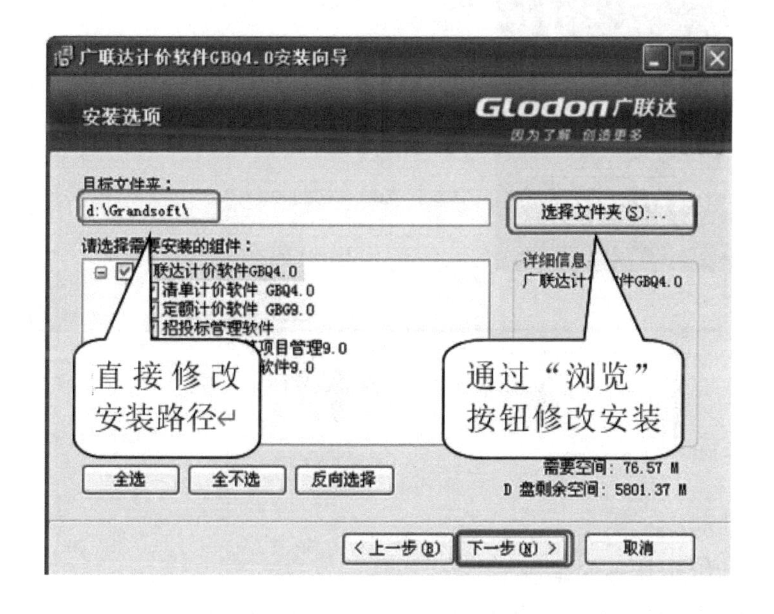

图5-1-3　“安装选项”界面

步骤5：单击“下一步”按钮，开始安装所选组件，如图5-1-4所示。
步骤6：安装完成，弹出图5-1-5所示界面，单击“完成”按钮完成安装。

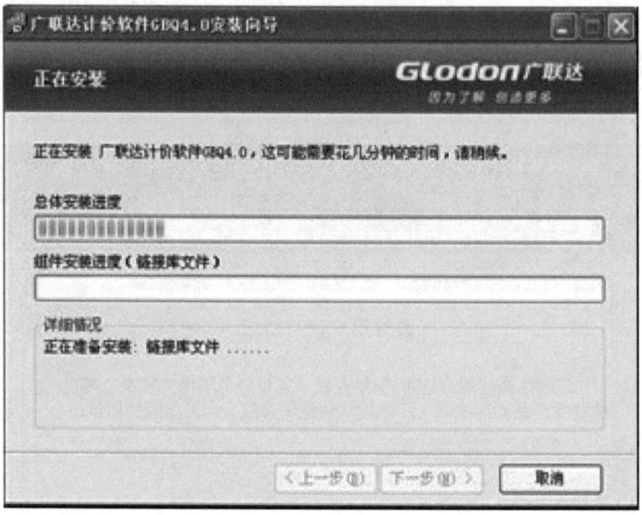

图 5-1-4　安装过程界面

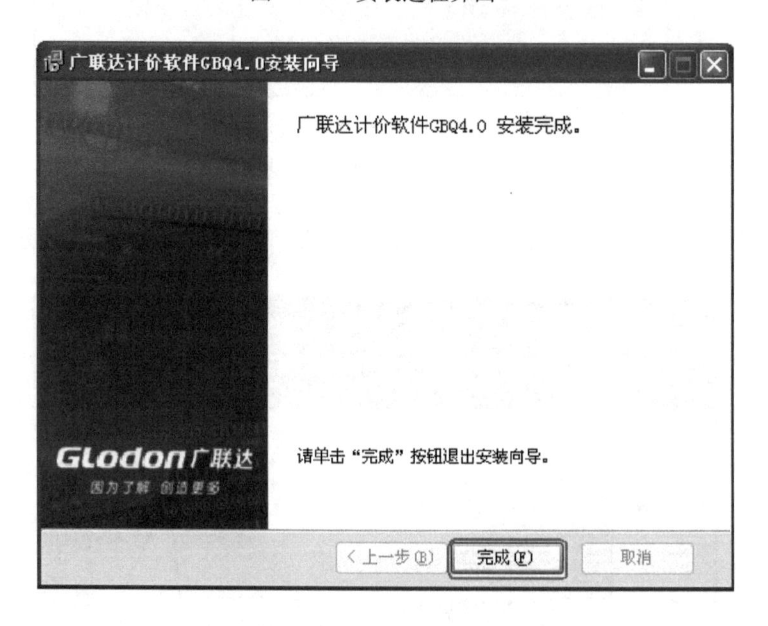

图 5-1-5　安装完成界面

三、任务实施

（一）识图并熟悉定额

（二）定额计价预算书的编制

步骤1：软件运行后，单击菜单栏【文件】按钮选择“新建”命令或者单击工具栏左侧的“新建”按钮，弹出“新建文档”窗口，选择“河北”，计价方式选择“定额计价”，定额库选择“河北省园林绿化工程消耗量定额（2013）”。基本信息录入后，单击“确定”按钮，如图 5-1-6 所示。

步骤2：在弹出窗口中选择“工程概况”选项，录入工程概况信息，如图 5-1-7 所示。

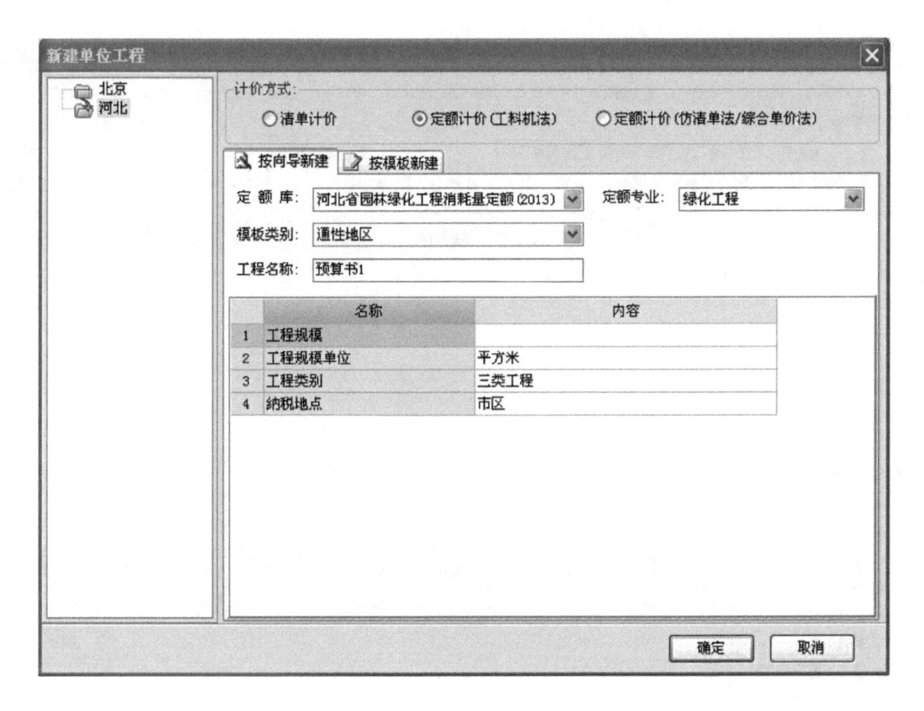

图 5-1-6　“新建单位工程”界面

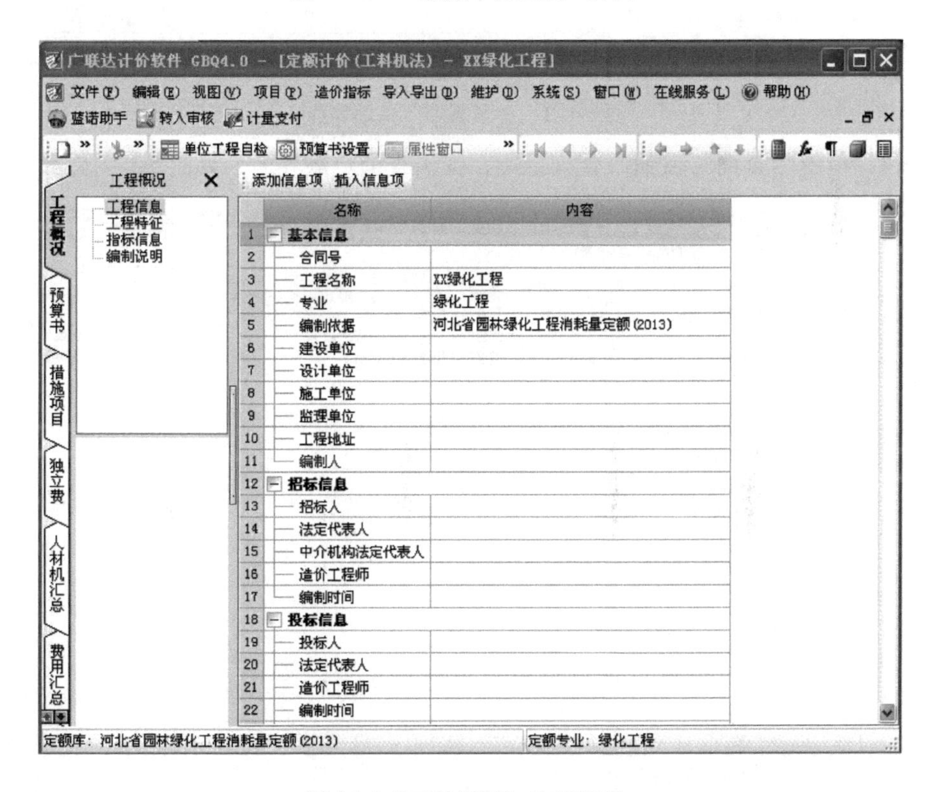

图 5-1-7“工程概况”选项界面

步骤 3：选择“预算书”选项，弹出如图 5-1-8 所示界面。

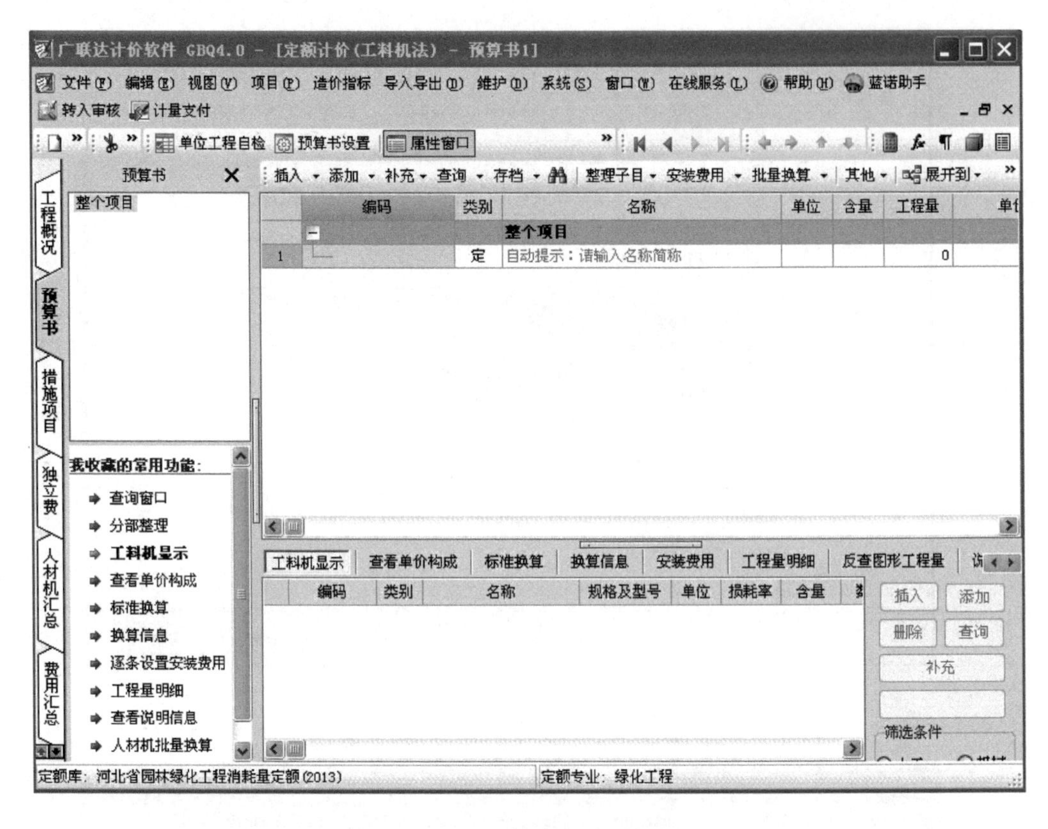

图5-1-8　“预算书”选项界面

步骤4：单击“查询”按钮，查询定额，弹出查询定额界面，如图5-1-9所示。

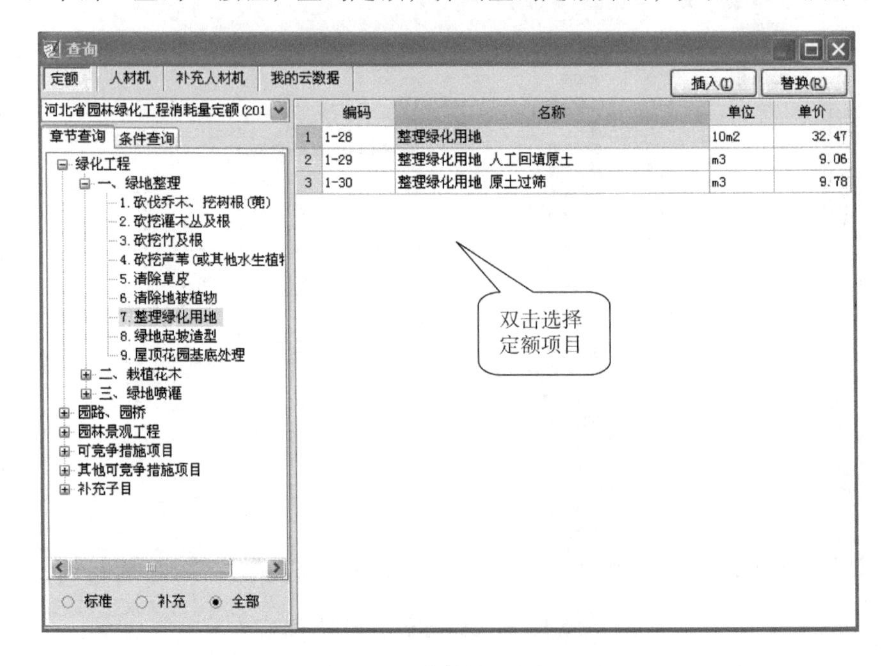

图5-1-9　查询定额界面

步骤5：选择“措施项目”选项，弹出如图5-1-10所示界面。

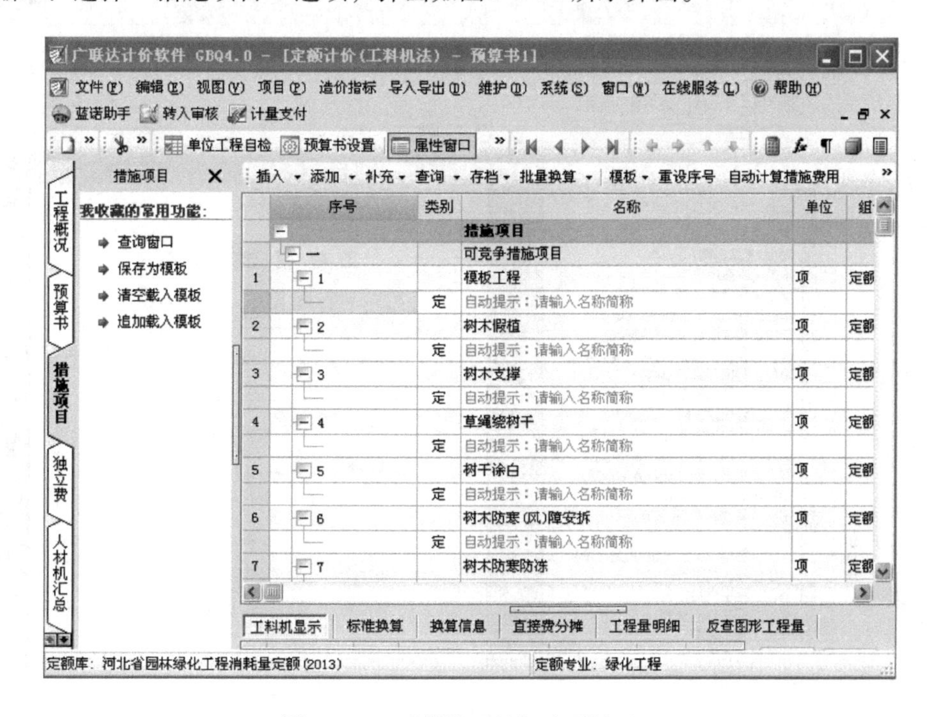

图5-1-10　“措施项目”选项界面

步骤6：选择“人材机汇总”选项，统一调价，弹出如图5-1-11所示界面。

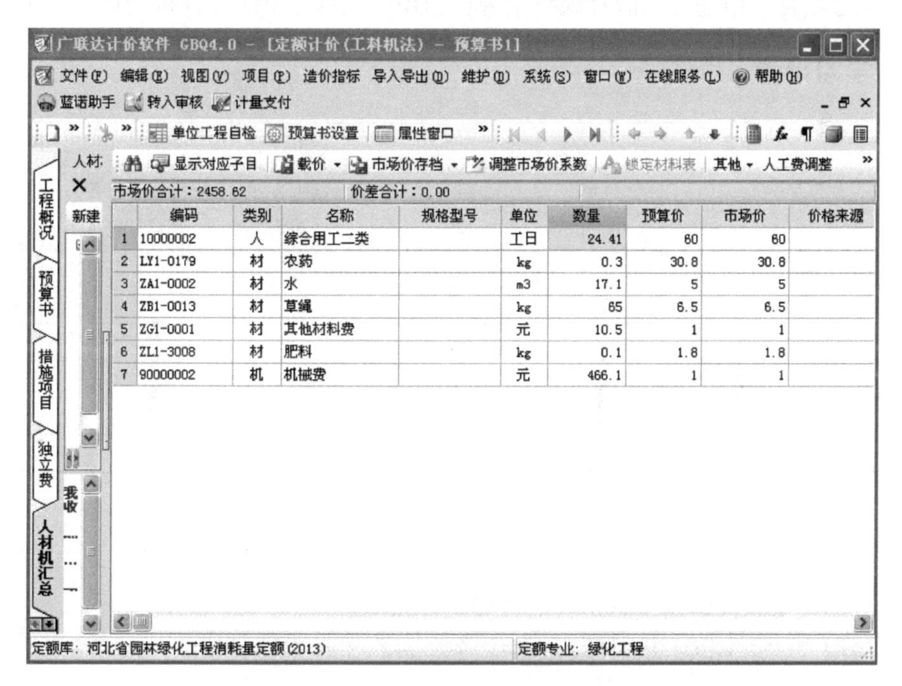

图5-1-11　“人材机汇总”选项界面

步骤7：选择“报表”选项，选择要输出报表，如图5-1-12所示。

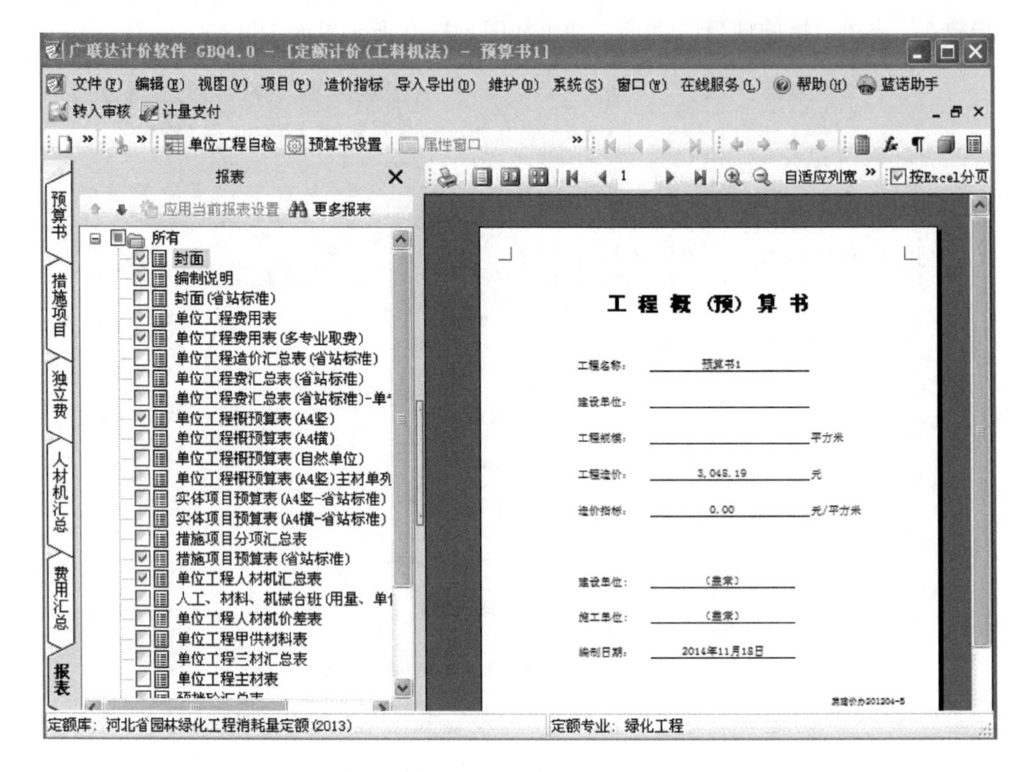

图 5-1-12　“报表”选项界面

分组练习项目二中任务二园林绿化工程，运用广联达 GBQ4.0 计价软件进行定额计价。

四、学习评价

学习评价标准	分值	教学评价			总评
		小组评价 40%	学生自评 20%	教师评价 40%	
工程量计算，正确	20				
会应用软件	20				
自学能力	20				
完成任务态度	20				
出勤情况	20				
小计	100				

五、复习思考

（1）应用计价软件编制工程造价的程序是什么？

（2）应用广联达 GBQ4.0 对项目二中任务三进行工程定额计价。

六、总结

重点：（1）广联达 GBQ4.0 计价软件安装方法。

（2）广联达 GBQ4.0 计价软件操作流程。

难点：（1）广联达 GBQ4.0 计价软件操作流程。

（2）对具体的工程实例应用广联达 GBQ4.0 计价软件完成工程造价。

任务二　新奔腾计价软件安装与应用

一、任务描述

（一）任务说明

以项目三中任务二园林绿化工程工程量清单计价为例，应用新奔腾 pt2008 计价软件，采用工程量清单计价方式，编制该绿化工程预算书，并对报表进行打印输出。

（二）任务要求

（1）采用清单计价方式，应用新奔腾 pt2008 计价软件编制绿化种植工程投标书。

（2）对投标书进行打印输出。

二、相关知识

1. 新奔腾计价软件安装运行环境

硬件环境：CPU 主频为 1G 或以上配置计算机；内存 128MB 以上；硬盘剩余空间大于 200MB；显示器色彩为增强型 32 位，建议显示分辨率为 1024×768 或更高；打印机等其他外设设备。

软件环境：操作系统为 Win95/98/Me/NT/2000/XP/Vista 或更高版本；office 软件（配合导出 excel）。

2. 新奔腾计价软件操作流程

步骤 1：将光盘放进光驱等待光盘自动启动。

步骤 2：光盘启动后将有一段关于软件介绍的动画播放，动画播放完毕后自动进入如图 5-2-1 所示界面。也可用鼠标单击任意位置跳过动画。

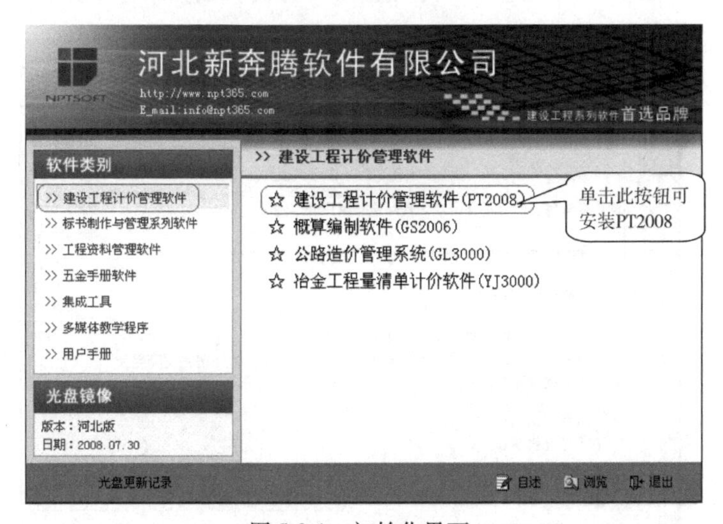

图 5-2-1　初始化界面

步骤3：单击图5-2-1中“建设工程计价管理软件（PT2008）”按钮，将弹出如图5-2-2所示界面，安装语言默认选择简体中文。

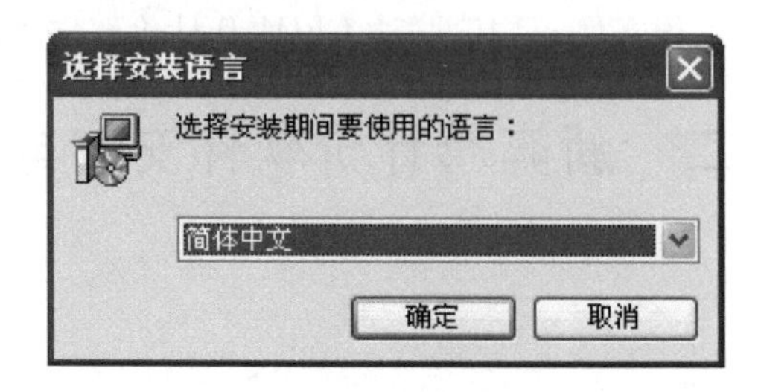

图5-2-2　语言选择界面

步骤4：单击“确定”按钮进入“安装向导”界面，如图5-2-3所示。

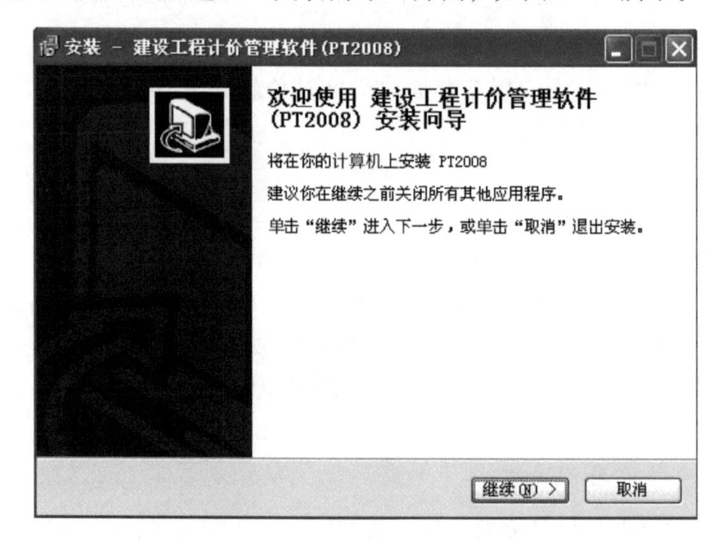

图5-2-3　“安装向导”界面

步骤5：单击“继续”按钮进入“许可协议”界面，如图5-2-4所示。

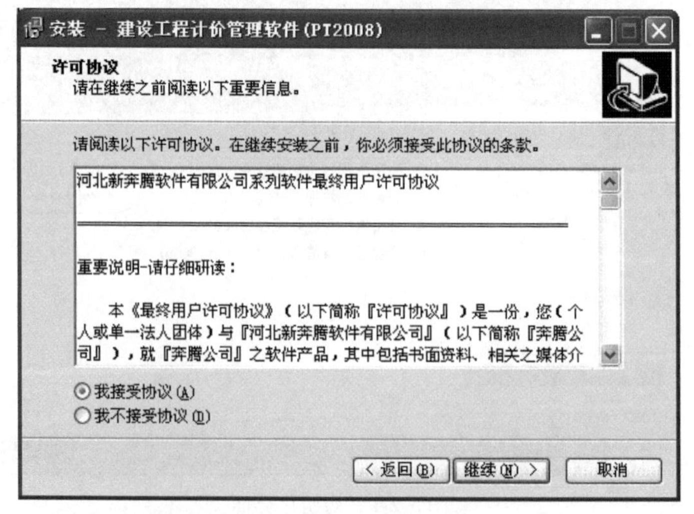

图5-2-4　“许可协议”界面

步骤6：阅读“许可协议”后，选择“我接受协议”选项，单击“继续”按钮，进入软件安装路径界面，如图5-2-5所示。

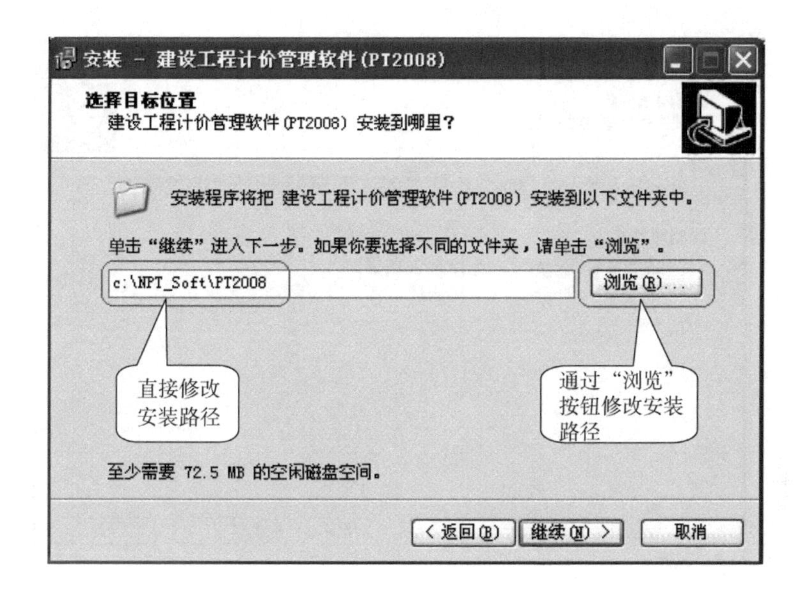

图5-2-5 安装路径界面

步骤7：安装程序默认的安装路径为“C:\ NPT _ Soft \ PT2008”，可以直接键入修改其安装路径或通过“浏览”按钮来修改安装路径。单击“继续”按钮进入如图5-2-6所示界面。

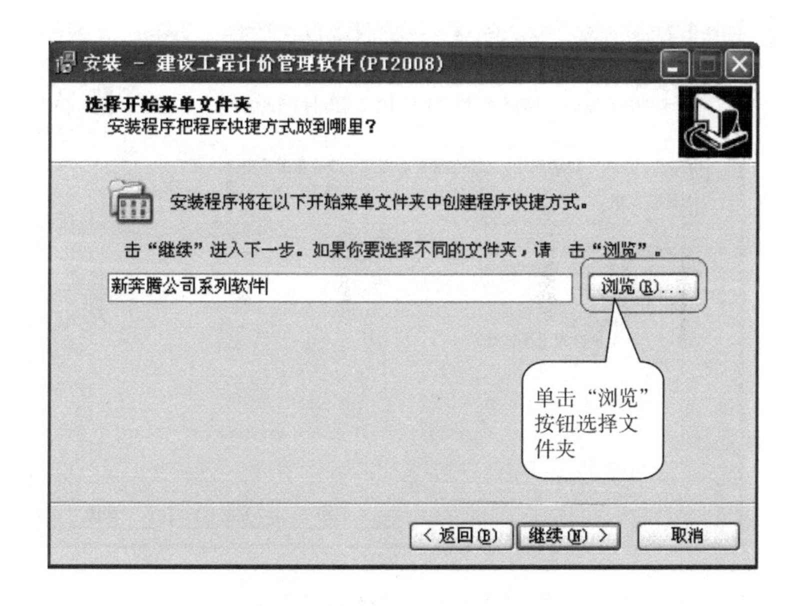

图5-2-6 修改安装路径界面

步骤8：安装程序快捷方式默认放到开始菜单的“新奔腾公司系列软件”下，可以通过“浏览”按钮选择其他位置。单击“继续”按钮进入如图5-2-7所示界面。

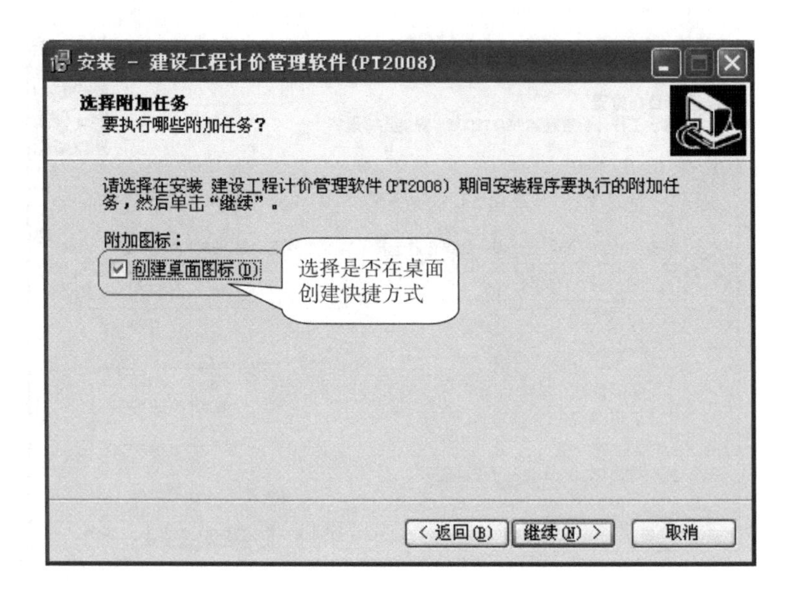

图5-2-7　安装程序快捷方式界面

步骤9：选择是否创建桌面快捷方式，然后单击“继续”按钮进入安装信息确认界面，如图5-2-8所示。

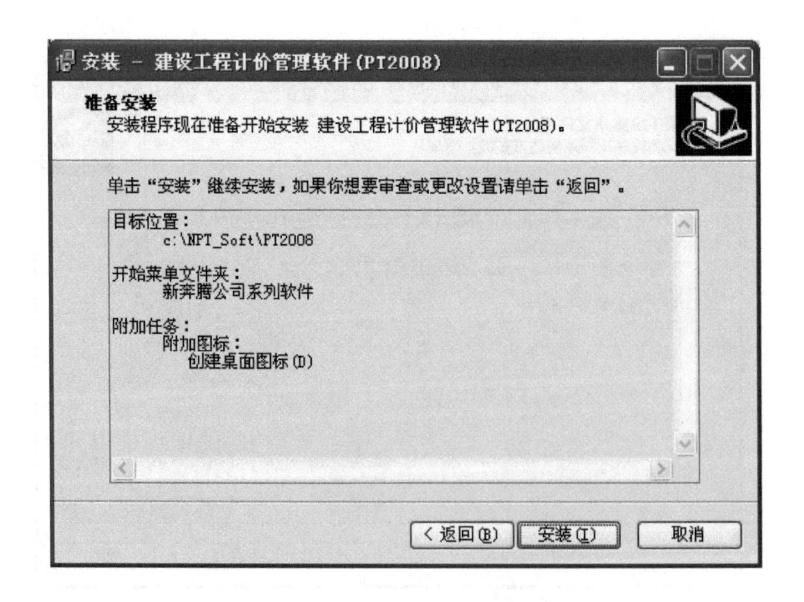

图5-2-8　安装信息确认界面

步骤 10：单击“安装”按钮开始安装软件程序。安装完成后会弹出图 5-2-9 所示的界面，单击“完成”按钮即可完成安装。

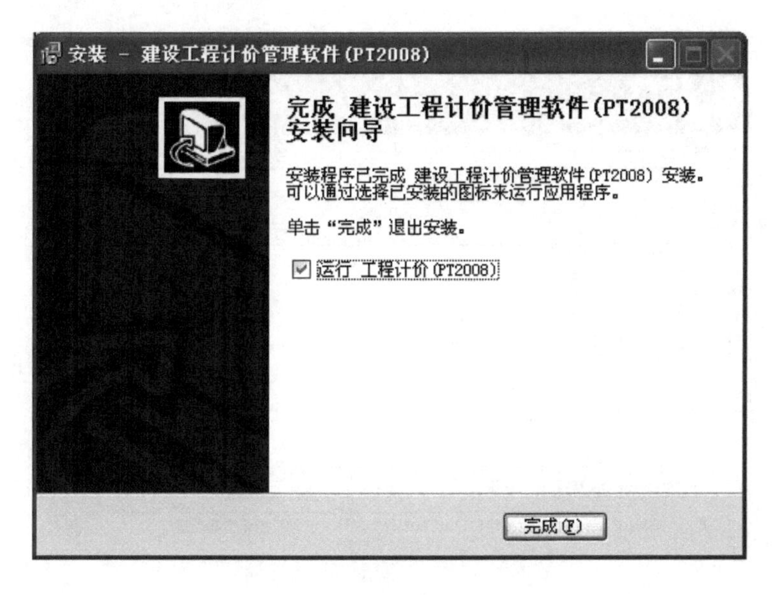

图 5-2-9　安装完成界面

三、任务实施

（一）识图并熟悉定额

（二）清单计价预算书的编制

步骤 1：软件运行后，单击菜单栏【文件】选项，选择“新建”命令或者单击工具栏左侧的“新建”按钮，弹出“新建文档”界面，如图 5-2-10 所示。

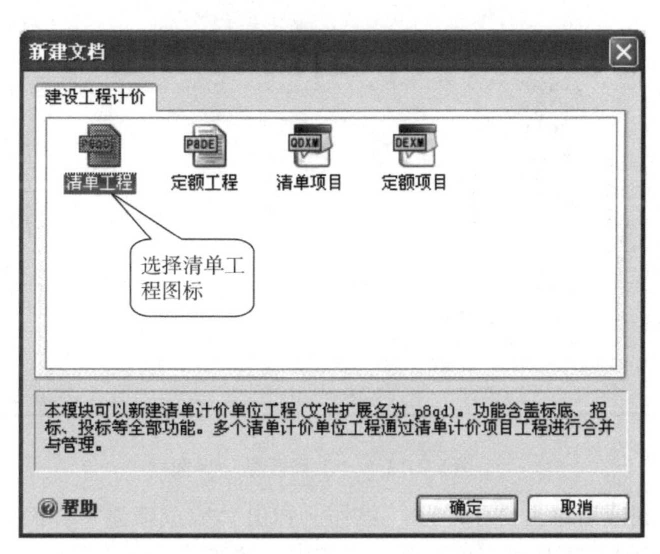

图 5-2-10　“新建文档”界面

步骤2：选择“清单工程”图标，单击“确定”按钮（或双击图标），弹出“文档模板”界面，如图5-2-11所示。

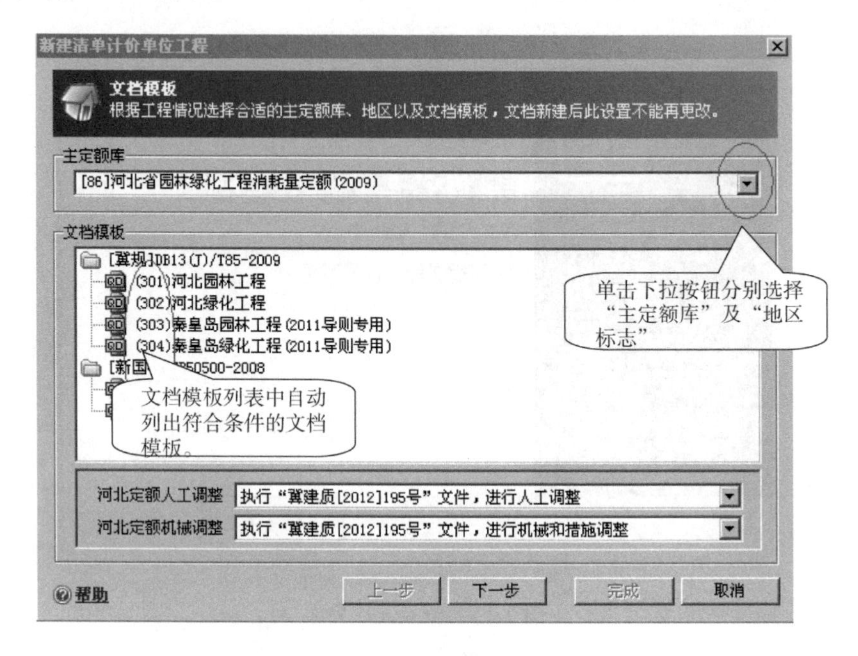

图5-2-11　“文档模板”界面

步骤3：选择需要的文档模板单击“下一步”按钮，系统自动弹出“工程概况”界面，如图5-2-12所示。

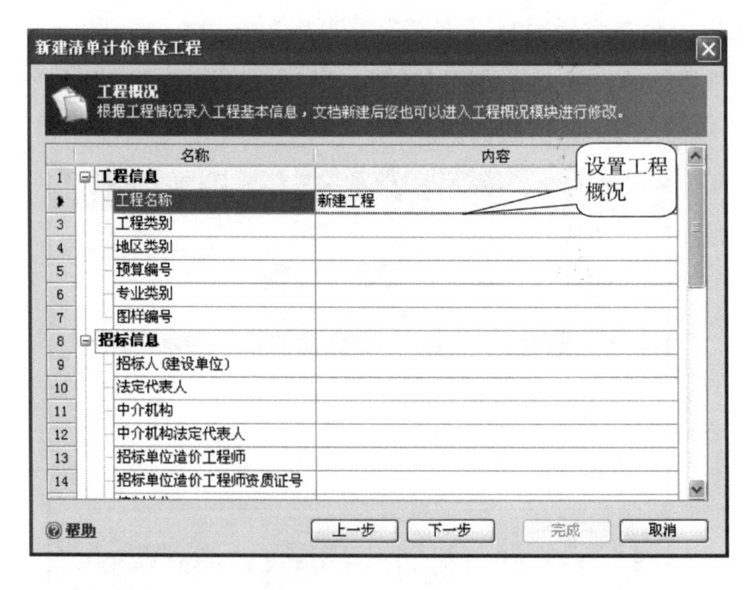

图5-2-12　“工程概况”界面

步骤4：设置完成后单击“下一步”按钮，弹出“完成新建”界面，如图5-2-13所示。

步骤5：用户确认设置信息正确后单击“完成”按钮，弹出“保存到”界面，如图5-2-14所示。选择保存目录，录入文件名称后，单击“保存”按钮。

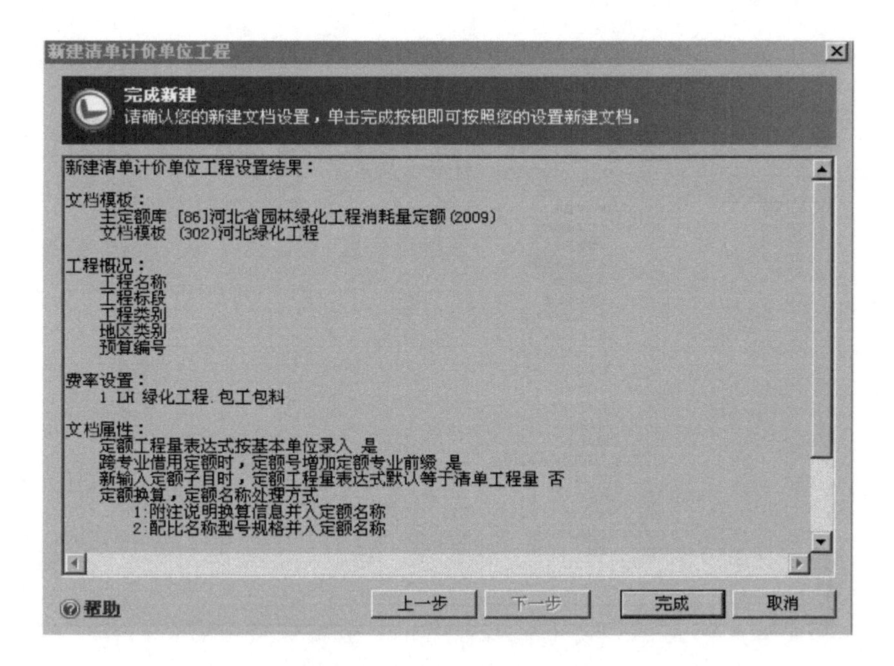

图 5-2-13 “完成新建”界面

图 5-2-14 “保存到”界面

步骤 6：单击“工程概况”按钮，显示“工程概况”界面。本模块的主要功能是提供关于工程的基本情况，如工程名称、建设单位、施工单位等信息；同时，可显示工程计算汇总得出的各种数据指标，用户可在此查看相关的计算数据；相关报表可直接在此模块提取相关信息进行打印。如图 5-2-15 所示，窗口左侧为索引栏，右侧为详细内容。

步骤 7：单击“分部分项工程量清单”按钮，弹出如图 5-2-16 所示界面。

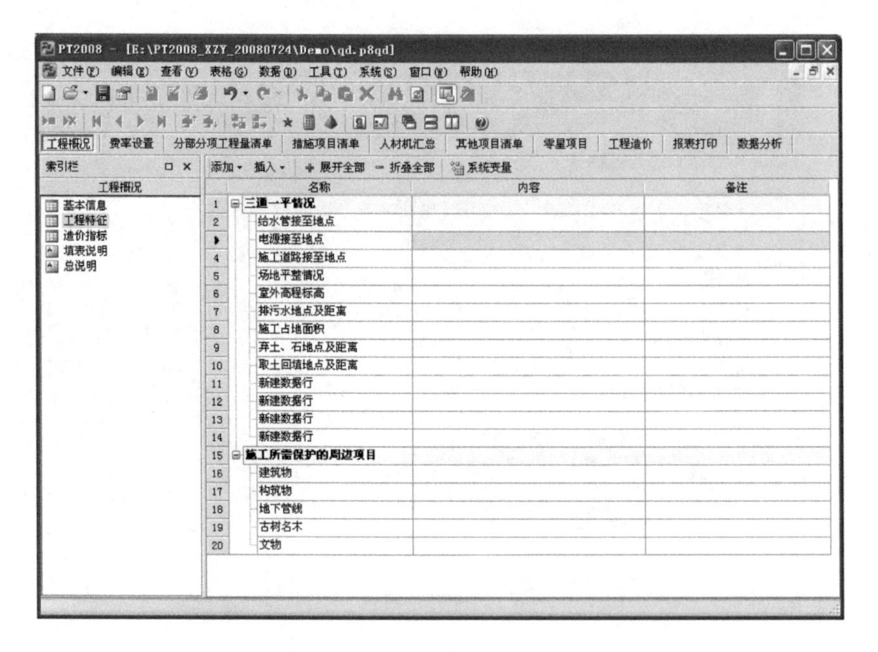

图 5-2-15 “工程概况”界面

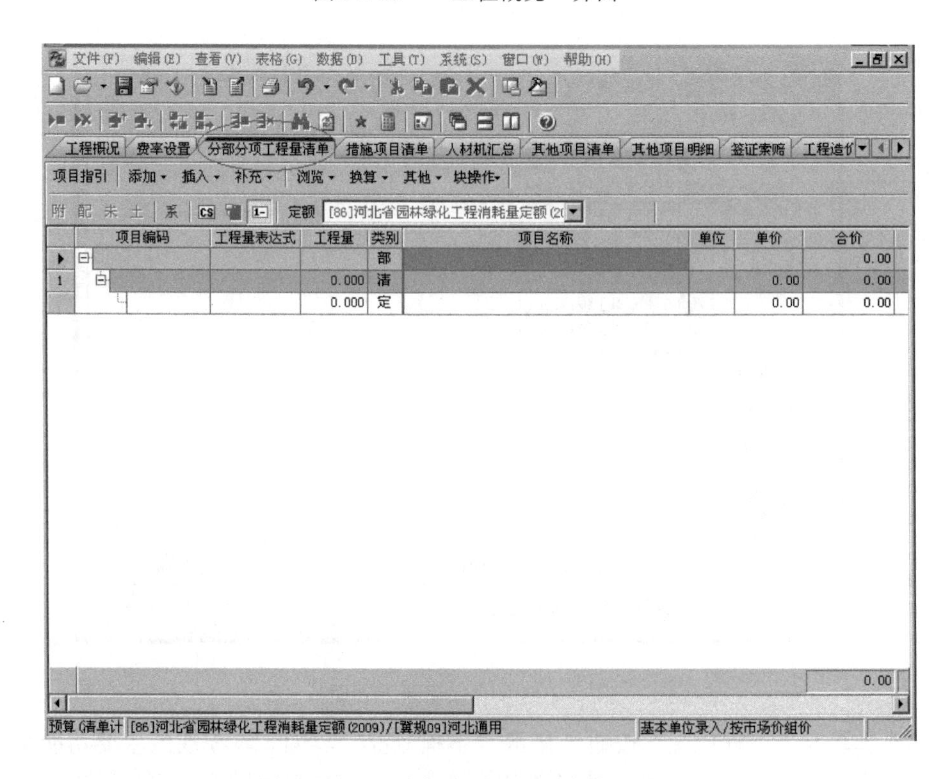

图 5-2-16 “分部分项工程量清单”界面

步骤8：在粉红色区域录入分部名称，如图 5-2-17 所示。

步骤9：单击“项目指引”按钮，在弹出的“项目指引”界面内选择所需清单项并双击，如图 5-2-18 所示。

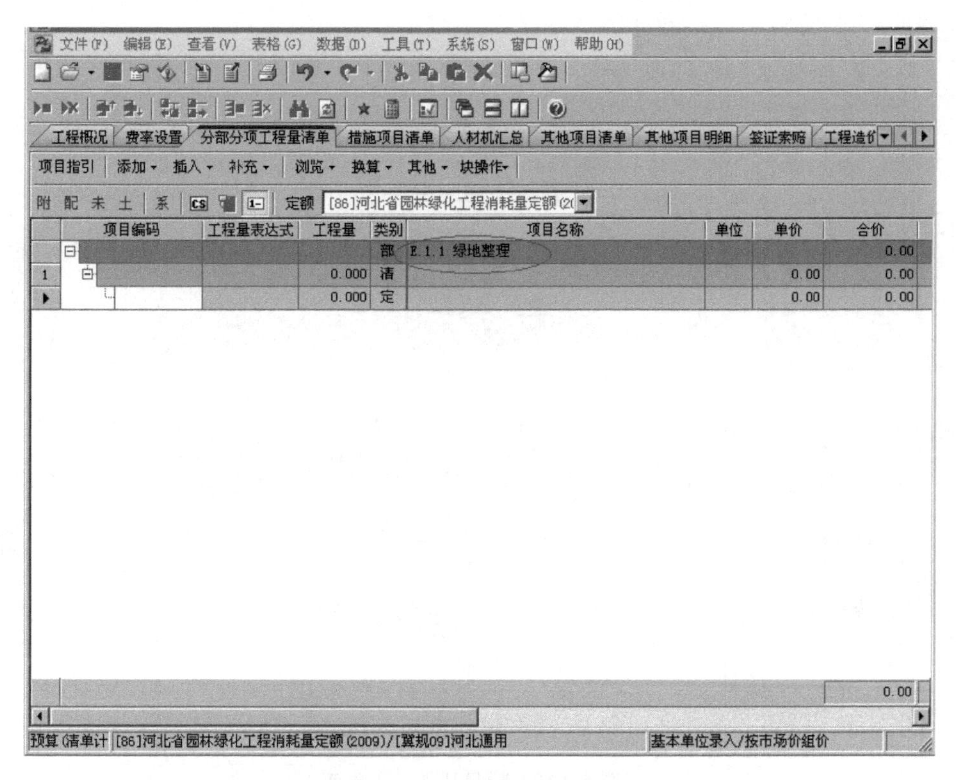

图 5-2-17　录入分部名称界面

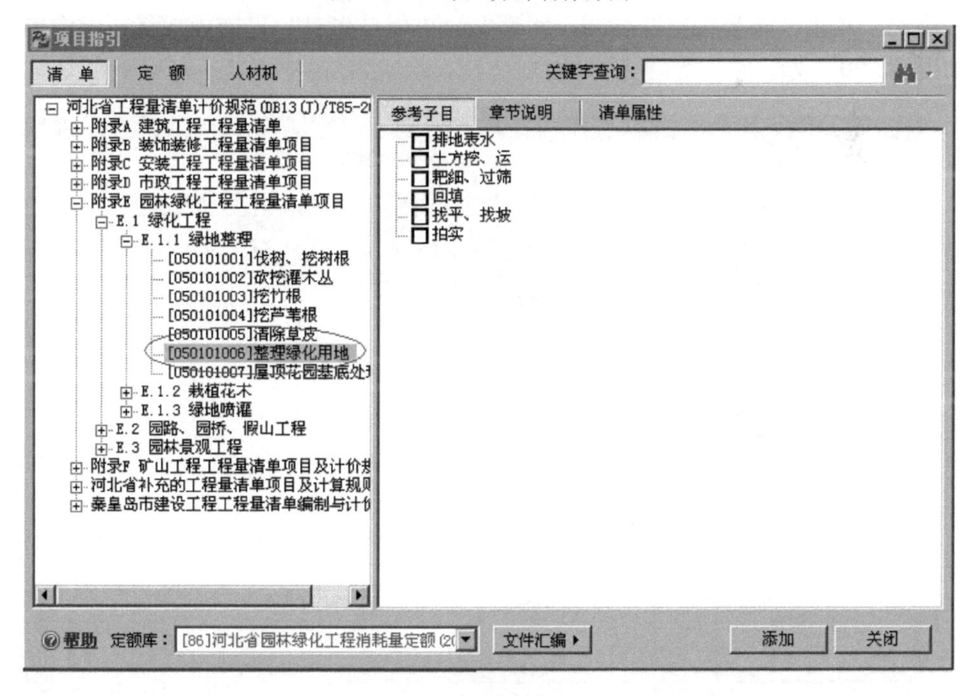

图 5-2-18　清单选择界面

步骤 10：双击绿化清单所在行，在弹出的界面中录入项目特征及工作内容，如图 5-2-19 所示。

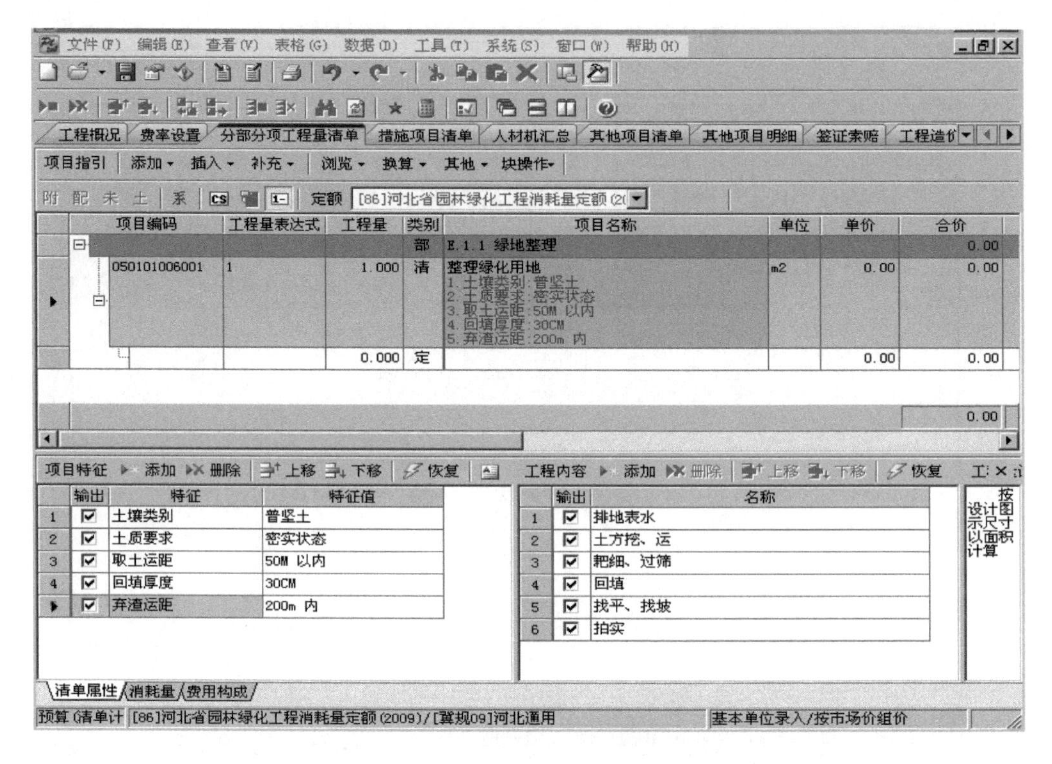

图 5-2-19　项目特征录入界面

步骤 11：单击“项目指引”按钮，在弹出的“项目指引”界面内选择所需定额项并双击，如图 5-2-20 所示。

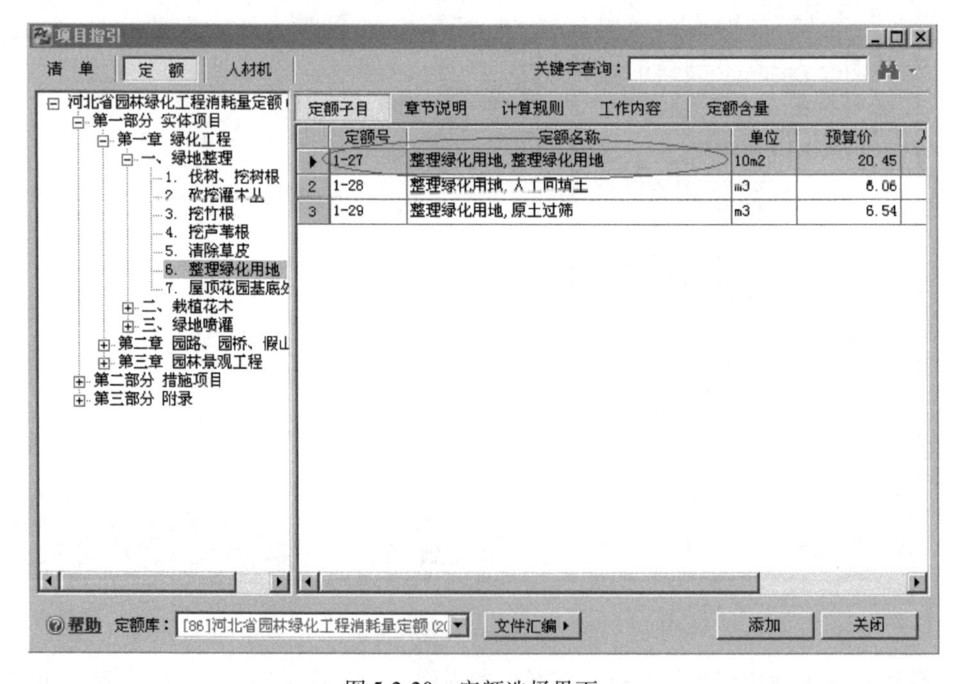

图 5-2-20　定额选择界面

步骤 12：在弹出的工程量录入界面的“工程量表达式”一栏录入工程量，如图 5-2-21 所示。

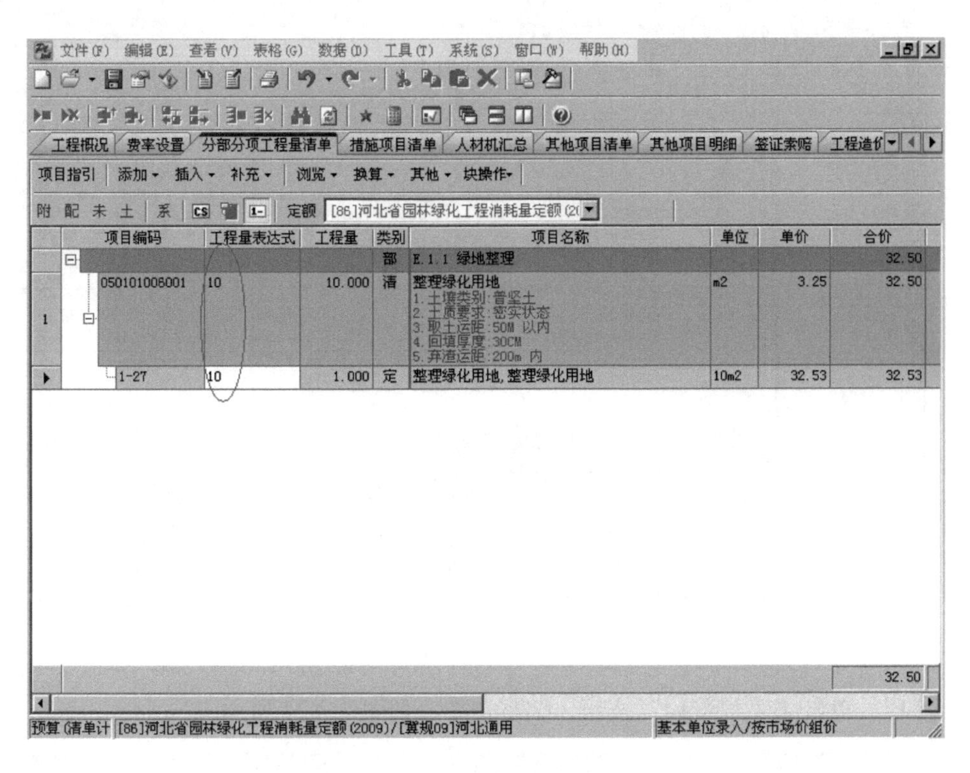

图 5-2-21　工程量录入界面

步骤 13：单击“措施项目清单”按钮，选择措施清单项目，如图 5-2-22 所示。

文件(F) 编辑(E) 查看(V) 表格(G) 数据(D) 工具(T) 系统(S) 窗口(W) 帮助(H)

费率设置 | 分部分项工程量清单 | 措施项目清单 | 人材机汇总 | 其他项目清单 | 其他项目明细 | 签证索赔 | 工程造价 | 报表打印 | 数据分析

项目指引 | 添加 - 插入 - 补充 - | 浏览 - 换算 - 其他 - 块操作-

附 配 未 土 | 系 | 定额 [86]河北省园林绿化工程消耗量定额 (2(

	项目编码	工程量表达式	工程量	类别	项目名称	单位	单价	合价	暂估价	锁定
▶	1			部	不可竞争措施项目			1.43	0.00	☐
1	1.1		1.000	清	安全防护、文明施工费	项	1.43	1.43	0.00	☐
	2			部	可竞争措施项目			2.03	0.00	☐
	2.1			部	通用项目			1.88	0.00	☐
1	2.1.1		1.000	清	混凝土、钢筋混凝土模板及支架	项	0.00	0.00	0.00	☐
2	2.1.2		1.000	清	脚手架	项	0.00	0.00	0.00	☐
3	2.1.3		1.000	清	大型机械设备进出场及安拆	项	0.00	0.00	0.00	☐
4	2.1.4		1.000	清	冬雨季施工增加费	项	0.51	0.51	0.00	☐
5	2.1.5		1.000	清	夜间施工增加费	项	0.10	0.10	0.00	☐
6	2.1.6		1.000	清	临时停水、停电费	项	0.11	0.11	0.00	☐
7	2.1.7		1.000	清	二次搬运费	项	0.33	0.33	0.00	☐
8	2.1.8		1.000	清	生产工具用具使用费	项	0.45	0.45	0.00	☐
9	2.1.9		1.000	清	检验试验配合费	项	0.04	0.04	0.00	☐
10	2.1.10		1.000	清	工程定位复测及竣工清理费	项	0.16	0.16	0.00	☐
11	2.1.11		1.000	清	成品保护费	项	0.18	0.18	0.00	☐
12	2.1.12		1.000	清	施工排水、降水	项	0.00	0.00	0.00	☐
13	2.1.13		1.000	清	地上、地下设施、建筑物的临时保护措施	项	0.00	0.00	0.00	☐
								3.46	0.00	

预算(清单计价)　[86]河北省园林绿化工程消耗量定额(2009)/[冀规09]河北通用　基本单位录入/按市场价组价

图 5-2-22　措施项目录入界面

步骤14：单击“人材机汇总”按钮，统一调价，如图5-2-23所示。

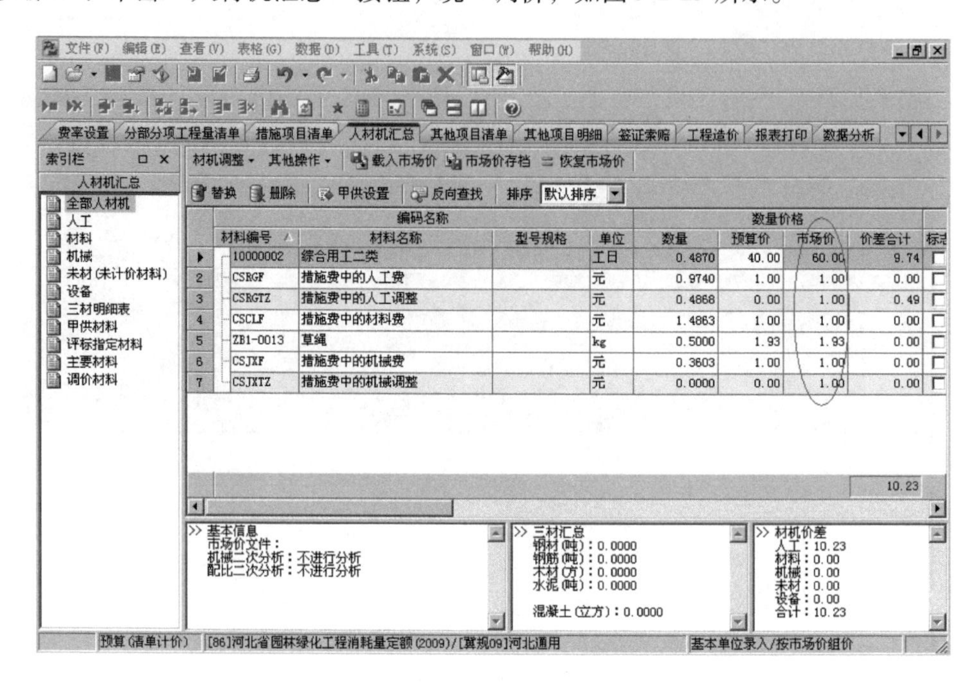

图5-2-23　人材机调价界面

步骤15：单击“工程造价”按钮，调整费率，如图5-2-24所示。

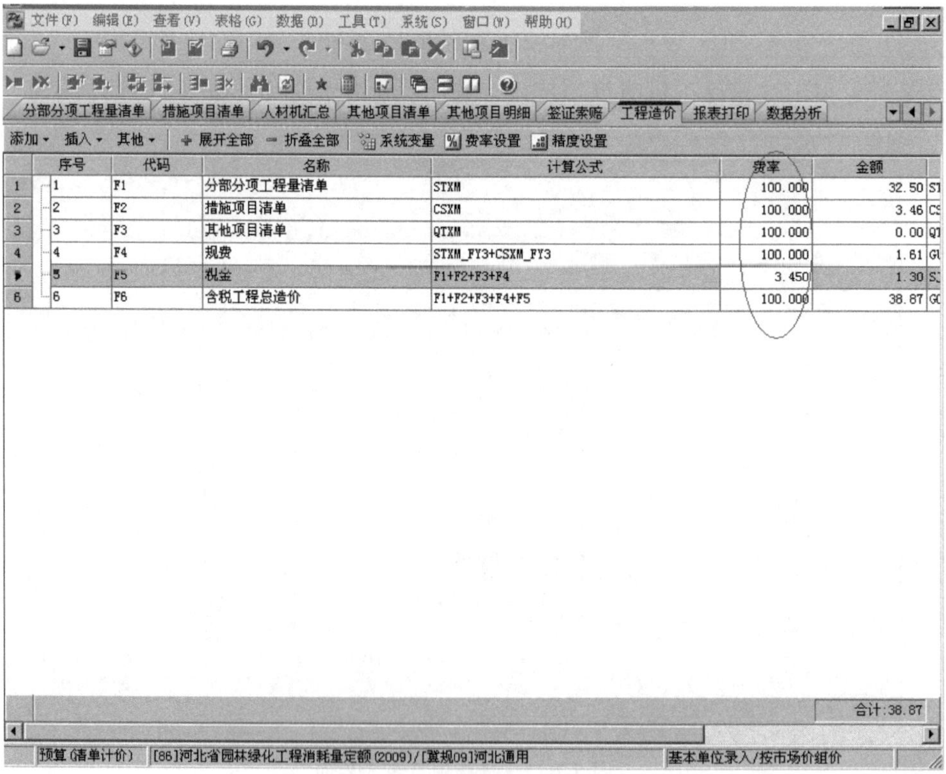

	序号	代码	名称	计算公式	费率	金额
1	1	F1	分部分项工程量清单	STXM	100.000	32.50
2	2	F2	措施项目清单	CSXM	100.000	3.46
3	3	F3	其他项目清单	QTXM	100.000	0.00
4	4	F4	规费	STXM_FY3+CSXM_FY3	100.000	1.61
5	5	F5	税金	F1+F2+F3+F4	3.450	1.30
6	6	F6	含税工程总造价	F1+F2+F3+F4+F5	100.000	38.87

合计:38.87

预算(清单计价)　[86]河北省园林绿化工程消耗量定额(2009)/[冀规09]河北通用　基本单位录入/按市场价组价

图5-2-24　费率调整界面

步骤 16：单击“报表打印”按钮，选择要输出报表，如图 5-2-25 所示。

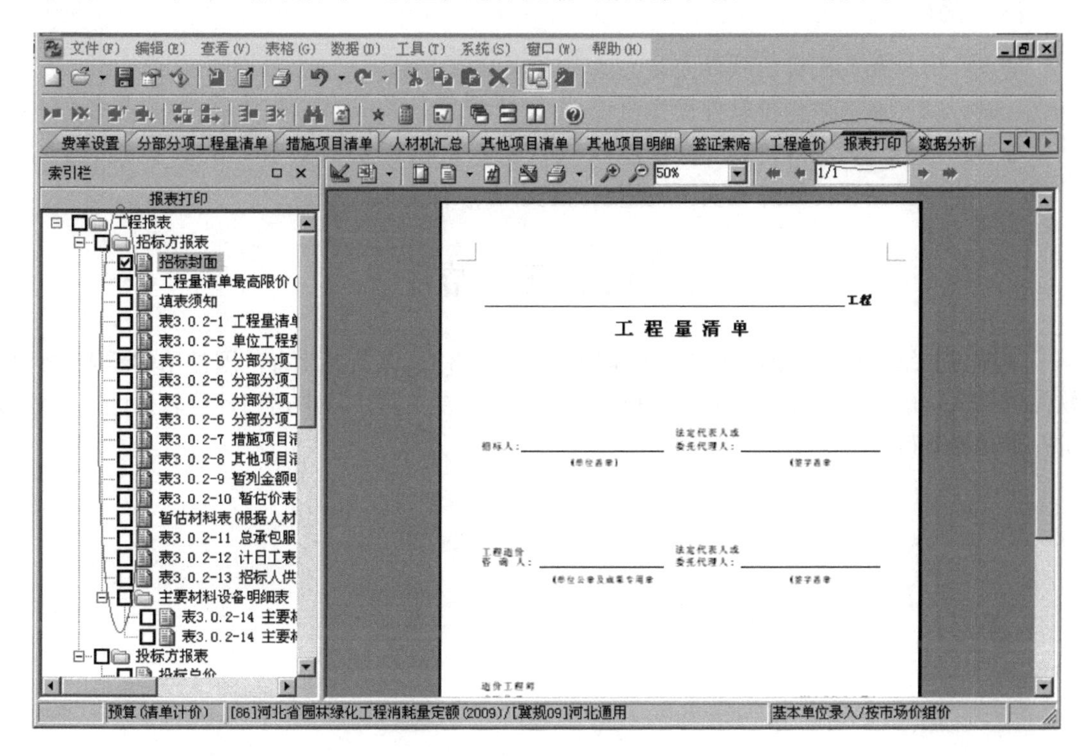

图 5-2-25　报表输出打印界面

分组练习项目三中任务一园林绿化工程，运用新奔腾计价软件进行清单计价。

四、学习评价

学习评价标准	分值	教学评价			总评
		小组评价 40%	学生自评 20%	教师评价 40%	
工程量计算，正确	20				
会应用软件	20				
自学能力	20				
完成任务态度	20				
出勤情况	20				
小计	100				

五、复习思考

（1）应用新奔腾计价软件编制工程造价的程序是什么？

（2）用新奔腾计价软件对项目三中任务三进行投标书编制。

六、总结

重点：（1）新奔腾计价软件安装方法。
　　　（2）新奔腾计价软件操作流程。
难点：（1）新奔腾计价软件操作流程。
　　　（2）对具体的工程实例应用新奔腾计价软件完成工程造价。

项目五总结

本项目介绍了全国范围应用广泛的广联达计价软件，以及河北省范围常用的新奔腾计价软件两种软件的运行环境、安装方法和操作流程，为在工程实际中运用计价软件编写工程造价打下良好基础。

附录A

定额计价模式与清单计价模式的区别

计价，是指计算建设工程造价。

定额计价是指建设工程造价，由定额直接费、间接费、利润、税金所组成的计价方式。其中定额直接费由套取国家或地区预算定额求得，再以定额直接费为基础乘以费用定额的相应费率加上材料差价等，最终确定工程造价。定额计价模式是我国计划经济时期及计划经济向市场经济转型时期所采用的一种计价模式。

工程量清单计价是指投标人根据招标文件中的工程量清单以及相关要求，结合工程施工现场的实际情况、要求，由施工单位自行制订的工程实施方案或施工组织设计，按照企业定额并考虑风险因素，由施工单位自主报价所确定的工程造价。

在编制“工程量清单计价”的过程中，应该以现行定额为基础，例如在项目划分、计量单位、工程量计算规则等方面，应尽可能多的与现行定额衔接。但在采用“工程量清单计价”编制造价时，还是要减少现行定额对工程量清单计价的影响。这是因为传统的定额计价法有许多不适应《建设工程工程量清单计价规范》编制指导思想的，它们之间存在着不适应对工程造价合理确定和有效控制上的差别，具体差别见附表。

附表　定额计价模式与清单计价模式的主要区别

差别标准	定额计价	清单计价
计价依据	统一的预算定额＋费用定额＋调价系数。政府定价	企业定额。市场竞争定价
单价组成	单价为工料单价法，即人＋材＋机，将管理费、利润等在取费中考虑	单价为综合单价法，单价组成为：人工＋材料＋机械＋管理费＋利润＋风险
工程量计算规则	按分部分项工程的实际发生量计量	按分部分项实物工程量净量计量，当分部分项子目综合多个工作内容时，以主体工程的单位为该项目的计量单位
编制工程量的单位	建设工程的工程量由招标单位和投标单位分别按图样计算	工程量是由招标单位统一计算或由有工程造价咨询资质单位统一计算
计价程序	直接费＋间接费＋利润＋差价＋规费＋税金	分部分项工程费＋措施项目费＋其他项目费＋规费＋税金

（续）

差别标准	定额计价	清单计价
评标采用的方法	一般只对投标总价进行评审，且以社会平均单价水平为标准来决定中标人	不仅对投标总价进行评审，还要对分部分项工程量报价、措施项目费用报价、其他项目费用报价逐一进行对比分析，为实施经评审的最低投标价竞标创造条件
项目编码	采用传统的预算定额项目编码。全国各省市自行编制，无法统一	实现了全国统一编码、统一项目名称、统一计量单位、统一计算规则的“四统一”
合同价调整方式	变更签证、定额解释、政策性调整	工程量清单的综合单价一般通过招标中报价的形式体现，一旦中标，报价作为签订施工合同的依据相对固定下来，工程结算按承包商实际完成工程量乘以清单中相应的单价计算，减少了调整活口

根据上述两种计价方式，建设工程造价确定程序是不相同的。在定额计价模式下，建设工程造价确定是以国家或地区所发布的预算定额为核心，最后所确定的工程造价实际上是社会信息平均价。在工程量清单计价模式下，建设工程造价的确定是以企业定额为核心，最后所确定的工程造价是企业自主价格。这一模式在极大程度上体现了市场竞争机制。工程量清单计价均采用综合单价形式，在综合单价中包含了人工费、材料费、机械使用费、管理费、利润等。其中不同于定额计价模式，先有定额直接费用表，再有材料差价表，还有独立费表，最后在计费程序表中才知道工程造价。对比之下，工程量清单计价显得简单明了，更加适合于工程招标投标。

附录B 《园林工程计价》课程思政教学设计

项目名称	任务名称	教学内容	课程思政载体	思政元素	育人成效
园林工程计价解读	工程计价解读	园林工程造价的职能	工程造价的认知	爱国主义	通过教师对园林工程计价内容的解读，使学生对工程造价岗位要求有明确的认识。在我国乡村振兴与城镇化融合的建设背景下，对其职业生涯进行初步规划，从而增强其投身国家建设的荣誉感与使命感
	园林工程图识读	园林施工图内容	教师带领识读园林施工图	职业自豪感	通过对园林施工图识读，让学生了解到园林工程项目对国家经济发展、环境改善起到重要作用。增强学生对园林工程计价任务的认同感，从而增强学生的职业自豪感
园林工程定额计价	园林工程预算与定额应用	单位工程施工图，预算费用计算程序	税金计算	诚信精神	依法纳税是每一个公民与企业的基本义务，通过税金计算讲解引入个人与企业偷税漏税的严重性，从而培养学生为人诚信的基本品德，引导学生正确的人生观、价值观
	园林绿化工程定额计价	园林绿化工程工程量计算	园林绿化工程项目列项	保护生态环境	一个完整的园林绿化工程项目需要多种植物相配合，整个生态环境亦是如此。我们在不断进行园林绿化工程的同时更要保护原有的生态环境，使学生坚信“绿水青山就是金山银山”
	园路工程定额计价	园路工程项目计算	园路工程施工图识读	中国传统文化传承	中国传统文化中强调“曲径通幽”，现代园路工程对中国传统文化进行了继承，设计过程中层次分明又蜿蜒曲折。识图过程中带领学生感受中国传统文化的传承

（续）

项目名称	任务名称	教学内容	课程思政载体	思政元素	育人成效
园林工程定额计价	园桥工程定额计价	园桥工程量计算	园桥工程量中不同的计量单位	严谨的工作态度	园桥工程量的计算中涉及不同的计量单位，因此在计算过程中学生需要保持严谨的工作态度
	假山工程定额计价	假山工程量计算	假山工程列项	严谨的工作态度	假山项目不是简单的石块堆砌，包含了垫层、基础、模板、景石等内容，学生在列项过程中需要保持严谨的工作态度
	景墙砌体工程定额计价	土方工程量计算	观看人工挖土方、机械挖土方视频	科学技术是第一生产力	传统的人工开挖土方项目对人力消耗大、工作进度慢，随着科学技术的不断发展，对于大规模土方挖掘，多采用机械开挖，通过观看对比视频，培养学生不断学习先进科学技术的思想，树立科技强国的理念
	钢筋混凝土亭定额计价	钢筋混凝土亭构造	观看钢筋混凝土钢筋绑扎与混凝土浇筑视频	团结协作能力	钢筋抗拉能力强、混凝土抗压能力强，二者紧密结合所产生的钢筋混凝土构件既有较强的抗压能力，又有较强的抗拉能力，故此引出团结协作的重要性
	钢结构廊架工程定额计价	钢结构廊架计算	对比传统木质廊架结构与现代钢结构廊架	安全意识	传统木质廊架经过时间的洗刷和攀附植物的不断长大容易损坏，从而造成安全问题；钢结构廊架金属面涂刷调和漆后安全性能好。通过对比，增强学生的安全意识
	园林给水排水工程定额计价	园林给水排水工程的重要性	介绍闽宁镇引黄河水灌溉工程	节约水源	水作为生命的源泉，对于园林工程的重要性不言而喻。引入闽宁镇引黄河水灌溉将戈壁滩变为绿洲的精准扶贫故事，重点强调节约水源的重要性
	园林电气工程定额计价	园林电气工程的重要性	介绍电在园林工程中的应用，如路灯、草坪灯	节约用电	现代生活离不开电能的供应，我国80%的电能为火力发电，即燃煤发电，因此节约用电刻不容缓
园林工程工程量清单计价	园林工程工程量清单计价解读	园林工程工程量清单计价解读	解读园林工程工程量清单计价模式，讲解清单计价的来源	公平竞争意识	教师通过对工程量清单计价模式的讲解，引入我国现行的招标投标制度，从而培养学生的公平竞争意识，引导学生树立正确的价值观
	园林绿化工程工程量清单计价	工程量清单综合单价分析表	苗木等未计价材料费占清单项目综合单价的80%以上	保护植物、人人有责	讲解清单项目综合单价的组成，进行价目分析，发现植物的价格非常高，每一个人都应该从自己做起保护植物

（续）

项目名称	任务名称	教学内容	课程思政载体	思政元素	育人成效
园林工程工程量清单计价	园路工程工程量清单计价	园路工程剖面图识读	讲解园路工程的铺装层次	工作严谨	园路的铺装看似简单，实际需要夯实、垫层、砂浆层、铺装等多道工序，一道工序出现问题都会对路面产生影响，从而引导学生严谨的工作态度
	园桥工程工程量清单计价	园桥工程识图	中国古典园桥图片赏析	爱国主义	园桥工程是中国古典园林的重要组成部分，其造型优雅又兼具使用功能，体现了我国古代劳动人民的智慧，增强学生的爱国情怀
	假山工程工程量清单计价	假山工程工程量计算	欣赏园林假山石景堆砌图片，如避暑山庄内日月同辉景点	艺术审美、爱国主义	通过对假山石景的堆砌赏析，展现中国工匠巧夺天工的技艺，增强学生的艺术审美能力和爱情主义情怀
	景墙砌体工程工程量清单计价	工程量计算规则	对比土方计算定额工程量与清单工程量计算的区别	人文关怀	对于土方计算定额工程量应考虑人文因素，更加人性化，引导学生做人做事都要从人文主义出发
	钢筋混凝土亭工程工程量清单计价	核实工程量清单	钢筋工程量计算	脚踏实地的工作作风	钢筋混凝土亭柱中的钢筋下到基础内，上到亭板内，是顶天立地的构件，引导学生做人也要像亭柱钢筋一样顶天立地、脚踏实地
	钢结构廊架工程工程量清单计价	核实工程量清单	脚手架工程工程量计算	安全意识	钢结构廊架施工需要搭设脚手架，通过讲解单排、双排脚手架的搭设，强调安全的重要性，从而增强学生的安全意识
	园林给水排水工程工程量清单计价	核实工程量清单	给水排水管道的工程量计算	爱国主义	通过讲解喷灌工程增产情况引入园林给水排水工程管道的计算，展现我国农业大国的本质，增强学生的民族荣誉感
	园林电气工程工程量清单计价	核实工程量清单	电缆（线）工程量计算	科技进步	随着科学技术的发展，核电将会逐渐代替火力发电，其成本更低，但是核电需要在偏远地区，故输送电的费用增高，从而引入电气线路工程量的计算，同时展现了科学进步对人类生活的影响，增强学生学习先进科学技术的意识

（续）

项目名称	任务名称	教学内容	课程思政载体	思政元素	育人成效
园林工程结算与竣工决算	园林工程结算与竣工决算通识	工程结算的常用合同	教师讲解合同的重要性	增强法律意识	教师在讲解合同种类过程当中，强调签订合同的重要性，增强学生的法律意识
	园林工程价款结算的计算	园林工程价款的结算方式	教师讲解农民工工资结算方式	诚信精神、国家荣誉感	农民工工资结算多按“节”结算，故很多包工头故意拖欠农民工工资，这是缺乏诚信的表现。我国政府快速出台各种政策解决这一问题，体现了国家对农民工的关怀，身为一名中国人无比自豪
	园林工程竣工结算文件编制	竣工结算文件编制	教师讲解竣工结算表格填写	严谨的工作态度	竣工结算表格繁多，不同表格相似性大，要求学生在填表制表的过程中保持严谨的工作态度
园林工程计价软件应用	广联达GBQ4.0计价软件安装与应用	广联达计价软件介绍	教师讲解软件套价，并与手工套价做比较	科技进步、与时俱进	广联达软件的引入极大地减少了工程计价人员的工作量，并且提高了计价准确度。作为一名工程计价人员，必须与时俱进，不断学习先进的科学知识，不断丰富自己的头脑
	新奔腾计价软件安装与应用	新奔腾计价软件介绍	教师讲解“量筋合一”软件算量并与手工算量相比较	科技进步、与时俱进、学习需要“举一反三”	“量筋合一”软件的应用，减少了工程计价人员算量的工作量，其三维模式方便检查，并且与广联达软件比较二者区别不大，故引导学生举一反三的学习方法

综合测试题（一）

一、名词解释

1. 园林工程概预算。
2. 工程变更。
3. 安全文明施工措施费。
4. 苗高。
5. 园林小品。

二、判断题

1. 施工企业内部的单位工程竣工决算，施工企业内部可以进行实际成本分析，反映经营效果，总结经验教训，以利于提高企业经营管理水平。（　　）

2. 刨树坑以“米”计算，刨绿篱沟以“个”计算，刨绿带沟以“m^3”计算。（　　）

3. 园林建设工程预算费用由直接费、间接费、差别利润、税金和其他费用五部分组成。（　　）

4. 间接费包括施工管理费和其他间接费及施工机具使用费。（　　）

5. 嵌草砖铺设按设计图示尺寸以面积计算，应扣除镂空部分的面积。（　　）

6. 设计概算、施工图预算和竣工决算简称“三算”。（　　）

7. 用卵石拼花拼字，均按花或字的外接矩形或圆形面积计算其工程量。（　　）

8. 土坑换土，以实挖的土坑体积乘以系数 1. 5 计算。（　　）

9. 挖地槽：凡槽宽在 3m 以内，槽长为槽宽 3 倍以上的挖土，按挖地槽计算。外墙地槽长度按其中心线长度计算，内墙地槽长度以内墙地槽的净长计算，宽度按图示宽度计算，突出部分挖土量应予以增加。（　　）

10. 路牙铺设如有坡度时，工程量以斜长计算。（　　）

11. 露地花卉栽植单位需换算成 $100m^2$。（　　）

12. 栽种水生植物单位需换算成 10 株。（　　）

13. 栽种攀缘植物单位需换算成 10 株。（　　）

14. 景观工程木构件油漆按构件的展开面积计算。 （　　）

15. 花架定额中，现场预制混凝土的制作、安装等项目，适用于梁、檩断面面积在220cm²以内、高度在6m以下的轻型花架（超过此断面的可套用建筑定额）。 （　　）

三、填空题

1. 工程竣工决算分为________和________两种。
2. ________、________和________简称“三算”。
3. 单位工程直接费计算完毕，即可计算________、________、________、________等费用。
4. 工程预算的编制方法有________、________。
5. 给水系统分为________、________、________。
6. 单价法编制施工图预算时，套用消耗量标准计算________、________、________消耗量。
7. 树皮、麦草、山草及丝（思）毛草的亭屋面定额内，包括________、________。
8. 现浇钢筋混凝土和预制钢筋混凝土项目基价中均不包含________，钢筋工程须另外执行相应子目。
9. 刨树坑以“个”计算，刨绿篱沟以“延长米”计算，刨绿带沟以“________”计算。
10. 土坑换土，以实挖的土坑体积乘以系数________计算。
11. 乔灌木施肥、刷药、涂白、人工喷药、栽植支撑等项目的工程量均按植物的________计算。草坪、地被、色带均以________计算。
12. 凡挖土底面积在________ m²以内，槽宽在________以内，槽长小于槽宽3倍者按________计算。
13. 整理绿化用地单位换算成________ m²，如绿化用地1850m²，换算后数量为________计量单位为________。
14. 起挖或栽植带土球乔木，一般设计规格为胸径，需要换算成土球直径方可计算。一般情况下土球规格是乔木胸径的________倍，如栽植胸径5cm红叶李，则土球直径应为________ cm。
15. 起挖或栽植带土球灌木，一般设计规格为________，需要换算成土球直径方可计算。

四、选择题

1. 必须依靠特殊器官或靠蔓延附作用而依附于其他物体上才能伸展于空中的树木称为（　　）。

A. 乔木　　B. 灌木　　C. 攀缘植物　　D. 棕榈类

2. 工程量清单项目中，堆筑土山丘按设计图示山丘水平投影外接矩形面积乘以高度的（　　），以体积计算。

A. 1/2　　B. 1/3　　C. 3/4　　D. 2/3

3. 工程量清单项目中，山坡石台阶按设计图示尺寸以（　　）计算。

A. 体积　　B. 面积　　C. 水平投影面积　　D. 侧面投影面积

4. 人工挖沟槽是指（　　）。

A. 沟槽底宽大于3m，坑底面积大于$20m^2$　　B. 坑底面积大于$20m^2$

C. 沟槽长度大于10m　　D. 坑底面积大于$20m^2$，槽底宽度小于3m

5. 平整场地工程量计算规定（　　）。

A. 计算建筑物占地面积

B. 按建筑物外墙外边线每边各加2m计算面积

C. 按建筑物外墙外边线每边各加3m计算面积

D. 按建筑物占地面积增加20%计算

6. 机械土方定额是按三类土编制的，如果实际土壤为一、二类土时需要（　　）。

A. 按相应系数减少土方量　　B. 以挖掘前的天然密实体积计算

C. 定额中机械台班量相应减少一定系数　　D. 机械台班量不减少

7. 园林绿化工程清单项目中无对应项目的工程（　　）。

A. 可自行补充清单项目　　B. 由造价管理部门统一进行补充

C. 由甲方补充清单项目　　D. 由审计管理部门统一进行补充

8. 工程量清单项目中，现浇混凝土攒尖亭屋面板按设计图示尺寸以体积计算，其混凝土脊体积（　　）。

A. 单独列项计算　　B. 并入屋面体积内

C. 并入梁体积内　　D. 并入板体积内

9. 工程量清单项目中，草亭屋面按设计图示尺寸以（　　）面积计算。

A. 水平投影　　B. 斜面　　C. 侧面投影　　D. 实铺

10. 工程量清单项目中，钢筋混凝土飞来椅按设计图示尺寸以（　　）计算。

A. 体积　　B. 以座凳面中心线长度

C. 个数　　D. 投影面积

五、简答题

1. 什么是材料消耗定额？
2. 什么是机械台班费用定额？
3. 简述假山工程量如何计算。
4. 各种园林植物材料在运输、栽植过程当中，其合理损耗率是多少？
5. 简述园林工程预算审查的意义。
6. 什么是园林工程造价？
7. 简述绿化种植工程量的计算规则。
8. 什么是后期管理费？

六、计算题

1. 根据教材项目一任务二中的图1-2-1 ~ 图1-2-3售卖亭的平面图、立面图、剖面图，计算售卖亭的定额工程量和清单工程量。

2. 有一半圆形广场，直径10m，为花岗石地面，广场垫层为200mm厚3∶7灰土、150mm厚C15混凝土垫层。四周为条石，条石宽为150mm，求平整场地、挖土方、3∶7灰土（3∶7灰土虚实折算系数为1.53）、混凝土地面、花岗石地面及条石工程量。

综合测试题（二）

一、名词解释

1. 预算定额。
2. 概算定额。
3. 措施项目费。
4. 税金。
5. 园林建筑。

二、判断题

1. 预算定额是确定工程造价的主要依据，它是由国家或被授权单位统一组织编制和颁发的一种法令性指标，具有极大的权威性。（　）

2. 整理绿化用地单位换算成 $100m^2$，如绿化用地 $18500m^2$，换算后为 185。（　）

3. 施工图是指经过会审的施工图，包括所附的设计说明书、选用的通用图集和标准图集或施工手册、设计变更文件等，它是编制预算的基本资料。（　）

4. 预算定额具有法令性、地区性、针对性、相关性和稳定性。（　）

5. 园路垫层宽度：带路牙者，可按路面宽度加 20cm 计算；无路牙者，可按路面宽度加 10cm 计算。（　）

6. 挖土方：凡平整场地厚度在 30cm 以下，槽底宽度在 3m 以下和坑底面积在 $20m^2$ 以上的挖土，均按挖土方计算。（　）

7. 挖地坑：凡挖土底面积在 $20m^2$ 以上，槽宽在 3m 以内，槽长小于槽宽 3 倍者按挖地坑计算。（　）

8. 起挖或栽植带土球灌木，一般设计规格为冠径，需要换算成土球直径方可计算。如栽植冠径 1m 黄杨球，则土球直径应为 50cm。（　）

9. 草皮铺种单位需换算成 $10m^2$。（　）

10. 园林建设工程预算费用由直接费、间接费、利润、税金和其他费用五部分组成。（　）

11. 种植工程量计算规则规定乔灌木以“株”计算；绿篱以“延长米”计算；花卉、草坪、色块地被类以“m^2”计算。（　）

12. 石浮雕按设计图示尺寸以雕刻部分外接圆形面积计算。（　）

13. 须弥座按方柱体计算，不扣除束腰等凹进部分体积。（　）

14. 管道油漆按管道外径以展开面积计算。（　）

15. 木座凳面采用板式木座面时，按设计图示尺寸以面积计算；采用条式木座面时，按设计图示尺寸以体积计算。（　）

三、填空题

1. 设计概算是初步设计文件的重要组成部分。它是由设计单位在初步设计阶段，根据________，按照有关工程概算定额________、各项费用定额________等有关资料，预先计算和确定工程费用的文件。

2. ________、________和________简称“三算”。它们之间的关系是：概算价值不得超过计划任务书的投资额，施工图预算和竣工决算不得超过概算价值。

3. 预算定额的换算：当施工图设计的分部分项工程内容与定额项目的内容不一致时，为了准确计算工程项目的直接费及工料消耗量，必须对________进行调整，使两者一致，这就是定额换算。

4. 为了提高工程概预算的编制水平，正确地运用概预算定额及其有关规定，必须熟悉现行预算定额的全部内容，了解和掌握定额子目的________、施工方法、________、质量要求、________、工程量计算规则等，以便能熟练地查找和正确地应用。

5. 草屋面、树皮屋面按设计图示尺寸以________计算。

6. 国家标准计价规范把园林绿化工程划分为四个分部工程：________工程、园路园桥工程、________工程、措施项目。

7. 挖土方：凡平整场地厚度在________ cm以上，槽底宽度在________以上和坑底面积在________以上的挖土，均按挖土方计算。

8. 挖地槽：凡槽宽在3m以内，槽长为槽宽3倍以上的挖土，按挖地槽计算。外墙地槽长度按其________长度计算，内墙地槽长度以内墙地槽的________计算，宽度按图示宽度计算，突出部分挖土量应予增加。

9. 基础垫层工程包括素土夯实、基础垫层。基础垫层均以________计算，其长度，外墙按中心线，内墙按垫层净长，宽、高按图示尺寸。

10. 种植工程量计算规则乔灌木以“株”计算，绿篱以“________”计算，花卉、草坪、地被类以“________”计算。

11. 税金是由________税、城市建设维护税、________、________四部分构成。

12. 取灌木冠径的1/3为土球直径，如栽植冠径1.2m女贞球，则土球直径应为________ cm。

13. 综合工日为________与________之和。

14. 混凝土水池，池底面积在________以内者，其池底和池壁________乘以系数1.25。

15. 工程量清单计价，是指投标人完成由招标人提供的工程量清单所需的全部费用，包括分部分项工程费、措施项目费、________、________、税金。

四、简答题

1. 如何理解工程量清单计价？
2. 简述设计概算编制的依据。
3. 简述一般园林工程的定额计价预算费用的程序步骤。
4. 简述假山工程量的计算规则？
5. 什么是预算定额的换算？

五、计算题

1. 根据项目一任务二中图 1-2-6 所示廊架施工详图，计算其定额工程量和清单工程量。

2. 某公园园路为水泥混凝土路面，路两侧有混凝土路牙，已知路长为 22m，宽 6m，碎石厚度为 100mm，C20 混凝土厚度为 120mm，路牙规格为 20cm × 20cm × 10cm，试求其工程量并依据本地区定额填写园路工程预算表格。

参 考 文 献

[1] 张建新．园林工程造价员速学手册［M］．北京：知识产权出版社，2011.
[2] 韩秀君．园林绿化工程造价［M］．北京：中国电力出版社，2012.
[3] 孟兆祯．园林工程［M］．北京：中国林业出版社，1996.
[4] 徐云和．园林工程预算［M］．北京：中国劳动社会保障出版社，2008.
[5] 马晓燕．园林制图［M］．3 版．北京：气象出版社，2005.
[6] 李永兴．园林工程技术［M］．北京：中国劳动社会保障出版社，2008.
[7] 河北省工程建设造价管理总站．河北省园林绿化工程消耗量定额（HEBGYD-E-2009）［M］．北京：中国计划出版社，2009.
[8] 王作仁，田建林．园林工程招标投标与预决算［M］．北京：中国建材工业出版社，2007.
[9] 胡光宇．园林工程计量与计价［M］．沈阳：沈阳出版社，2011.
[10] 廖雯．园林工程计价［M］．北京：中国建筑工业出版社，2013.
[11] 王萍，付鹏飞．建筑工程造价［M］．天津：天津科学技术出版社，2013.
[12] 中华人民共和国住房和城乡建设部．建设工程工程量清单计价规范：GB 50500—2013［S］．北京：中国计划出版社，2013.
[13] 中华人民共和国住房和城乡建设部．园林绿化工程工程量计算规范：GB 50858—2013［S］．北京：中国计划出版社，2013.
[14] 中华人民共和国住房和城乡建设部．房屋建筑与装饰工程工程量计算规范：GB 50854—2013［S］．北京：中国计划出版社，2013.
[15] 本书编委会．园林工程造价速成与实例详解［M］．北京：化学工业出版社，2012.
[16] 李志刚．园林工程造价指导［M］．北京：化学工业出版社 ，2011.
[17] 上官子昌．园林工程造价速学快算［M］．北京：机械工业出版社 ，2011.
[18] 高蓓，赵明秀．园林工程预算与清单计价［M］．北京：化学工业出版社，2011.
[19] 常庆禄．园林绿化工程计价［M］．徐州：中国矿业大学出版社 ，2011.
[20] 张微笑．园林绿化工程清单计价培训教材［M］．北京：中国建材工业出版社 ，2014.
[21] 张国栋．园林工程清单算量典型实例图解［M］．北京：中国建筑工业出版社 ，2014.
[22] 由元晶．园林绿化工程造价实训［M］．南京：江苏科学技术出版社，2012.
[23] 史静宇．新版园林工程工程量清单计价及实例［M］．北京：化学工业出版社，2013.
[24] 何辉，吴瑛．园林工程计价与招投标［M］．北京：中国建筑工业出版社，2009.
[25] 廖伟平，孔令伟．园林工程招投标与概预算［M］．重庆：重庆大学出版社，2013.
[26] 徐涛，卢鹏．园林绿化工程预算知识问答［M］．北京：机械工业出版社，2006.
[27] 张国栋．一图一算之园林绿化工程造价［M］．2 版．北京：机械工业出版社，2014.